ФРИДРИХ НЕЗНАНСКИЙ

ФИНИШ
ДЛЯ ЧЕМПИОНОВ

Москва  2006

УДК 821.161.1-312.4
ББК 84(2Рос-Рус)6-44
    Н 44

Серия основана в 1995 году

Н 44   **Незнанский Ф. Е.**
          Финиш для чемпионов: Роман / Ф. Е. Незнан-
       ский. — М.: Олимп; Эксмо, 2006. — 320 с. — (Марш
       Турецкого).

          ISBN 5-699-15918-5 (Эксмо)
          ISBN 5-7390-1844-7 (Олимп)

В праздничную новогоднюю ночь совершено два зверских убийства — олимпийского чемпиона и главы элитного спорткомплекса. Дела настолько «громкие», что к их расследованию привлечены самые высокопрофессиональные силы — старший помощник генерального прокурора Александр Турецкий и его оперативная группа.

Они устанавливают, что в деле замешаны международные интересы. Одна из версий — распространение допинга среди наших спортсменов. Но кто же из российских чиновников хочет лишить страну олимпийской славы?

УДК 821.161.1-312.4
ББК 84(2Рос-Рус)6-44

ISBN 5-699-15918-5
ISBN 5-7390-1844-7

1

«Новый год к нам мчится, скоро все случится!» — оптимистически вопила в соседнем дворе подгулявшая компания, не забывая сопровождать восторженными взвизгами взрывы самодельного фейерверка. Песенка слегка запоздала, поскольку Новый год уже примчался: вот уже шесть часов, как под бой телевизионных курантов для населения Москвы он вступил в свои права. Близится рассвет первого января — а впереди целых триста шестьдесят пять дней... Что принесут они с собой? Кому-то головокружительный взлет, кому-то — падение, кому-то — размеренность серенького существования, в котором давно хотелось бы что-то изменить.

Подняв бокалы шампанского, все надеются на то, что год будет счастливым. Но ведь вероятность счастливой случайности так же велика, как и вероятность несчастной. И разве только одни подарки, перевязанные розовой ленточкой, припрятаны в мешке Деда Мороза? Потеря работы, депрессия, автокатастрофа, инфаркт, измена, случайная пуля — кому-нибудь эти сюрпризы непременно достанутся.

Может быть, праздничные песни и пляски, поздравления, подарки и елочные огни — все это люди придумали для того, чтобы поменьше мечтать о вероятном, а не о призрачном будущем? Чтобы за пестрой суматохой забыть, какое это на самом деле тревожное событие — Новый год...

Снег под ногами хрустел, озарялся разноцветной радугой петард. Павел Любимов с гостями, супругами Витей и Инной, выбрался во двор проветриться.

Аня с ними не пошла, зато поднесла к окну Димку. Через закрытое и заклеенное по зимнему времени окно Павел ничего не слышал, но видел, как она, прикасаясь пальцем к стеклу, наверняка объясняла сыну: «А смотри-ка, Димочка, кто это там у нас? Ой, смотри-смотри... Это же па-апа! Наш папа!»

— У-ти, какой заюшка, — умилилась Инна.

У самой Инны с беременностью пока ничего не выходило, но судя по тому, как она сюсюкалась со всеми встречными младенцами, без ребенка они с мужем не останутся. В крайнем случае возьмут малыша из детдома. Усыновление в наше бдительное время обставлено множеством проблем, но Виктору Бочанину волноваться нечего: бывший чемпион мира по конькобежному спорту не имеет вредных привычек, а обеспечен так, что сумеет прокормить большую многодетную семью.

Тридцатитрехлетний Павел Любимов, бывший пловец, ныне тренер, собравший за свою спортивную карьеру урожай всех возможных кубков и медалей, смотрел снизу вверх на свое крошечное сокровище, в зачарованных глазенках которого отражались сполохи петард, и позволял себя захлестывать с головой непривычным, неведомым ранее чувствам. Павел привык быть молодым, самоуверенно думал, что старость — общий удел человечества — его не коснется. Даже переход на тренерскую работу — свидетельство того, что для личных спортивных побед его мышцы уже не так крепки и эластичны, как прежде, — не стронул его с этого убеждения.

И вот, полюбуйтесь, из зимнего окна выглядывает младенец, живое свидетельство того, что все в мире течет, все изменяется. Пройдет время — не заметишь, как оно пролетит, — и ты, Паша, красавчик спортсмен, станешь седым, сгорбленным, маленьким рядом со своим взрослым, солидным, широкоплечим сыном. Закон природы! Но, что бы ни твердили психоаналитики о конкуренции между отцами и сыновьями, Павел не испытывал никакой горечи, никакой ревности к Димке, который вроде бы должен занять его место в жизни. Пусть занимает! Пусть даже станет чемпионом... Хотя, зная об опасностях, подстерегающих спортсменов в наше время, Павел не желал своему дорогому пацану такой участи. Любимов как никто другой представлял, как легко по вине недобросовестных тренеров и дельцов, наживающихся на чужой беде, из здорового, полного энергии молодого человека превратиться в инвалида.

А может быть, к тому времени, когда подрастет Димка, ситуация в спорте изменится? Ведь он, Павел, приложил столько усилий, чтобы разоблачить негодяев, которые калечат беззащитных парней и девчонок. Ведь это все было не напрасно, а?

Павлу Любимову вдруг с невероятной отчетливостью представилась позолоченная солнцем и осенними листьями аллея. Длинная аллея, и они со взрослым сыном идут по ней вдвоем. Лицо Дмитрия Павловича виделось непривычным, но откуда-то уже знакомым: что-то в нем присутствовало от отца Павла, Диминого деда, и что-то Анечкино улавливалось... Себя Любимов видеть не мог, однако знал, что он в преклонных годах, но бодр, не жалуется на немощи, не потерял вкуса к физическим упражнениям и дружеским беседам. Сын рассказывает ему о каких-то веяниях современности, которые старый Павел никак не может понять и принять, он отвечает ему, опираясь на собственный опыт, они спорят, может быть, даже ссорятся слегка — но это не главное. А главное то, что вместе им хорошо. Они очень разные, но сын любит отца, а отец любит сына. Их сближает не только общая кровь: они — настоящие друзья.

И это называется старостью? А ведь это счастье!

Павел почувствовал, как к сердцу подступила теплая волна. И, приветствуя год, который несет в себе и новые радости отцовства, и новое наслаждение желанным Аниным телом, которое после родов стало еще более дорогим, и новые тренерские достижения, и что-то еще, неведомое, но замечательное, он, как мальчишка, во все горло завопил:

— С Новым годом!

Аня все еще стояла у окна. Она так же не могла его слышать, как он не слышал ее, но она все поняла и тоже закричала: «С Новым годом!» Ох, какой же это чудесный праздник — Новый год!

Павел не заметил, откуда вдруг вынырнули эти шесть человек. Трое — в темных пуховиках, другие трое одеты в короткие черные куртки. Насколько можно различить при свете, падающем из окон, и при вспышках фейерверков — кавказцы. Молодые, лет по двадцать пять. Угрюмые лица, заросшие щетиной щеки, черные вязаные шапочки надвинуты на глаза. Двое из них подошли к другу Виктору и Инне, а четверо уверенно направились к Павлу Любимову.

— Что вы... — робко пискнула Инна. — Что вам нужно?

Никто из кавказцев не снизошел до того, чтобы ответить женщине.

— Чего кричишь? — спросил Любимова один, у которого из-под вязаной шапочки выбивались неподстриженные вьющиеся волосы; судя по уважению, которое оказывали ему его товарищи, видимо, главный в группе.

— С Новым годом, — повторил Павел. — А что, нельзя?

— И тебя с Новым годом, — бесстрастно сказал кавказец и выхватил нож.

Отчаянный Иннин визг потонул в грохоте запускаемых неподалеку петард. Павел отчетливо почувствовал только первый удар — в левую половину груди, между ребрами, остальные слились для него в одну горящую неразличаемую боль. Несмотря на боль, он по-прежнему не мог поверить в серьезность происходящего: все казалось, что это дурацкая шутка подвыпивших гуляк. Павел больше не видел того, кто так беспричинно и как будто бы даже беззлобно напал на него. Он видел жену и сына, отделенных от него молчаливой толщей стекла — их расширенные от ужаса глаза вспыхнули, как искорки фейерверка, и погасли в предрассветном небе. Он видел, как Инна, бестолково прыгая по снегу вокруг него, превращалась в ворону, махала крыльями и каркала: «Помогите! Убили! Помогите! Человек умирает!» Вот поди ж ты, умная вроде птица, а кричит ерунду всякую. Разве можно умереть первого января? Ведь праздник...

Убийцы скрылись с места происшествия так же молниеносно, как и появились. Когда Инне потом придется описывать их лица, это создаст затруднения: ей покажется, что все шестеро были на одно лицо, словно их нарочно вывели в каком-то бандитском инкубаторе. Вот только одна примета... до сих пор, едва вспомнишь, встает перед глазами. Вспышка фейерверка осветила левую руку главаря. На руке не хватало двух пальцев: большого и указательного.

2

«Балерина», — первым делом подумал Денис Грязнов.

Позднее, анализируя, он попытался установить, что заставило его подумать, будто новая клиентка танцует в балете. Может быть, породистая некрасивость ее лица казалась очень подходящей для сцены: преувеличенно крупные, с мокрым блеском белков, глаза, мумийно-впалые щеки, покатый блестящий лоб, изящно изогнутый и очень длинный нос. Если смотреть из десятого ряда партера — прямо тебе грезы поэта, вблизи — страшилище. А может быть, загвоздка заключалась в походке, которой она внесла свое костлявое тело в кабинет директора сыскного агентства «Глория». Эта женщина двигалась мощно и плавно, как самолет, оставляющий в синем небе кудрявую белую полосу... Или как теплоход, рассекающий морские волны...

Последние два сравнения посещали, должно быть, не только Денисову голову. Потому что и самолет и корабль — высшего класса, белоснежные — могут называться одинаково: «лайнер». А клиентка как раз и носила необычную фамилию Лайнер. Хотя и не балерина, не была она обделена ни аплодисментами, ни букетами, ни славой... Короче, позвольте представить: Алла Александровна Лайнер, тренер сборной России по художественной гимнастике.

— Счастлив видеть вас в наших скромных стенах, — изобразил полупоклон Денис. Не то чтобы он увлекался художественной гимнастикой (футбол или там хоккей — ну, еще куда ни шло), но способен был оценить место посетительницы как в отечественной, так и в международной табели о рангах. Место это, как ни крути, располагалось выше его собственного.

— И, можно сказать, не одну меня, — улыбнулась госпожа Лайнер, растянув до почти каннибальских размеров отнюдь не миниатюрный рот. Видимо, она не стеснялась ни одной детали своей внешности — да и вообще не привыкла смущаться. Едва войдя в кабинет, еще до того, как Денис успел предложить ей присесть, она уже разместила все сто восемьдесят с лишним сантиметров своей костлявости в кресле напротив него и принялась покачивать ногой. Что это — раскованность или нервозность?

— Извините, не совсем понял...

— Я имею в виду, — конкретизировала свою мысль Алла Александровна, — что через посредство моей скромной персоны в агентство «Глория» обращаются самые важные лица в российском спорте, а именно президент Олимпийского комитета России Василий Титов и председатель Федерального агентства по физической культуре, спорту и туризму Андрей Красин.

В длинных, безупречно гладких тирадах, которыми Лайнер осыпала Дениса, отражалась привычка давать интервью.

— И упомянутые люди, и лично я — все мы просим вас, Денис Андреевич, соблюдать в проведении предстоящей операции тайну, осторожность, секретность. Люди, пославшие меня в «Глорию», конечно, осведомлены об авторитете избранного агентства, но они... то есть мы, согласны заплатить значительный гонорар не только за работу, но и за конфиденциальность. Не дай бог, если деятельность частных сыщиков станет достоянием спортивной общественности!

В конце последней фразы у Аллы Александровны вырвался намек на подвывание, горловой эмоциональный взмыв, который заставил Дениса до некоторой степени расположиться к клиентке. То, что люди в кабинете директора частного охранного предприятия обычно волнуются, не было новостью для него. Вот если никаких волнений — воля ваша, что-то здесь подозрительное...

— Естественно, — отозвался Денис Андреевич, стараясь, чтобы его голос звучал надежно и солидно, — агентство «Глория» дает вам полную гарантию, что все останется между нами. Как и всем остальным клиентам. Через наши руки прошло множество конфиденциальных поручений. Если бы мы о них болтали — наше место было бы не здесь, а на кладбище. Может быть, теперь перейдем к сути дела?

Опытная госпожа Лайнер ликвидировала волнение с той же скоростью, с какой оно возникло. Теперь она снова вещала, словно вместо Дениса перед ней находился телерепортер:

— Если вы, Денис Андреевич, хотя бы изредка смотрите новости спорта, от вас наверняка не укрылась неприязнь, которую испытывают представители международных спортивных организаций, особенно американцы, по отношению к российским спортсменам. Это объяснимо — конкурентов не любят. Давно уже с карты мира исчез СССР, поднялся «железный занавес», идеологического противостояния нет — но нас не любят по-прежнему, за то, что, с точки зрения Америки, мы все еще слишком сильны. И особенно Россию пытаются прижать в тех областях, в которых наша сила традиционно сохраняется, а одна из этих областей — спорт. Спорт — вопрос международного престижа...

Денис терпеливо слушал, согласно кивая в такт этим правильным словам, ожидая, когда же Алла Александровна доберется до сути.

— В общем, Денис Александрович, если вы услышите, что Международный олимпийский комитет... э-э, сокращенно МОК, строит заговоры против России — знайте, это не выдумки националистов, так оно и есть. МОК не ловит американских спортсменов на допинге. И дело не в том, что в США четче, чем в нашей стране, налажен предварительный допинг-контроль и сомнительные кандидаты не допускаются в олимпийскую сборную. Дело в том, что под водительством американцев МОК пытается доказать, что практически все русские олимпийцы постоянно принимают запрещенные стимулирующие препараты. Причем не только на соревнованиях, но и ежедневно, на тренировках, в процессе подготовки к предстоящим олимпийским играм.

Денис беспокойно завертелся в своем кожаном кресле на высокой ножке, как бы собираясь вставить слово. Лайнер остановила его величественным жестом королевы из «Лебединого озера» и продолжала:

— Но цель эта — вторичная. Первичная цель — повлиять на престиж России на международных соревнованиях. Они принимают меры, чтобы Россия не выиграла конкурс на проведение Олимпиады в Москве! Денис Андреевич, вы что-нибудь слышали о лаборатории «Дельта»?

— Нет.

— В этом вы не одиноки. О ней никто ничего, в сущности, достоверно не знает. Известно лишь то, что МОК и Всемирное антидопинговое агентство создали тайную, законспирированную организацию под названием «Лаборатория "Дельта"». В эту группу, внедрившуюся в Россию, входят не только иностранцы, но, прежде всего, россияне. Их за большие деньги набирают из числа бывших известных спортсменов, в том числе и олимпийских чемпионов, имеющих контакты с МОК и Всемирным антидопинговым агентством. Надо полагать, это бывшие олимпийцы, которые обижены на нынешнее начальство национального олимпийского комитета и федеральное агентство по спорту...

— Вы можете назвать их имена?

— Н-нет, — Алла Лайнер замялась, — у нас есть всего лишь предположения. Тут, видите ли, работает чистая логика. Во-первых, они настолько хорошо информированы о том, в какой момент лучше подкараулить и взять пробы у спортсмена... как может быть информирован только другой спортсмен. Во-вторых, агенты русские — говорят без акцента, свободно ориентируются в реалиях нашей жизни. В-третьих, люди они, судя по описаниям, немолодые... Судите сами.

— За что они могут быть обижены на спортивное начальство?

— Ну, вы знаете пожилых людей! Повод для обиды всегда найдется. Прибавьте сюда еще и то, что этим, — кажется, Алла Александровна проглотила слово, которое должно было следовать дальше, — трудно смириться с потерей славы и огромных денег. Обычная ситуация, что и говорить! Одни чемпионы уходят, другие приходят... Однако они никак не желают привыкать к своему нынешнему положению. Стараются насолить тем, кто сейчас на коне, всеми возможными способами. Но прикрываются благими целями, как же иначе! Все они за честные соревнования. Все они против нынешних порядков, точнее, беспорядков. Все они имеют желание вывести боссов от спорта на чистую воду. Главное, они решительно против того, чтобы спортсмены принимали анаболики...

— Погодите, Алла Александровна! — Денис наконец успел вставить в монолог Лайнер вопрос, который с самого начала казался ему важным. — А как в действительности обстоит дело с приемом... ну, этих... допинговых средств? Лаборатория «Дельта», получается, против них, спортивные руководители-то что, неужели «за»?

Алла Лайнер, раненная в самое сердце этим кошмарным предположением, прижала к тощей груди руки, крупные, но красивые:

— Дорогой Денис Андреевич, в том-то весь парадокс! Они, руководители, не против, а за, за борьбу с запрещенными стимуляторами. Старики заблуждаются, ведя с ними борьбу не на жизнь, а на смерть. Руководители спорта даже подписали поправки к российскому Закону о спорте, которые официально запрещают отечественным атлетам применять допинг. Готовятся большие перемены! Россия, если хотите знать, уже включилась в процесс, конечной точкой которого должна стать резолюция ЮНЕСКО с рекомендацией всем цивилизованным странам ввести уголовную ответственность за употребление, сбыт и распространение запрещенных стимуляторов. Единственное, против чего выступают спортбоссы, — это умышленная охота и ловля российских спортсменов на допингах с целью не дать России стать страной, где будет проведена Олимпиада в две тысячи двадцатом году! Они хотели бы прекратить враждебную деятельность этой пресловутой лаборатории «Дельта»!

— Так в чем же ее враждебность? — не отставал Денис. — Враждебность — по отношению к кому?

Алла Александровна метнула в него недовольный взгляд, из разряда тех, которыми она, наверное, по стенке размазывала своих подопечных, которые плохо выполнили простой, с ее точки зрения, гимнастический элемент. И наконец объяснила все, как есть, — логично, четко, последовательно:

— Участились случаи слежки за нашими спортсменами, которые готовятся к предстоящим зимним и летним олимпийским играм. Эти агенты, видите ли, выясняют, когда тот или иной спортсмен принимает то или иное лекарство... И почти молниеносно сообщают об этом в МОК, во Всемирное антидопинговое агентство или непосредственно в лабораторию «Дельта».

— Стоп, стоп, стоп! Что за лекарство? Запрещенное?

— Совсем не обязательно! То есть они докладывают, что запрещенное. Но спортсмены, как вы понимаете, тоже люди. Им случается простудиться, съесть в нарушение режима что-нибудь жирное, у них может заболеть голова... А изменения в моче и крови будут сходны с теми, которые возникают при применении допинга. Например, обычный аспирин вызывает понижение свертываемости крови...

— Допустим. Что же происходит дальше?

— Дальше? Спецлаборатория «Дельта», находящаяся где-то в России, а возможно, и за границей, незамедлительно посылает своих лаборантов-экспертов, и те, действуя официально и легально, берут пробы на содержание анаболиков у наших ведущих спортсменов. Тесты, как правило, дают отрицательный результат. Пробы происходят всюду: в спортзале, дома, даже в общественном туалете на вокзале, как это случилось с олимпийским чемпионом по плаванию Стасом Прохоровым.

— Что же здесь страшного? Ну, возьмут и возьмут. Неприятно, конечно, если в туалете подкарауливают, но если спортсмен от допинга чист, что ему сделается?

— Как это «что»? А стресс? А необоснованные подозрения? Все это оказывает существенное влияние на психику, которая особенно уязвима перед соревнованиями. Если даже представители лаборатории «Дельта» не найдут никакого допинга, они сделают все, чтобы российские спортсмены проиграли. Ради бога, господин Грязнов, остановите этот безобразный процесс!

— Сделаем, сделаем, — посулил директор «Глории». Не все ему в этом деле представлялось кристально ясным, в нем выпирали подводные камни, но... клиент всегда прав. Клиент, который платит наличными, прав по определению. Денис тронул компьютерную мышь на своем столе; задремавший было компьютер послушно загудел, предоставляя доступ к стандартной форме договора. Отлично! Вот только... какую формулировку внести сюда? Денис поерзал в кресле, почесал в затылке шариковой ручкой и под пристальным взглядом Аллы Александровны Лайнер сотворил стандартный договор «на установление неизвестных злоумышленников, постоянно ведущих слежку за известными российскими спортсменами».

3

Этот до отчаянности летний, жаркий во всех смыслах, крайне насыщенный отрезок служебной деятельности начался для Александра Борисовича Турецкого с того, что его вызвал к себе Меркулов. «Костя Меркулов», — по привычке прибавил Саша, припомнив те времена, когда они были молоды. Однако сегодняшняя встреча как-то не располагала к основательным лирическим воспоминаниям. Константин Дмитриевич был строг и деловит, его аристократические седые, с металлическим блеском, виски вызывали почтение, переходящее в робость, словно виски какого-нибудь сенатора или самовластного князя крошечной европейской страны.

— Вот что, Саша, — едва поздоровавшись, углубился он сразу в суть дела, — меня беспокоит нераскрытое дело.

— Всего лишь одно? — неосмотрительно сболтнул Турецкий. — Вы, Константин Дмитрич, должны быть в курсе, что правоохранительная система у нас работает с предельным напряжением всех оперативно-следственных сил, но так и не добилась стопроцентной раскрываемости...

— Эти отвлеченные фразы, Саша, будешь произносить перед журналистами, — нервным движением руки оборвал его Костя. Со словом «журналисты» у него, очевидно, были связаны какие-то недавние болезненные ассоциации. — Стопроцентная раскрываемость — это цель достойная, если без натяжек и подтасовок. Все граждане нашей страны имеют право, если их убивают, по крайней мере, знать имена своих убийц. То есть, я хотел сказать, что имена убийц беззащитных граждан должны быть известны широкой общественности, в том числе убитым и их родственникам... то есть что я такое несу? Наверное, погода влияет. Извини. — Не по-начальственному хмыкнув и промокнув платком лоб, усеянный бисеринками пота, Меркулов наконец стал гораздо менее начальственным и гораздо более человечным. — В общем, Саша, речь идет не о смерти бомжа в подворотне. Убита знаменитая в спортивных кругах дама, генеральный директор одного спорткомплекса. Зверски расстреляна из автоматов группой неизвестных лиц на глазах у мужа. Муж, работник столичного вуза, тоже был ранен, кроме того, как ты понимаешь, пострадала его психика...

— Давно убили? — Александр Борисович ощутил себя на твердой профессиональной почве.

— Первого января сего года, — канцелярски сообщил Константин Меркулов.

Турецкий присвистнул:

— Быстро спохватились, нечего сказать! Небось уже и след простыл...

— Нельзя сказать, что с этим делом никто не работал: им занимался Сергей Валерьянович Плотников, которого по службе рекомендуют как исполнительного и трудолюбивого сотрудника. Однако результатов — никаких. Между тем у Чайкиной — разве я еще не назвал тебе фамилию убитой? — так вот, у Натальи Чайкиной остались влиятельные знакомые, которые постоянно посылают запросы в правоохранительные органы, желая, чтобы убийцы понесли заслуженное наказание. Также эти знакомые инспирируют прессу, пресса готовит публикации о криминальном беспределе в стране... словом, тебе не надо объяснять, чем подобные дела у нас заканчиваются. Дестабилизация общественного мнения в условиях непрерывного... Саша! Саша?

Турецкий мечтательно воззрился за окно, туда, где над зелеными кронами вязло в июльском зное оцепенелое небо. Выцветшее и запыленное, словно бесхозяйственные ангелы развесили его просушиться на веревочке, да так и забыли снять, и оно зависло между невидимыми прищепками, как никому не нужная тряпка. Когда в окне такое небо, трудно поверить в январь, трудно поверить в убийство женщины — гендиректора спортивного комплекса. Пивка бы сейчас холодненького, да посидеть где-нибудь под тентом в тени. Эх, житуха наша служебная, опять двадцать пять: как лето, так в отпуск не уйдешь, пока с делом не разберешься... Неужели этот Плотников, с января разыскивающий убийц, так трудолюбив и исполнителен, как прикидывается? Надо бы его погладить против шерстки...

— А? Да. Теперь ты меня извини, Костя, что-то я задумался. Видно, и на меня тоже погода влияет... За дело Чайкиной возьмусь со всей ответственностью. Перспективы, думаю, не такие уж плохие: полгода всего прошло, не то чтобы, к примеру, десять лет! Давай быстренько с тобой набросаем план следственных мероприятий. Я не ослышался, у Чайкиной был муж? То есть теперь, значит, вдовец? Надо его расспросить в первую очередь. Может быть, он-то и есть заказчик убийства.

— Ну, это маловероятно. Знакомые утверждают, что Чайкины жили душа в душу.

— Чужая душа — потемки, Костя, — бросил в ответ Турецкий другое расхожее выражение. — Мы — профессионалы, а значит, не сентиментальны. Нам ли с тобой не знать, что, по статистике, родные и близкие убивают не реже, а то и чаще, чем посторонние. Когда двое на протяжении долгих лет не разлучаются, между ними столько всего накапливается — ни в страшной сказке сказать, ни пером описать.

«А моя Ирина Генриховна? — выплыла из донных слоев подсознания безумная мысль. — Могла бы она меня заказать киллеру или прикокнуть собственноручно? Заказать — пожалуй, нет: характер у нее уж очень открытый и прямой. А вот прикокнуть — запросто, за милую душу, если попадутся под руку одновременно

20

тяжелый предмет и провинившийся муж. Ну, то есть... это в прошлом, когда я гулял от нее налево и направо, волочился за каждой юбкой, которая обтягивала более или менее симпатичную попку. Сейчас не понимаю, на черта мне это было нужно, когда у Ирки своя попка — хоть фотографируй на выставку? Теперь, когда мы мирно стареем вместе, конфликтов давно не возникает, а уж таких, чтобы мне — ее или ей — меня захотелось убить, и в помине нет... Единственное, чем радует проклятое старение».

— Чайкины были немолодые?

— По-моему, да. Кажется, убитой где-то около пятидесяти, муж старше лет на десять.

— Хорошо... То есть не то чтобы хорошо, но лучше, чем я думал. Мужа, однако, тщательно расспрошу. С кем еще беседуем — с сослуживцами? Запишем: подробно опросить сослуживцев. Никогда не случалось рассматривать изнанку взаимоотношений в спорткомплексе, однако печенкой чувствую, что у них там тот еще гадюшник.

— И большие деньги, Саша. Держи это в уме. Возможно, тебе даже придется призвать экономиста или бухгалтера для основательной консультации.

— Надо будет, призову... Думаешь, левая прибыль?

— Все может быть. Не исключено, что Чайкина находилась в контакте с криминалом, а может быть, наоборот, пыталась воспрепятствовать его проникновению во вверенный ей спорткомплекс. Убивают и за меньшее. Тем более Чайкину вспоминают как женщину резкую, с мужским характером...

— Характер возьмем на заметку. Ну и со следователем Сергеем Плотниковым у меня аж руки чешутся побеседовать. Просто знаешь, Костя, вызывает заурядный человеческий интерес: каким фантастическим образом можно мурыжить дело полгода и так ни до чего и не докопаться?

Константин Дмитриевич Меркулов слегка развел руками, как бы сигнализируя, что вопрос этот риторический.

— Кого тебе выделить в помощники? — спросил он у Турецкого.

— Елагина. То есть... Да, пожалуй, Рюрика Елагина. Мы с ним отлично сработались.

— Замечательно, Саша. Действуй. Я очень рассчитываю на тебя.

Это напутствие ничего по-настоящему не означало, но придало Турецкому бодрости. Так же, как и продумывание следственных мероприятий — привычный ритуал, возвращающий в рабочий тонус размягченные летней температурой за тридцать градусов мозги. Мышление прояснилось, и пива будто бы не так уж хочется...

«А в отпуск отпрошусь у Кости в сентябре, — утешил себя Александр Борисович. — Ну, даже если в октябре, ничего страшного. Золотая осень... и не жарко... Благодать!»

Анна Владиславовна Любимова, совсем недавно — обожаемая жена, а теперь — вдова Павла Любимова, за последние полгода резко невзлюбила звонки. Телефонные, звонки в дверь, звонки будильника — какие угодно. В течение тех черных суток первого января, которые вместили и тело мужа в пятне стремительно темнеющего вокруг него снега, и непонимание, и надежду на то, что муж тяжело ранен, но жив, и подступающую истерику, которую не удалось сдержать, — так вот, первого января 2005 года любимовская квартира была похожа на проходной двор. Люди без конца приходили, уходили, расспрашивали, пытались успокоить. И звонили, звонили... Даже теперь, услышав звонок, Аня вздрагивает; сердце в ней обмирает. Будто самое страшное, что могло произойти, еще не произошло, будто звонок сам по себе несет новое, неслыханное несчастье.

Но этот звонок ее не испугал: Аня ждала его. Вот уже целый час она то смотрела на часы, то подбегала к двери, от которой бросалась снова к Димочке. Боялась оставлять его одного: и раньше-то, пока жив был Паша, тряслась над сыночком, а теперь, когда единственное, что осталось у нее от Паши — Димочка, Аня превратилась в совершенно сумасшедшую мамашу-клушу. Понимала, что нельзя так, что она рискует избаловать мальчика до безобразия, однако поделать с собой ничего не могла. Но ребенок, от природы флегматичный, спокойно спал в своей деревянной кроватке с высокими стенками. Не разбудил его и долгожданный звонок — когда он действительно прозвучал... Аня вмиг очутилась у двери.

— Почему не спрашиваешь «кто там»? — укорил ее Виктор Бочанин, шумно вваливаясь в квартиру. Обычно его обтекаемое тело двигалось плавно и беззвучно, но сегодня он будто нарочно нагнетал вокруг себя шум: жестикулировал, топал ногами, якобы отрясая о резиновый коврик какие-то соринки с подошв, говорил громко, с преувеличенной бодростью.

— Я же знаю, Витя, что это ты...

— Нет, Аня, не знаешь. В глазок посмотрела? Ну вот! В следующий раз или смотри, или спрашивай. Поняла? Мало ли что!

«Мало ли что» грозовым облаком тяготело над вдовой Павла Любимова с первого января. Уйти вслед за мужем ей, может, даже хотелось бы, но слишком страшно было бы оставить Димочку круглым сиротой. Мирно текли друг за другом месяцы, никто не думал покушаться на Анину жизнь, и Аня отбросила бдительность. Судя по всему, убийцам нужен был именно Павел Любимов, а не его друзья или члены его семьи. А может быть, в конце концов, следователь прокуратуры Горохов прав, и ранним утром нового года имело место всего лишь случайное убийство на почве межнациональной розни?

Во что Аня Любимова и супруги Бочанины категорически не верили.

Виктора и Инну Бочаниных двадцатисемилетний следователь Горохов из прокуратуры Северо-Западного округа, производящий расследование дела об убийстве Любимова, допрашивал два раза, порознь и вместе, но у них сложилось впечатление, что по-настоящему он их так и не выслушал. Делал вид, будто слушает, но слышать не желал. Виктор Бочанин язык стер, без конца твердя Горохову: «Такое ощущение, что им нужна была одна жизнь, жизнь именно Павла Любимова. Такое ощущение, что их кто-то послал, чтобы убить не меня, к примеру, не Инну, а только Павла Любимова!» Но следователю не были нужны ощущения свидетелей. Юрист второго класса Горохов выбрал одну версию из целого ряда других и держался за нее зубами и когтями: «Черные убили славянина. Значит, мы имеем дело с убийством на почве межнациональной розни и ненависти!» Так мотив убийства прозвучал во всех милицейских и прокурорских сводках и статистических отчетах за эту новогоднюю ночь.

— Обряд инициации, — мудрено втолковывал Горохов Виктору Бочанину. — Говорите, парни были молодые? Вот-вот. У них же там, на Кавказе, как? Ты не мужчина, пока кого-нибудь не убьешь. Убить своего — значит, нарваться на кровную месть. Убить русского? Для кавказцев это запросто.

— Но убитый не был простым человеком, — пытался Бочанин переориентировать Горохова на другие позиции. — Олимпийский чемпион, тренер, председатель «Клуба по борьбе с запрещенными стимуляторами»...

— Да, вы правы, дело необычное. Подумать только, случайно убит олимпийский чемпион!

Создавалось впечатление, что свидетели Горохову мешают: ходят зачем-то, говорят свое, портят нарисованную им схему. Даже показание Инны о том, что у главаря убийц не хватало двух пальцев на левой руке, не вызвало у следователя ни малейших эмоций. Аня Любимова и супруги Бочанины испытывали уже тихую ненависть к этому непрошибаемому бюрократу, который то ли был от природы глуп, то ли кого-то покрывал. Ненависть к его тонконогой и толстобрюхой, несмотря на молодость, фигуре, самоуверенному, вечно звучащему на повышенных тонах голосу, размеренным движениям постоянно лоснящихся, точно он недавно ел что-то маслянистое, пальцев... И надо же было случиться, чтобы Горохова тоже звали Дмитрием, как любимовского сына! Самое близкое для Ани имя. И — самое отталкивающее. Нет, с Гороховым каши не сваришь! Надо действовать собственными силами...

— Ну как, Витя, — Аня изводилась от нетерпения, — что тебе посоветовали?

Бочанин, после приступа шумливости при входе, стал тих и безмолвен. Присев на стул, начал расшнуровывать ботинки: в квартиру, где есть младенец, вход в уличной обуви воспрещен. Вдова не торопила, хотя все ее тело напряглось в ожидании первого слова.

— Значит, так, Аня, — не выдержав, заговорил Бочанин с ботинком в руке, — похоже, ты была права. Без крупных денег тут ничего не сделаешь.

Аня сглотнула застрявшее в горле ожидание. Ей стало легче. Даже непривлекательная определенность лучше полного тумана.

— Это ничего, это ничего, — торопливо сказала Аня, — деньги у нас есть... Пока есть... А потом я выйду на работу...

— Да ты-то уж молчи! — с грубоватой дружеской ласковостью прервал ее Виктор. — Тебе деньги на Димку нужны. А на работу выходить даже не думай: ребенок сейчас твоя главная работа. Не беспокойся, скинемся! Кликну клич в нашей спортсменской среде: «Требуются деньги, чтобы отыскать убийц Пашки Любимова!» — знаешь, сколько народу от себя последнее оторвет?

— Но как же! — Анна нахмурилась. — Я обязательно должна дать деньги, обязательно! Витя, даже не думай, мне будет стыдно! Паша ведь был мой муж...

— Ладно, ладно, Аня. Я это только в том плане, чтобы ты не волновалась о материальной части. До твоих денег тоже дело дойдет. Адвокат — удовольствие недешевое.

— Как — адвокат? Мы ведь нацеливались на частного сыщика...

— Адвокат, Аня, лучше. Он будет представлять твои интересы в суде. И потом, частного сыщика не пустят в те кабинеты, куда известный адвокат двери ногой открывает.

— У тебя уже есть кто-то на примете?

— Да, мне рекомендовали... Где-то тут была записка, неужели посеял? — Бочанин захлопал себя по карманам пиджака. — Ах да, вот же она! — Развернув сложенный вчетверо клетчатый блокнотный листок, он отчетливо, чуть ли не по слогам, прочел: — Юрий Петрович Гордеев, десятая юридическая консультация Московской палаты адвокатов. На Таганке, — прибавил он от себя. — Слышал я не от одного уже человека, что Гордеев — такой адвокат, который стоит десяти частных сыщиков.

— Проверим, — сказала вдова Павла Любимова.

Не завершив процесс переобувания (одна нога в тапочке, на другой — полурасшнурованный ботинок), Виктор Бочанин смотрел снизу вверх на нее — высокую, красивую даже в домашнем халате, обычно уступчивую и застенчивую, но за последнее время налившуюся какой-то уверенной решимостью. Увеличенная кормлением грудь зрительно подчеркивала эту решимость. Павел многократно пересказывал другу историю знакомства с будущей женой: тогда он находился в зените славы и, как последний идиот, решил, будто только благодаря чемпионскому титулу ему удалось добиться внимания прекрасной брюнетки, отшивавшей в приморской гостинице всех, кто пытался ухаживать за ней. А на второй день выяснилось, что она не подозревала о его спортивной славе. И вообще, даже телевизор выключает, когда там начинаются спортивные новости. Паша понравился ей именно как Паша — без наград, без регалий, сам по себе. Его это привело в восторг. Его все в ней восторгало — даже то, что она была чуть полновата и, совсем не по-спортивному, медлительна и рассеянна. В доверительных мужских беседах Павел откровенно признавался Виктору, что женщины, как и кошки, ему нравятся мягкие и пушистые. Пусть другие хвастаются ультрамодными «сфинксами», лысыми, тощими и злобными на вид, — он предпочитает надежную добрую сибирскую породу. Аня как раз родом из Иркутска... А еще Паша звал Аню «своей персиянкой» — но это уже не из-за сходства с персидской кошкой, а из-за густейших, точно у иранской пери, черных волос и косо поставленных, удлиненных к вискам темно-карих глаз.

Паша так до конца и не узнал свою жену. Не увидел, как в этой красавице с восточными глазами пробуждается восточная жажда мести. Не почувствовал, как пушистая кошечка прекращает мурлыкать и выпускает острые коготки. Да и откуда было это узнать ему? Если бы не убийство мужа, не за кого было бы ей мстить, незачем превращаться из домашней кошки в дикую рысь. Но если уж произошло то, что произошло, Аня пойдет на все, чтобы найти убийц, — Виктор мог не сомневаться.

— Проверим, Аня. Конечно, проверим. Если Гордеев нас не устроит, найдем другого адвоката, еще лучше. Хотя это вряд ли... Гордеев, говорят, редкий человек... А теперь пойдем, покажешь Димку. Вырос небось? Давно я что-то вас не навещал...

4

Следователь Тверской межрайонной прокуратуры, юрист первого класса Сергей Валерьянович Плотников находился в стрессовом состоянии. Само по себе упомянутое состояние не могло считаться новостью: Плотников пребывал в нем постоянно. Необычна была лишь причина, ввергнувшая его в стресс.

Посудите сами: как правило, основным фактором, раздергивавшим плотниковские нервы, была семейная жизнь. Кто-то возле семейного очага расслабляется и отдыхает душой — у Сергея Валерьяновича дела обстояли прямо противоположным образом. Его угораздило жениться поздно, в тридцать шесть лет... Поддался, как дурак, на увещевания родителей, испугался одинокой старости! И невеста была ему не противна: субтильная такая, хрупкая, уязвимая. Варя, Варенька: имя теплое, словно варежка. Мечтала родить ему детей... Ну что тут скажешь? Мечты сбываются! Хрупкое создание за десять лет совместной жизни отправлялось в роддом пять раз. Во время, свободное от родов, Варвара тоже не скучала, заполняя досуг авитаминозами, общей слабостью, визитами к подругам и мамочке (дежурным блюдом этих визитов выступали жалобы на нечуткость и грубость мужа), поездками в подмосковный санаторий, пред- и послеродовыми депрессиями. Что касается Плотникова, то уже после первого ребенка он, испуганный слабым здоровьем жены, заявил: «Хватит!» — и началась волынка предохранительных средств... которые доказали свою полнейшую несостоятельность. Трудно установить, то ли средства попадались ненадежные, то ли применялись неправильно, то ли организм Варвары, вопреки декларируемой слабости, обладал невероятным, обходящим все ухищрения медицины талантом материнства. Не помогали даже презервативы, которые Плотников после рождения третьего захребетника перестал покупать. Конечно, существует еще такой малопочтенный метод регуляции численности населения, как аборт, но Варя была категорически против абортов, так как они, по ее мнению, приводят к раку. Плотников в пункте абортов солидаризировался с женой — не из-за опасности рака и не по религиозным соображениям (он не позволил бы никаким богам вмешиваться в свою личную жизнь), а потому, что считал за величайшее свинство убить человека, который приложил столько усилий, прорываясь через предохранительные кордоны на белый свет. В конце концов, ведь это были его дети! В своем отцовстве он не имел оснований сомневаться: все пятеро, особенно дочки, были вылитые Сергеи Валерьяновичи. И все обожали папулю, который играл с ними, читал им книжки, помогал учить уроки и никогда не бил. В отличие от Варвары, которая под горячую руку, случалось, и мужу закатывала пощечины. Порой Плотников погружался в запретную мечту: что, если бы Варвара исчезла? Нет, не умерла, он не настолько жесток; просто взяла и исчезла бы из его жизни. Ушла бы, что ли, к другому мужчине: ведь она, несмотря на все беременности и истерики, неплохо сохранилась и постоянно жалуется на то, что совершила страшную ошибку, выйдя за хама-следователя. Одному, с детьми, ему в чем-то стало бы легче: Мариночка, старшая, отлично справляется по хозяйству...

Так нет, не уйдет ведь Варя! Еще, того гляди, шестого родит! Роддомовская врачиха в последний раз клялась и божилась, что перевязала трубы, а это дает стопроцентную гарантию — так ведь знаем мы их, этих врачей и эти трубы. Если Варварин организм решит, что шестой отпрыск в семье Плотниковых необходим, никакие препятствия с трубами его не остановят.

Поглощенный непрекращающимися домашними трудностями, на работе следователь Плотников функционировал. Элементарно функционировал, выполняя служебные инструкции от «А» до «Я», не лез на рожон, не хватал звезд с неба — словом, был исполнителен и безынициативен. Время от времени он с горечью напоминал себе, что раньше трудился по-другому, что ему было интересно то, чем он занимается; а в молодости, полный энтузиазма, он и подумать не мог, что когда-нибудь превратится в эдакого человека в футляре, хладнокровную рыбу с тусклыми глазами... Но раньше — это раньше. Теперь Сергей Валерьянович разучился сосредотачиваться: пытаешься погрузиться с головой в материалы дела, а в голове комарино звенят вчерашние упреки жены; пытаешься вечером после ужина набросать предварительный план завтрашнего допроса, а на тебя наседают маленькие Плотниковы, которые целый день дожидались порции родительского внимания. Единственное, чем он утешал себя, — нареканий на него не поступало, а значит, обязанности свои он выполняет сносно.

Так было до сих пор. Но, видно, нельзя вечно играть в поддавки с самим собой, и за все наступает расплата. В данный момент расплата стояла перед ним в облике старшего помощника Генерального прокурора Российской Федерации Александра Борисовича Турецкого. Турецкий сыпал слова суровым голосом, но при этом смущенно морщился и, в целом, был совсем не рад, что приходится отчитывать работника прокуратуры, о котором раньше ему ничего плохого не докладывали.

— Послушайте, Сергей Валерьянович, — будто сквозь толщу воды, доходил до Плотникова смысл слов, — понимаю, что вам приходится работать и... жить в сложной обстановке...

«Сослуживцы рассказали про семью, — отметил Плотников, — значит, сочувствуют. Переживают. А что толку?»

— ...Но это не дает вам права пренебрегать служебными обязанностями. Во что вы превратили дело Чайкиной?

— Кого? — переспросил Плотников уныло, как неуспевающий ученик, тянущий время в ожидании спасительной подсказки.

— Натальи Чайкиной, гендиректора спортивного клуба «Авангард».

— Ах да, ну да, конечно... Это скорее дело Вахтанга Логия...

— Это вы в этом уверены, Сергей Валерьянович. Причем настолько уверены, что никакие другие версии просто не рассматривали. Что ж, давайте разбираться вместе.

Ресторан «Олимпийские чемпионы» в центре Москвы не пустовал даже по будням, несмотря на то что элитное обслуживание и прекрасный ассортимент блюд здесь подавались в комплекте с довольно-таки кусачими ценами. Многие москвичи — и бывшие спортсмены, и персонажи околоспортивной тусовки, и люди, отношения к спорту не имеющие, но прельщенные обстановкой в стиле ретро, которая отсылала к Олимпиаде-1980, — были не прочь истратить в этом ресторане немалую сумму ради того, чтобы пустить пыль в глаза или попросту создать праздничное настроение себе и своим любимым. Однако первого января 2005 года народу здесь оказалось негусто: большинство потенциальных посетителей отсыпалось после бессонной ночи. Легко догадаться, что подавляющее большинство клиентуры в тот день составляли пары. Новый год — семейный праздник.

Гендиректор спортивного комплекса «Авангард» Наталья Робертовна Чайкина тоже пришла в отдельный кабинет ресторана под руку с мужем, сотрудником одного из столичных технических вузов. Изучивший клиентку метрдотель приказал официанту накрыть стол на четыре персоны, и не ошибся: хоть на работу, хоть в деловые поездки, хоть в ресторан, хоть в косметический салон, хоть на выставку авангардного искусства — повсюду Чайкину сопровождали телохранители. Не афишируя себя, они держались как обычные знакомые величественной дамы, а потому ели и пили с ней за одним столом. Правда, блюда им, конечно, подавались отнюдь не самые изысканные. И от алкоголя они воздерживались — работа, ничего не попишешь!

Матово вбирали свет лампы припудренные плечи Натальи Робертовны, полностью открытые темно-синим вечерним платьем. Несмотря на свои сорок восемь лет, Чайкина, благодаря занятиям на тренажерах во вверенном ей «Авангарде», могла показать обнаженный верх своего тела без стеснения. Константин Германович сгорбленно согнулся над тарелкой, то и дело поправляя очки, и выглядел стариком рядом с эффектной женой. Двое телохранителей — одинаково смуглые, оба с черными подковообразными усами, почти братья на вид — несли вахту, мало обращая внимание на супругов. Бутылка шампанского на столе была наполовину пуста. По крайней мере, именно такой расстановка фигур запомнилась официанту Григорию Бычихину, когда он принес заказанный Чайкиной фирменный салат из капусты, помидоров, стручков красного перца, ломтиков бекона и мелко нарубленных яиц под названием «Завтрак для чемпионов».

Когда Григорий Бычихин покинул кабинет, где отмечала Новый год Наталья Чайкина, мимо него туда проследовали шесть личностей, показавшихся ему родственниками телохранителей: смуглые, черноволосые, кавказского типа. Все шестеро — в зимней верхней одежде (кажется, черных коротких куртках) и вязаных шапочках. Верхняя одежда странно оттопыривалась. Бычихин еще удивился: как это их пропустили, не заставили сдать куртки в гардероб? В следующую минуту он уже ничему не удивлялся — а просто замер на месте от ужаса, потому что началась стрельба. Судя по грохоту, он понял, что телохранители Чайкиной так просто не сдались, начали отстреливаться. Но незваных гостей все равно оказалось больше...

Закончив свое кровавое дело, они проследовали мимо Бычихина в обратном направлении — правда, гораздо быстрее. Убийцы уже не прятали автоматы под куртками, а угрожающе направляли их дула туда, откуда ожидали опасности. Поддерживавшая автомат левая рука одного из кавказцев выглядела необычно: на ней не хватало двух пальцев, большого и указательного. Такие мелочи отчетливо подмечаются в минуты наивысшего напряжения и страха. Григорий Бычихин отрешенно подумал, что вот и все, пробил его смертный час; эхма, а еще считается, будто официант — мирная профессия... Но судьба свидетеля оказалась убийцам безразлична. Зато когда они увидели, что к ним бегут представители охраны ресторана, выпустили предупредительную очередь по стеклам. Кое-кого из посетителей, сидевших вблизи окна, задело осколками, но ни один серьезно не пострадал. А кавказцы в черных шапочках и куртках, обеспечив себе путь к отступлению, по выходе из ресторана вскочили в машину, которая рванулась по тихой улочке в направлении Тверской... В то время как в ресторане отчаянно вспыхнули телефонные звонки. Звонили в «скорую» и в милицию, по служебным телефонам и по мобильным.

Согласно рецепту, салат «Завтрак для чемпионов» заправляют майонезом, а не кетчупом. Однако тот, кто увидел бы тарелки с нетронутым блюдом, оставшиеся на месте побоища, имел бы право в этом усомниться... Впрочем, «кетчуп» в кабинете был повсюду: скапливался лужами на полу, пропитывал скатерть, густыми струйками стекал со стен, даже потолок оказался забрызган красными каплями. Казалось бы, здесь вряд ли найдется работа для врачей — разве что для судебных патологоанатомов. Тем не менее, когда на место происшествия прибыла бригада «скорой помощи», Константин Чайкин слабо дышал и даже пытался стонать. Его срочно доставили в институт Склифосовского. А отдельный кабинет ресторана «Олимпийские чемпионы» оккупировала милиция. С места происшествия дежурный следователь Мосгорпрокуратуры Савва Терентьев, эксперт-криминалист Гафуров и опера МУРа Короткий и Королев изъяли два автомата «Агран-2000», из которых пытались отстреливаться погибшие охранники, пистолет ПИ-545 и около двух десятков стреляных гильз.

В ту же ночь были установлены имена погибших. Что касается гендиректора «Авангарда» Натальи Робертовны Чайкиной, постоянной клиентки ресторана, здесь не пришлось особенно трудиться. А зная имя убитой, выяснить вопрос относительно ее телохранителей оказалось легко. Василий Куркин (и среди русских рождаются брюнеты) и Вахтанг Логия были сотрудниками частного охранного предприятия «Пихта-5».

Что же послужило основанием для столь жестокой расправы? Задержать убийц по горячим следам не удалось. По факту убийства трех человек прокуратура Центрального административного округа Москвы возбудила уголовное дело, которое передала в Тверскую межрайонную прокуратуру. Следствие, которое возглавил Сергей Валерьянович Плотников, начало с версии, что неизвестные намечали главным объектом убийства Наталью Чайкину. Однако насколько это вытекало из репутации спорткомплекса, свои дела гендиректор «Авангарда» вела безупречно чисто, с криминалом не соприкасалась. Определенные надежды на то, что убийство могло быть совершено по личным мотивам, Плотников возлагал на допрос мужа Чайкиной, которому специалисты НИИ Скорой помощи имени Склифосовского помогли выжить. Но от Константина Германовича ничего внятного добиться не удалось. Тяжелое ранение подорвало его и прежде не богатырское здоровье, а смерть жены, очевидно, подкосила и психику.

Обросший неаккуратной седой волосней, чересчур длинной для щетины, но слишком жидкой для бороды, Константин Германович, облаченный в жеваную пятнистую больничную рубаху, раскачивался взад-вперед, сидя на койке. Очки его (конечно, не те, что были на нем в тот роковой вечер, — те превратились в осколки) слепо блестели. На все вопросы он монотонно отвечал: «Вот этого-то я как раз и не помню», — раз за разом, пока не принимался беззвучно, содрогаясь всем телом, рыдать. Дело на глазах превращалось в глухой висяк.

Чтобы принять хоть какие-то меры, юрист первого класса Сергей Валерьянович Плотников выдвинул рабочую версию, согласно которой причиной перестрелки в ресторане явился конфликт между представителями криминальных структур. Тем более что один из убитых, Вахтанг Логия, уроженец Сухуми, имевший кличку Абхаз, входил в группировку своего брата Гурама Логия, контролировавшего игорный бизнес Москвы. Все остроумие версии заключалось в том, что брата Абхаза точно таким же образом расстреляли несколько месяцев назад на Кутузовском проспекте. Плотников был убежден, что братья Логия кому-то перебежали дорогу, за что и были, в соответствии с правилами этой среды, «наказаны» соперниками. Нападение, одним словом, произошло на почве расправы с

Абхазом, а сидевшие с ним за одним столиком Наталья Чайкина и Василий Куркин были убиты случайно, ввиду того, что они находились рядом с бандитом. По той же причине был ранен и профессор Чайкин, муж госпожи гендиректора клуба «Авангард».

— Ну и что, Сергей Валерьянович, — спросил Турецкий, предвидя очевидный ответ, — помогла вам эта версия найти убийц?

Поскольку ответ был очевиден и для Плотникова, тот, не желая усугублять свое положение, молча пожал плечами: старались, мол, но не всегда получается. Не сказать чтобы это ему очень помогло. Турецкий продолжал, как заведенный, задавать вопросы:

— У кого-нибудь из противников группировки братьев Логия есть такая характерная примета — отсутствие двух пальцев на левой руке?

Повторять тот же жест Плотников не решился: Александр Борисович, человек, в общем, не злой, свирепел на глазах.

— Не обнаружили, — для разнообразия выразился он прямым текстом.

— Так что же вы вообще обнаружили? Для чего, спрашивается, допрашивали свидетеля Бычихина? Такое впечатление, что по Москве толпами расхаживают кавказцы, у которых не хватает двух пальцев на левой руке!

5

— Ну, братцы, с какого края за дело возьмемся? — по-родственному обратился к подчиненным Денис Грязнов.

«Братцы» не выказывали душевного подъема, который в идеале должен соответствовать новому делу.

Бессменный Филипп Кузьмич Агеев накануне как следует посидел с друзьями и сегодня с утра, хотя и вполне трезвый, еще не успел вернуть себе естественный цвет лица. Сева Голованов украдкой пролистывал под столом брошюру с новыми толкованиями российского Уголовного кодекса. Алексей Петрович Кротов насупился, всем своим видом выказывая, что спортивные неурядицы заранее не внушают ему доверия. Один компьютерщик Макс, продолжая, по обыкновению, поглощать калорийные продукты (в данный момент он подпитывал свое необъятное тело сухариками «Три корочки»), сиял, как начищенный медный самовар:

— Будем следить за спортсменами! С целью выявления агентов «Дельты»!

— За кем следить-то? — уточнил Денис. — За всеми олимпийскими чемпионами одновременно? Эдак десяти «Глорий» не хватит.

Воинственно встопорщенная борода Макса доказывала, что ему и такая работка по плечу.

— Да ничего подобного! Да я...

— «Да ты», Максимушка, уймись, — строго порекомендовал ему Грязнов. — После сочинского дела не узнать тебя. Раньше стучал себе по клавиатуре или тихо там в системном блоке ковырялся, никого не трогал, а сейчас... Бэтмен какой-то!

Макс самодовольно ухмыльнулся в замусоренную крошками бороду: дело «Хостинского комплекса», в процессе которого скромный компьютерщик по необходимости превратился в законспирированного агента и даже захватил сестру главаря организованной преступной группировки в заложницы [1], резко подняло его

---

[1] Об этих событиях рассказывается в романе Ф. Незнанского «Отложенное убийство».

самоуважение. Поначалу Денис Грязнов счел это полезным, теперь начинал волноваться.

— Как раз тебя, Макс, я вижу одной из главных фигур предстоящей операции.

— За кем следить?

— Ни за кем!

— У-у-у...

— Насколько я помню, ты у нас в агентстве главный кошмар компьютерных сетей? Ну вот, значит, тебе счастье подвалило. Твоя ближайшая задача состоит в том, чтобы установить имена спортсменов, которые в настоящее время списаны в тираж и могут иметь зуб на нынешнее спортивное руководство. Ну и... не только имена, а все такое прочее: чем дышат, чем занимаются, возможный компромат... Короче, не мне тебя учить. Все понял?

— По-онял, — разочарованно протрубил Макс, отлезая на второй план вместе с пакетом сухариков. Полагая свое присутствие на совещании излишним, он с обычной бесцеремонностью вывалил в коридор, по которому долго еще разносились гулкие обиженные шлепки его подошв сорок шестого размера. Переждав Максовы шаги командора, Денис продолжил:

— Но главный компьютерщик прав, без слежки здесь не обойдется... Филипп Кузьмич, тут мы тебя задействуем. Ты у нас, как человек опытный, возьмешь под контроль лайнеровских девочек-«художниц». Особенно есть у них такая молодая, но приобретающая известность пигалица по имени Надежда Кораблина, так ей особенное внимание уделите. Собрала целый букет наград на последних Всемирных юношеских играх, на клубном чемпионате мира в Нью-Йорке, теперь вот на следующую олимпиаду нацеливается...

— Это всегда пожалуйста. — Филипп Кузьмич так расцвел, словно сообщение о Надежде Кораблиной воскресило его пострадавший от столкновения со спиртным организм. — Люблю вести наружное наблюдение за женским полом. Такого иногда насмотришься... А какая из себя эта Кораблина, чернявая или белявая? Ты мне, Денис, сразу фотку покажи, чтоб подготовить. А то, не ровен час, увижу и влюблюсь.

Памятуя, что Агеева хлебом не корми, дай похохмить, а так-то он — ценный работник, Денис не стал обращать внимания на его шуточки, но и не прервал. Попросту, не реагируя на хохмящего подчиненного, продолжал давать инструкции:

— Алексея Петровича Кротова мы бросим на участок пострадавших клиентов лаборатории «Дельта». Опросите их как следует, выясните, что за люди брали у них анализы, как выглядели, какие удостоверения предъявляли. Потом, при установлении подозреваемых агентов «Дельты», займетесь слежкой конкретно за ними. Та же участь ожидает Колю Щербака. А вот Голованов у нас будет работать в тесной связке с Максом.

— За компьютером, что ли, рядом с ним сидеть? — Массивное головановское тело всколыхнулось от удивления. — Что бы я понимал в этой его программистской цифири?

— В программировании с FIDO и Интернетом в придачу никому больше понимать и не требуется: хватит с нас и одного такого чудовища, как Макс. А вот отследить кой-кого из тех разобиженных спортивных старичков, сведения о которых добудет нам Макс, — это дело другое, я полагаю?

6

Над Москвой скапливались тучи. Ветер раздувал кроны деревьев, гнал по тротуару въедливую пыль, залетающую в глаза: от его дуновений не спасал даже синий стеклянный купол над автобусной остановкой. Надя Кораблина зажмурилась, часто заморгала темно-русыми ресницами, дернула вверх «молнию» черной куртки. Похолодало незначительно — до восемнадцати градусов, и если бы не тренировки, не стала бы она напяливать среди лета куртку, да еще поддевать под нее тонкий, но плотный пуловер. Но Надя — с печальной ответственностью человека, привыкшего неотступно следить за своим физическим состоянием, что характерно для спортсменов и тяжелобольных, — знала, что после тренировки она всегда выходит разгоряченная: вспотеешь — и готово. Простудишься, начнешь чихать, кашлять и пропустишь тренировку. Простужаться Наде ни в коем случае нельзя... А, по большому счету, что ей можно? За что ни схватишься, все запрещено огромным страшным дядькой с железным именем Режим, который машет палкой и повторяет как заведенный: «Того нельзя, этого нельзя...» Засидеться за полночь с книгой или у телевизора нельзя. Пойти на день рождения к подруге нельзя — да и смысла нет, все равно придется ограничиваться минеральной, без газа, водичкой и с завистью коситься на гостей и виновницу торжества, поглощающих почем зря вкусные и жутко калорийные блюда. Нельзя даже тайком от тренера чуток мороженого перехватить. Надя вот позавчера попробовала, проявила слабость — и настала расплата. Как же сегодня влетело за лишний вес! Алла рассвирепела, будто выпущенная из клетки тигрица...

Автобус все не шел и не шел. А народ на остановке скапливался. Если Наде удастся победить на ближайшей олимпиаде («когда удастся», — честолюбиво подкорректировала она свою мысль), первым делом она купит машину: скромную, но надежную иномарку. Думала, что за предыдущие победы получит достаточные суммы, но все эти деньги ушли на ремонт квартиры, где она проживает с папой и мамой, и на операцию хворающей на протяжении десяти лет бабушке. А машина необходима! Чтобы не переминаться с ноги на ногу на остановке автобуса, увозящего человеческое стадо в унылые белоблочные тундры спальных районов, не тереться о чужие бока. Автобус вечно набит, а место никто не уступит. Еще и сгонят, если присядешь. Как же, ведь Надя молодая, а в транспорте одним старушкам сидеть разрешается! Кто бы знал, что у нее все тело саднит похуже, чем у этих горластых пенсионерок. Кто бы, такой добрый и мудрый, уловил ее боль...

Что такое боль — с этим вопросом Надя Кораблина к своим пятнадцати годам успела основательно разобраться. Боль — никогда не одна и та же, есть масса болей. Одни сильнее, другие потише. Одни терпеливо позволяют с ними сосуществовать, другие заставляют стискивать зубы, третьи вытягивают жилы, а есть еще такая боль, которая застит глаза тьмой и не дает с собой справиться, и ты, человек, превращаешься всего лишь в придаток боли. Их много. Но они поддаются классификации. Их надо четко, строго разделить на три категории, чтобы не дать себя одолеть и знать, с каким разрядом боли как справляться.

Есть боль, которая вступает в свои права, когда получишь травму на соревновании или на тренировке. Такое случается постоянно, можно сказать — закономерно. И это самая нестрашная боль — ну, вроде как нормальная. Растяжения мышц, подвывих суставов... Это как у солдата-пехотинца в бою: все равно не останешься целым, скажи спасибо, если ранение не очень тяжелое. А то ведь случается (у гимнасток, не у солдат, хотя у солдат, наверное, то же самое), что в первую минуту, неудачно упав, думаешь: «А, пустяки», — а потом не можешь дохромать в раздевалку. Ну после, как водится, врачи, и гипс, и тягостная нудная разработка пострадавшей части тела, и переживания из-за вынужденного бездействия, из-за того, что, пока на койке валяешься, все приобретенные тренировками достижения растеряешь, и старания как-нибудь обмануть бдительность медиков, чтобы побыстрее встать на ноги и побежать в гимнастический зал. И если даже оказывается, что врачи были правы и недолеченные травмы беспокоят дольше и хуже, чем долеченные, — все равно это боль, которую можно перенести.

Боль номер два причиняет иные, с виду незаметные, но на деле мучительные страдания. Это когда, например, вот как сегодня, на глазах у всех тебя с презрительной усмешкой обзывают коровой и гиппопотамом, спрашивают, до каких размеров Кораблина собирается толстеть — килограммов до восьмидесяти? Или когда во время выступления, едва почувствуешь, что близка к победе: движения твои безупречно отточены, судьи готовят таблички с высшим баллом, публика на твоей стороне — и вдруг из-за досадного сбоя в элементе все летит в тартарары, а на пьедестал почета восходит соперница... В таких случаях главное — не расплакаться. То есть можно ночью, совершенно одной, вдоволь поливать слезами подушку, но на людях плакать категорически нельзя. Когда тебя отчитывают, перечисляя все твои действительные и мнимые недостатки, надо сохранять серьезный и слегка виноватый вид; поздравляя соперницу, необходимо улыбаться — той самой ослепительной улыбкой, которую заготовила для собственной победы. На душе скребут сотни злых черных кошек, а ты актерствуешь — разве это не боль?

Но самое страшное — боль номер три, которая объединяет в себе душевную и физическую составляющие. Когда стараешься (очень, очень стараешься) достигнуть желанной вершины, через нытье и рези в мышцах, через отчаянное детское «не могу» — и понимаешь, что ничего не получается. Думаешь, это все — предел, барьер, который не перескочить. Из такого состояния иногда выводит тренер и, несмотря на то, что на тренера частенько злишься, а иногда ненавидишь ее, несмотря на то, как жестоко она гнет и растягивает твои недостаточно гибкие руки и ноги, в такие моменты не испытываешь к ней ничего, кроме всепоглощающей благодарности и истошной любви — так любят хозяев маленькие беспомощные животные. А когда не выводит... Возникает альтернатива: справляться самой — или бросать художественную гимнастику. Разочка два — два с половиной Надя пыталась осуществить второй вариант и окончательно выяснила, что гимнастику ни за что не бросит! Весь мир за пределами спорта чужой для нее. Ведь это такая сладкая отрава: раз попробовал — хочется еще, и еще, и еще... Но как же справиться с собой? Как прыгнуть выше головы?

Вот если бы какое-нибудь надежное средство... Если бы его кто-нибудь ей посоветовал... Или — дал...

Автобус подъехал к остановке — точнее, к Надиной радости, прибыли сразу два автобуса подряд. Второй маячил на горизонте, и Надя, вместо того чтобы пробиваться с боем в первый, предпочла дождаться его.

Она не ошиблась: если все места для сидения во втором автобусе тоже были заняты, то, по крайней мере, стоять здесь можно было с комфортом. Цепляясь за поручень, обитый пухлым материалом, напоминающим вспученную пластмассу, она смотрела в окно, за которым люди, далекие от мира художественной гимнастики, спешили по делам, встречались с друзьями, смеялись, выгуливали собак и детей, и угрюмо размышляла: «Почему я такая неудачница? Почему я так легко прибавляю в весе? Почему мне не суждено достичь совершенства?»

И, не видя себя со стороны, не замечала, глупенькая, насколько она ошеломительно хороша не только в соседстве с пожилыми женщинами, лишний вес которых равняется весу их неподъемных сумок, но и по сравнению со сверстницами, чьи тела изнежены фастфудом и сидячим образом жизни, — упругая, гибкая, точная, словно рапира. Точеные голова и шея, свободно развернутые плечи, ровная спина, тугие, как фасолинки, ягодицы, длинные мускулистые ноги, амортизирующие подскакивания автобуса так, что никакой резкий поворот не способен был заставить ее изменить идеальную осанку... А может быть, и замечала, и видела, только не усматривала смысла сравнивать себя — это выстраданное произведение труда и искусства — с автобусной толпой? Сравнивать себя нужно только с лидерами, стремиться — непременно к труднодостижимому. Кто привык к горному воздуху, тому не придется по душе тоскливое обитание в низинах.

Надя Кораблина была поглощена печальными мыслями и не замечала мужских взглядов, которые (известно из практики!) частенько останавливались на ней. Недосуг ей было заметить, что один мужской взгляд был пристальней всех остальных... Впрочем, тот, кто наблюдал за гимнасткой Короблиной, ни в коем случае не хотел дать себя заметить. Он следовал за ней от самого спортивного комплекса, где она обычно тренируется, и проводит ее издали до самого дома. Конечно, если бы Надя заметила непрошеного наблюдателя, она имела бы право обратиться к ближайшему милиционеру... Однако милиция не нашла бы, к чему придраться. Цели мужчины, который следовал за Надей Короблиной, нельзя считать предосудительными, хотя и они были далеки от заурядных мужских.

По мнению наблюдателя, слежка извинялась тем, что он желает Наде только добра. В ближайшем времени или чуть позже, они непременно встретятся.

7

Спортивный комплекс «Авангард», который возглавляла покойная Наталья Робертовна Чайкина, произвел на Турецкого благоприятное впечатление. Не то чтобы он так отменно разбирался в спортивных комплексах, но на первый взгляд все здесь было в полном порядке. Стадион, бассейн — все на уровне самых высоких мировых стандартов, если верить экспертам. Футбольная команда «Авангард» показывает стабильно высокие результаты на отборочных матчах. Финансовых нарушений в бухгалтерии действительно не отмечается. Прощупывающее почву замечание Турецкого о возможной связи Натальи Робертовны с криминалом, особенно с кавказскими преступными группировками, восприняли как кощунственное.

— Вы не знали ее! — обвиняюще воскликнул новый гендиректор спорткомплекса Аникеев, бывший заместитель Чайкиной, долговязый седоватый мужчина с неожиданными губками бантиком на длинном лошадином лице. — Она была человеком бескомпромиссным и прямым — кое-кто считал, что даже чересчур прямым. У нее был острый язык, она высказывала в глаза все, что думала. Если бы ей предложили сотрудничество уголовники — представляю, что она ответила бы им!

— Тогда, возможно, что-то похожее произошло в действительности? Ей сделали предложение — она ответила резким отказом. Преступники отомстили ей...

— Нет, Александр Борисович, не стройте фантастических предположений! Если бы это произошло, она бы немедленно обратилась в милицию. Кроме того, подобные события не могли пройти мимо меня.

— Вы упомянули о том, что покойная была резким на язык человеком. Какие конфликты возникали у нее на рабочем месте в связи с этим? Кто мог быть обижен на нее?

— Никто! Как вы могли подумать? Все любили Наталью Робертовну. А к ее бескомпромиссности и откровенности мы привыкли.

Словно в дополнительное доказательство того, каким замечательным гендиректором была Наталья Робертовна, Аникеев указал на одну из стен своего кабинета. Стена была в некотором роде мемориальной, оставаясь увешана несметным количеством дипломов и похвальных грамот, превозносивших на все лады покойную Чайкину. Одним словом, непонятным оставалось, кому было нужно убивать эдакого ангела во плоти.

— Уверяю вас, — вздохнул Аникеев, печально разводя руками, — следователь у нас был, опрашивал. Как видим, прошло полгода, а он ничего не добился. Говорят, если убийство не раскрывается по горячим следам, значит, оно не раскроется вообще. Это правда?

— Ну, не всегда, — уклончиво ответил Турецкий. Лично он придерживался той точки зрения, что поверхностным недобросовестным расследованием обстоятельств преступления Плотников нанес большой вред, и в первую очередь он был виноват в том, что оказалось напрасно упущено время. Преступления — любые, а не только убийства — в самом деле лучше раскрывать по горячим следам... Но не посвящать же постороннего человека в конфликты между работниками прокуратуры! — Как бы то ни было, следы я постараюсь найти. Горячие, холодные — любые.

— Бог в помощь, — напутствовал Аникеев. Непонятно, искренне или нет.

Божественная помощь в планах Турецкого не значилась. А вот эффект внезапности был ему на руку — благо Аникеев не успел предупредить сотрудников о готовящемся визите представителя Генпрокуратуры. Если уж не получилось раскрыть убийство по горячим следам, можно питать надежду на то, что народ успокоился, угомонился, решил, что все скрыто и забыто. Вдруг проговорятся, если их застать врасплох?

Нет, Турецкий не ждал, что кто-то из тружеников «Авангарда», будучи прижатым к стенке, признается, что именно он убил Наталью Чайкину. Однако что-то похожее на оговорку он получил — к тому времени, когда он, охрипший и измочаленный, вспоминая годы службы простым следователем, перешел от верхушки «Авангарда» к работникам среднего звена.

— Конфликты? — воздела искусственные бровки медсестра Юля Блинова. Брови у нее, точно у средневековой японки, были выщипаны наголо и нарисованы черным карандашом почти что на лбу. — У Натальи Робертовны? Вы имеете в виду Лунина и Бабчука? Ну, знаете, это все в прошлом. Они давно исправились.

— А кто такие Лунин и Бабчук? — немедленно прицепился Турецкий.

Медсестричка не была великим конспиратором или не видела, почему она должна скрывать то, что известно всем в «Авангарде». Одно время, примерно за три месяца до своей гибели, Наталья Робертовна пыталась отчислить из команды ведущих футболистов клуба «Авангард» Лунина и Бабчука. Но на защиту футболистов встали все в команде, в том числе врач и тренер. Стороны пришли к компромиссу, Лунин с Бабчуком раскаялись в своем поведении, и дальше все обстояло благополучно.

— Чего же они не поделили?

Пожатие одним узким плечиком, вздергивание японских бровей совсем уж до линии роста волос. Головокружение от успехов... нарушение режима... невыход на тренировку... что-то такое, в общем-то, медсестре в это вникать ни к чему.

— А где они сейчас, Бабчук и Лунин?

— На сборах. Вернутся через неделю. Но если вам интересно, как к ним относилась Наталья Робертовна, обратитесь к ее мужу... то есть к бывшему ее мужу... то есть не знаю, как это назвать...

— К вдовцу. Спасибо, Юля.

Именно это и значилось следующим номером намеченной Александром Борисовичем программы. Навестить вдовца.

8

Что и говорить, Макс остался не вполне доволен тем, что Денис проигнорировал проявленный им в деле «Хостинского комплекса» героизм и директивно усадил компьютерщика за рутинную работу, которой ему, согласно трудовому договору, и надлежало заниматься. Однако, очутившись в любимом потертом кресле, достаточно надежном, чтобы переносить его вес, напротив любимого компьютера, с любимой пачкой сухариков под рукой, он ощутил, как на него снисходит успокоение. В конце концов, отрадно сознавать, что ты не слабак и можешь с блеском выполнять повседневные обязанности рядового глориевца не хуже, скажем, того же Агеева. Однако так же отрадно снова приступить к тому излюбленному виду деятельности, в котором тебя не переплюнут ни Агеев, ни Денис Грязнов, ни даже сам Алексей Иванович Кротов. И Макс нырнул в поиск информации, точно в море с восхитительно прогретой солнечными лучами водой.

По волнам Интернета и FIDO его носило достаточно долго, прежде чем в этих мутных вод начали проблескивать ракушки, возможно содержащие жемчужины, а может, и нет — заранее ничего нельзя сказать. Небрезгливый Макс старательно их вылавливал и с превеликим тщанием укладывал в коллекцию фактов. А относительно небрезгливости — так ведь в сетях, извините, такого начитаешься...

Вот, например, поклонники российского футбола на своих форумах употребляли совершенно непарламентские выражения, дознаваясь, из-за чего продула наша сборная. Их страсти у Макса, равнодушного к этой игре, не вызывали сочувственных эмоций; однако в обсуждении участвовали компетентные, судя по высказываниям, люди, укрывшиеся под нейтральными никами. Они утверждали, что разгромный счет обусловлен отсутствием в рядах российской сборной ее звезды Егора Таранова. Некто, кого на форуме называли «предателем», сообщил в спортивные международные организации об употреблении анаболиков членами русской футбольной команды. После того как было объявлено, что в допинг-пробе знаменитого российского футболиста найден эфедрин, ассоциации ряда стран вцепились зубами в возможность занять место сборной России на первенстве мира. Похожая участь постигла знаменитого и очень талантливого форварда Игоря Сизова, которого дисквалифицировали за применение допинга на два года.

«Чувствуется рука «Дельты»! — обрадовался Макс. — Жаль только, что этот некто так и не дал себя вычислить. Конечно, компетентные источники могут недоговаривать, но вряд ли. Знай они, кто именно этот «предатель», — ух, и досталось бы ему!»

На всякий случай Макс отметил, что Денису очень даже стоит побеседовать с Тарановым и Сизовым: возможно, они припомнят какое-нибудь обстоятельство, важное для расследования. Получить их телефоны для директора ЧОП «Глория», работающего по заданию высшего спортивного руководства, не составит труда.

Далее по списку располагалась многократная чемпионка Европы, чемпионка мира Дарья Хромченко, которую считали главной претенденткой на золотую медаль в предстоящих олимпийских играх. На нее так рассчитывал господин Титов! Теперь эта бой-баба не сможет выйти на олимпийский помост. В Париже, где проводился чемпионат мира по тяжелой атлетике, у Хромченко уже был взят внесоревновательный допинг-тест. О том, что в пробе «А» штангистки обнаружен классический анаболик — метандростенолон, стало известно накануне чемпионата мира. Хромченко была отстранена от соревнований. Еще одна победа «Дельты»? Весьма вероятно...

Информация буквально сыпалась Максу в руки. И количество файлов в только что заведенной им в компьютере папки под названием «Дельта» стремительно увеличивалось.

9

Статистика показывает, что едва ли не к самой уязвимой категории редеющего с каждым годом мужского населения относятся вдовцы. Они чаще других умирают от инфарктов и инсультов. Даже по несчастным случаям они входят в группу риска. Для мужчины, голова которого занята скорбными мыслями об утраченной женщине, с которой он собирался долго жить и умереть в один день, очень легко, не заметив, войти в опасную зону под строительными лесами или ступить на проезжую часть, в то время как на светофоре горит красный сигнал...

Глядя на Константина Германовича, так и думалось о принадлежности его к группе риска. Слегка оправившись после того страшного дня, с которого начался для него текущий год, выкарабкавшись из заторможенно-слезливого состояния, в котором он пребывал на койке института Склифосовского, Чайкин продолжал производить тягостное впечатление на людей знакомых и незнакомых. Он и раньше-то представлял собой тип «рассеянного профессора», но если прежде, в зримом или незримом присутствии энергичной и заботливой жены, игравшей для него роль скорее матери, чем любовницы, над странностями Константина Германовича хотелось добродушно посмеяться, то теперь они вызывали грусть. Грусть, направленную не только на этого сгорбленного, серого, как бы обсыпанного траурным пеплом человека, на глазах превратившегося из просто немолодого — в старика, но и на весь удел рода людского, полный непредсказуемых ударов и нежелательных поворотов.

Возникновение в его жизни Александра Борисовича Турецкого, ищущего убийц Наташи, Константин Чайкин воспринял все с тем же траурным равнодушием. Вот если бы он искал саму Наташу, тогда другое дело... В потаенных подвалах сознания Константина Германовича скрывалось абсолютно нелогичное, но труднопобедимое убеждение, что Наташа не умерла, а куда-то скрылась, и, приложив усилия, ее еще можно найти. Причина этой причуды заключалась, по всей видимости, в том, что Наталью Робертовну похоронили без его участия и, не увидев супругу мертвой, он по-прежнему представлял ее живой.

— Ищите, — позволил Константин Германович, диковато и сурово взблескивая глазами, которые до чудовищного размера увеличивались стеклами очков. — Вот, все в ее комнате, как при Наташе. Ничего не тронул, не выбросил. Если это может помочь, смотрите, копайтесь.

В доме покойной Турецкий застал мемориальное кладбище грамот и дипломов, аналогичное тому, которое сохранил в «Авангарде» ее кабинет. Только если рациональный Аникеев позволил всей этой бумажной глянцевости красоваться на стене для всеобщего обозрения, то здесь она хранилась рассованной по ящикам, кое-как. Судя по способу хранения свидетельств своих достижений, чрезмерной любовью к почестям Наталья Чайкина не страдала. Не исключено, она считала, что это на работе она — гендиректор, а дома — обычная женщина... Перебирая документальную шелуху отлетевшей жизни, Турецкий неторопливо беседовал с Константином Германовичем, мало-помалу склоняя его память к интересующим следствие и начисто упущенным Плотниковым деталям.

— Наташа — была ли она раздражительной? Я бы не сказал... Наташа... — Чайкину доставляло горькое удовольствие произносить имя женщины, которую он никогда уже не сможет позвать. — Но она волновалась из-за работы. Наташа болела своим делом, принимала его близко к сердцу. Была неравнодушным человеком. Если Наташа раздражалась, то только по этой причине.

— Вам о чем-нибудь говорят фамилии Лунина и Бабчука?

— А кто это такие?

— Футболисты клуба «Авангард». Наталья Робертовна грозилась их выгнать. За что?

— Бабчук... Бабчук... что-то такое цепляется... — Константин Германович сосредоточенно сощурился за очками, ради усиления мыслительного процесса почесал лысоватую голову, обсыпав новой порцией перхоти спину и плечи серого пиджака. — Постойте, постойте, Лунин и Бабчук! Как же... Я же помню, «одурманенные»...

— Как-как? — Турецкий напрягся в ожидании, отложив кипу свидетельств, среди которых одно его чемто обеспокоило, но у него будет время разобраться с этим после. — Одурманенные?

— Я никогда не вникал в подробности Наташиных спортивных дел, я математик, знаете ли, но сейчас отчетливо вспомнил. Наташа действительно... она была сердита и говорила кому-то по телефону, что в «Авангарде» не место дурману и одурманенным. И при этом повторяла фамилии Лунина и Бабчука, да-да, в точности как вы сказали.

— У вас есть предположения, что бы это могло значить?

— Никаких. Подробностей Наташа мне не сообщала, а я не спрашивал. Наташа рассказала бы мне, если бы сочла нужным. Мы уважали друг друга...

— Когда это было?

— Боюсь, не смогу помочь. Хронология встает на дыбы. За неделю до... или за месяц... нет, я что-то путаю... Наташа у нас всегда следила за числами... Наташа...

— Не волнуйтесь, Константин Германович, — поспешил его утешить Турецкий. — Если даже не вспомните, ничего страшного. Если вспомните, сообщите все-таки мне.

— Можете на меня рассчитывать, — с излишней, возможно, высокопарностью пообещал Чайкин.

Турецкий отметил эту высокопарность мельком, вскользь, поскольку его в данный момент занимало нечто другое. В груде бумаг, извлеченной из модернистского шкафа, который состоял из соединенных причудливым образом полочек и ящиков разной формы, он наткнулся на один документ, важность которого успел отметить, но полностью оценил ее только сейчас.

— Константин Германович, ваша жена была членом «Клуба по борьбе с запрещенными стимуляторами»?

10

Снова тяжелый, выматывающий день — и никаких результатов! Надя Кораблина выходила из спортивного зала, неся свое изумительное тело, как чашу, полную разочарования. Алла Лайнер снова унизила ее, высмеяла перед остальными девчонками — менее совершенными, менее красивыми, менее способными, чем она! А они смотрели и радовались, должно быть, что Надя, прирожденный лидер, новая олимпийская суперзвездочка, так промахнулась. Она ведь и в самом деле промахнулась, себе-то врать не станешь. Никак ей не дается эта новая, вроде сделанная специально под нее программа! Особенно сложным оказался элемент с булавой. Плохо получается, с заметным мышечным усилием, с какой-то лошадиной чрезмерной натугой. А художественная гимнастика — это искусство изящества. Свирепый оскал, напряжение сведенных мышц простят борцу или штангисту, но гимнастка обязана улыбаться. Несмотря ни на что, вопреки всему.

А попробуй тут поулыбайся, когда физические силы истощены! Надя уже неделю чувствовала, что она на пределе. Но сейчас, когда все старания ушли впустую, усталость охватила ее целиком. Она последней покинула после тренировки спортивный зал, когда-то бывший для нее воплощением мечтаний как дворец сказочного принца, и позже всех вошла в душевую. Лайнер не остановила ее, не утешила, как бывало раньше, и это нанесло Надиному сердцу еще одну рану. Прежде строгость тренера компенсировалась вспышками великодушного прощения, сегодня Алла Александровна осталась отстраненна и холодна. Зачем она так? Почему? В чем причина? У тренера, как у любого человека, могли быть свои неприятности, происходящие вне стен спорткомплекса, она могла срывать на подопечных злость, но Надя не хотела в это верить. В ее глазах тренер не имела слабостей, она воплощала собой абсолютную справедливость — и не только спортивную. Великолепная Алла Лайнер сжимала в руке карающие молнии, но тем сильнее хотелось от нее милосердия, участия и поддержки. Пусть бы сто раз обругала перед всеми, зато наедине по-матерински обняла (рядом с ее ста восьмьюдесятью сантиметрами роста Надя чувствует себя маленькой девочкой) и шепнула: «А все-таки ты умница, у тебя рано или поздно получится. Не исключено, что уже на следующей тренировке. Я в тебя верю». Но сегодня... ничего: ни участливого слова, ни утешения! А что, если Надя и в самом деле надорвалась, истощила свои невеликие силы, осталась пустая, как выжатый лимон? И это в начале спортивной карьеры. Тогда уж точно с гимнастикой надо завязывать. Но до чего же обидно! Заплакать, что ли? Уже и в носу щиплет...

В душевой Надя обнаружила, что, как она ни задержалась, здесь кроме нее обретается еще одна поздняя пташка: Лия Звонарева. Ишь, полирует спину скрабом, будто в салоне красоты. Надя отвернулась к стене и открутила побольше кран горячей воды, облаком пара отгораживаясь от Лийки: разговаривать не хотелось. Они подругами отродясь не были... Конечно, настоящей дружбы между гимнастками никогда не бывает (как дружить с соперницей?), но даже если вычесть всеобщую зависть и подозрительность, между этими девушками — ни тени сходства. Кораблина — звезда, а Звонарева — так, середнячок. Не то чтобы на грани вылета, но слеплена не из чемпионского теста. Правда, это ее, кажется, не слишком беспокоило: Лия никогда не была честолюбива. Зато общительна, компанейский человек. Вот только нужна сейчас Наде Лийкина общительность, как рыбке зонтик...

— Надя, хочешь, возьми мой скраб. Выжимай, не жалей: здесь еще полтюбика.

— Спасибо, мне ни к чему.

Как ни старалась Надя избежать разговора, слово было сказано, и тотчас Лия вместе со своим недовыжатым тюбиком скраба перекочевала поближе к Надиной кабинке, завилась вокруг юрким вьюном.

— Как же это ни к чему? Всем к чему, я так считаю. Женщина должна заботиться о красоте. Правда, ты, наверно, к этому не привыкла, потому что и так красивая. Была бы я такая от природы, тоже, наверно, ни о чем бы не думаль. Кожа-то какая гладенькая у тебя! А талия — тоненькая, как иголка! Вот прямо смотрю на тебя, Надь, и радуюсь. Другие, наверно, завидуют по углам, а я не завистливая. Мне просто радостно, что вот есть же в мире такая красота...

Надя подозревала, что после всего, что произошло на тренировке, ей будет невыносимо выслушивать мелкие Лийкины восхищеньица. Как ни странно, произошло по-другому: то, что кто-то искренне (а зачем Лийке врать?) хвалит ее тело, которое оказалось неспособно освоить сложный элемент, несло успокоение.

— Никому, видно, не нужна моя красота, — возразила Надя.

— А что такое? — удивилась Лия. — Неужели с парнем поссорилась? Так брось его: другого найдешь.

— При чем тут парни какие-то? — досадливо передернуло Надю. Парни были действительно ни при чем: высоко себя ценя, отраду физической любви она заменяла честолюбием. — Ты что, не слышала, как Аллочка на меня наорала? И правильно... и я сама чувствую, что не справляюсь.

Снова слезно защипало в носу.

— Из-за этого — да чтоб так переживать? — усмехнулась Лия. Не теряя даром времени, она выжимала на себя из опорожнявшегося тюбика белые червячки скраба, растирала их по плечам, и из-за размеренности и монотонности этих действий казалось, что сопровождавшие их слова должны быть обыденными, простыми, само собой разумеющимися. — Получится у тебя, все получится! Таблетки попринимаешь, и все будет отлэ.

— Какие таблетки? — Слезы у Нади почему-то отступили.

— Которые все чемпионы принимают, — беззаботно сообщила Лия. — Которые помогают силы восстановить.

— Наркотики?

— Ты чего, с дуба рухнула? — Речевой оборот отдавал грубостью, но Звонарева так потешно округлила свои черненькие мышиные глазки, что Надя не удержалась, чтобы не улыбнуться. — Наркотики вредные, а эти лекарства полезные. Они для того, чтобы сил прибавилось, чтобы мышцы стали крепче. Попросишь врача, он тебе их пропишет.

— Нашего врача?

— Почему обязательно нашего? Нет, можно и нашего, но ты же знаешь, как это бывает: врач всем растреплет, что ты таблетки принимаешь, девчонки станут злиться, завидовать... У меня есть знакомый врач, тоже в прошлом спортсмен. Собаку съел на этих лекарствах, плохого не назначит. Если хочешь, я тебя к нему отведу. Ну так как?

Надя ответила не сразу. Она задумчиво водила мочалкой по бедру, наклоняясь, чтобы скрыть лицо. Это было неожиданное предложение. Как все, более или менее причастные к миру большого спорта, она была наслышана о допинге, но Надина гордая необщительность до сих пор хранила девушку от того, чтобы узнать о нем подробнее. Слышала она, что есть такие лекарства, которые помогают добиться победы, но принимать их запрещено, потому что... Потому, что это попросту нечестно. Как нечестно жульничать в любой игре. Все будут выступать по-настоящему, без таблеток, а она — с таблетками...

Но ведь Надя — не как все! Она такая красивая, она такая талантливая! Ей просто требуется небольшая поддержка. Поддержка в трудном жизненном периоде, только и всего. А дальше она пойдет сама, безо всяких подпорок. Что же в этом криминального? Притом Лия ведь не сует Наде горсть каких-то таблеток, взятых неизвестно откуда, она ей предлагает врача, который обследует ее и выпишет то, что требуется. Медицине Надя привыкла доверять...

— Нет, вообще как хочешь, дело твое, — вклинилась в ее размышления Лия, которая, кажется, извела на себя столько скраба, что странно, как это она не осталась без кожи. — Я просто собиралась тебе помочь. Но не хочешь, не надо. А я тебя все собиралась спросить: ты лаком для волос пользуешься?

Нагота между людьми одного пола способствует доверительности. И понижает критичность.

— Лаком? Нет, не пользуюсь... Лия, ты мне все-таки дай телефон того врача.

— Ой, да пожалуйста! Я тебя ему рекомендую. А то учти, врач жутко популярный и модный. К нему очереди выстраиваются. Я ему намекну, что ты будущая олимпийская чемпионка и моя подруга, и он тебя примет безо всяких, только так...

11

Егор Таранов встречаться с Денисом категорически отказался, едва услышал, что речь пойдет о допинге. Закатившаяся звезда российского футбола даже матюгнулась — не прямо в трубку, а словно бы в сторону, но так, что Денис услышал и понял: здесь он ничего не добьется. Зато Игорь Сизов оказался суховат, но вежлив и предложил назначить время для личной встречи, так как это не телефонный разговор.

— Только во второй половине дня, — уточнил Сизов. — В первой половине у меня, как всегда, тренировки.

У Дениса хватило сообразительности не высказать своего недоумения: он-то воображал, что дисквалифицированному спортсмену незачем так уж стараться! Но Сизов почувствовал заминку и уточнил:

— Некоторые на моем месте использовали бы это время, чтобы вроде как пожить для себя: нарушать режим, употреблять алкоголь, забросить физические нагрузки... Только после этого слишком трудно вернуться в прежнюю форму. А я надеюсь, когда срок дисквалификации истечет, доказать, что я в отличной форме. В наилучшей! И что раньше я побеждал не благодаря допингу.

Под конец своего небольшого монолога Сизов заметно разволновался и, сделав паузу, закончил:

— Так что не бойтесь: выгораживать себя не стану. Скажу все как есть.

«Сказать все, как есть» Игорь Сизов намеревался в ближайший вторник, в четыре часа дня, возле станции метро «Кропоткинская». Изучив футболиста по фотографиям и записи его последнего матча, Денис Грязнов с трудом узнал его. Такова уж специфика футбола как зрелища, что мельтешащие на зеленом поле фигурки в майках и трусах выглядят неестественно маленькими и тоненькими, словно шахматные фигуры, с помощью которых разыгрывает хитрые комбинации невидимая рука. А навстречу Денису со стороны подковообразного здания станции двигался здоровенный мужчина лет тридцати, крепкий и широкоплечий. И еще — во время матча лицо игрока искажается разнообразными чувствами, заставляя его порой казаться грубым и агрессивным. Но в Игоре Сизове, вопреки развитым, переливающимся под рубашкой мускулам, не ощущалось никакой грубости: непредвзятый наблюдатель обязательно отметил бы, что у него тонкое, вдумчивое, интеллигентное лицо.

Интеллигентный футболист? Почему бы и нет; Денис Грязнов — человек без предрассудков. Вот только не вяжется как-то с интеллигентностью прием допинга...

— Пройдемся по бульварам? — предложил Сизов и первым зашагал в направлении Нового Арбата. Шаг у футболиста был размашистый, скорый, но Денису, тоже высокому и физически развитому, удавалось держаться с ним наравне. Миновав длинные торговые ряды, подпортившие архитектурный облик этого старинного, обильно озелененного, типично московского места, Сизов остановился у первой скамейки и попросил:

— Не сочтите за недоверие, но не могли бы вы предъявить документы?

Денис охотно исполнил требование. Документы Сизов рассмотрел не торопясь, внимательно вчитываясь в слова: «частное охранное предприятие...», «директор...».

— Так, значит, прием допинга в нашей стране уже расценивается наравне с уголовщиной?

— Ну зачем вы так, Игорь Сергеевич, — покоробило Дениса, — мы совершенно не настроены никого ни в чем обвинять.

— И напрасно, — неожиданно возразил Сизов. — Обвинять как раз нужно. После решения о дисквалификации я много об этом размышлял... Вся загвоздка в том, кого обвинять. Знаете, типично русские вопросы: «Кто виноват?» и «Что делать?». Ни на тот, ни на другой в случае приема допинга я внятного ответа не нахожу.

Удостоверив Денисову личность, они снова двинулись вдоль бульвара, теперь уже неспешно, точно прогуливаясь, наслаждаясь видом зеленых деревьев и газонов, веселых детей, резвившихся вокруг выструганных из пеньков скульптур, троллейбусов, которые проплывают за чугунной низкой решеткой ограды точно в другом мире, не здесь.

— Со стороны все ясно, — застарелая, невыветривишаяся обида звенела в голосе Игоря Сизова, — спортсмен принимал запрещенные лекарства, значит, спортсмен и виноват. На это, мол, его подбило неудовлетворенное честолюбие. Погнался за синей птицей, а потерял синицу в руке. А на самом деле эта достоверная с виду картинка — глупость. Вот вы скажите, Денис Андреевич, если бы вам предложили: «Прими лекарство, от которого ты станешь вдвое сильней, зато срок твоей жизни тоже сократится вдвое», — вы согласились бы?

— Ну я, наверное, нет, — со сконфуженной улыбкой ответил Денис, — но, должно быть, найдутся такие, что согласятся...

— Если совсем ненормальные — да. Денис, я похож на ненормального?

На риторические вопросы отвечать не принято, и Денис промолчал.

— Послушай, Денис, мы же ровесники, давай на «ты» и без отчеств... Весь фокус в том, что никто никому так в лоб это не заявляет. Никто ведь не говорит игроку: ты выпей эту таблетку, будешь быстрее бегать, но за это тебя могут дисквалифицировать, и ты подорвешь свое здоровье. Если человеку такое сказать, он ничего принимать не будет. Говорят по-другому: ты выпей эту таблетку, она нужна для восстановления сил. А потом происходят такие случаи, как с Тарановым...

— Он отказался со мной встречаться. Даже вроде бы обругал...

— Ты на него не сердись: переживает человек. Я его понимаю: ведь только он один пострадал в той ситуации. А таблетки ему постоянно подсовывал врач его клуба Олег Коротков, его и в сборной по футболу, когда он там работал, и в сборной России по биатлону поймали на тех же таблетках.

— А как получилось у тебя?

— Примерно так же, только врач у меня был индивидуальный. Не-за-ви-си-мый, — сквозь зубы процедил Игорь. — Я-то думал, он полностью независимый, не контролируется теми, кому подавай быстрые результаты и медалей побольше... А может, и правда не контролировался, трудно выяснить. Чьи-то интересы здесь были задействованы, без постороннего вмешательства не обошлось. Может, интересы поставщиков тех самых таблеток, которые перед ответственными соревнованиями прописывал мне Боб... Борис Савин его зовут, а я его звал просто Боб. Считал за друга. Толстый такой, весельчак, сам бывший спортсмен. Трудно поверить...

Примерно в течение минуты они двигались по Бульварному кольцу в молчании.

— Лично я за уголовную ответственность в области допинга, но против того, чтобы ответственность нес спортсмен, — снова заговорил Игорь Сизов. — Потому что в этой цепочке — производитель-распространитель-врач-спортсмен — последний виноват меньше всего. А получается так, что он за все расплачивается. Ну, правильно, в любой ситуации ищут крайнего!

Игорь откровенно, не пытаясь приукрасить ситуацию, рассказал, каким образом расплата настигла его. В купе поезда Москва — Сочи, перед самым отправлением, когда пассажиры уже нашли свои места, внесли вещи, а некоторые даже расстилают на нижних полках казенные матрасы. Игорь пока что не обустраивался в купе, а просто смотрел из-за полуотдернутой занавески с эмблемой Сочи на перрон, разглядывая провожающих и отъезжающих. Ему показалось, что в толпе мелькнуло знакомое лицо... Да нет, какое там «показалось»? Разве мог он не узнать Ярослава Шашкина, в прошлом знаменитого футболиста, о котором сейчас никому не известно, где он, что с ним... Шашкин остановился перед вагоном, в котором ехал Игорь, и, указывая в его сторону, о чем-то сказал группе незнакомых Игорю людей, а потом растворился в толпе.

Спустя несколько секунд двое из этой группы, мужчина и женщина лет сорока или больше, возникли в его купе. При себе у них имелся светло-коричневый чемоданчик, наподобие тех, которые носят медсестры-лаборантки. Лицо женщины тоже показалось Игорю смутно знакомым, хотя он не в состоянии припомнить, кто она. Мужчина открыл чемодан, обнажив его содержимое: пробирки, пипетки, иглы, резиновые жгуты...

«Лаборатория "Дельта"», — сказала женщина.

Взятие проб не заняло много времени: все закончилось еще до того, как поезд тронулся. Но приговор Сизову был подписан: по настоянию Боба он начинал принимать таблетки за неделю до матча, так что в его крови нетрудно было обнаружить то... что в ней содержалось.

— Послушай, Игорь, — недоумевал Денис, — ты же взрослый человек, как же ты позволил неизвестно кому, неизвестно с какими целями взять у тебя кровь?

— Но у них были надежные бумаги от МОК! Заверенные сертификаты! И по-русски, и по-английски... Как тут сопротивляться? Ко всему прочему, я не был стопроцентно уверен, что таблетки, которые я принимаю, относятся к допингу. Я считал, Боб не способен меня так подставить.

— Хорошо, но если ты видел документы, наверное, должен вспомнить фамилию предъявителей.

— В том-то и дело, что не помню! Как-то на «М»: Муркины? Мурины? Запомнилось, что они были однофамильцами: наверное, муж и жена. Я в тот момент на этом не зацикливался. Воображал, как дурак, что это рутинная проверка, которая ничего не покажет. А на основании этой пробы потом заявили, что я постоянно перед матчами принимаю анаболики...

Снова минута тягостного молчания. Впереди замаячила уже Арбатская площадь.

— Нет, если исключить спортсмена из этой цепочки, о которой я тебе говорил, то уголовную ответственность вводить нужно. Правда, — вздохнул Сизов, — у нас страна такая, что подставить под эту статью можно будет кого угодно. Желательно перед принятием такого закона навести элементарный порядок в спорте. Ну, это я так, о своем... Денис, я тебе помог?

— Надеюсь, что да, — сказал Денис.

12

«Гендиректор спортивного комплекса «Авангард» Наталья Чайкина и легендарный чемпион мира по футболу Ярослав Шашкин на торжественном открытии "Клуба по борьбе с запрещенными стимуляторами"». Комментарий под фотографией был чересчур длинным, изображение на газетной бумаге — нечетким. Из какой газеты была вырезана заметка с фотографией, установить не представлялось возможным, но, судя по комментарию и безыскусности стиля, Турецкий предположил, что газета эта не имеет большого тиража. Скорее всего, это специальное издание для спортсменов и их поклонников. В самой заметке скупо сообщалось о том, что клуб, открытый 25 июля 2004 г., ставит своей задачей борьбу с приемом русскими спортсменами фармакологических средств, которые наносят вред здоровью и портят репутацию России на международной арене. Имя председателя клуба — Павел Любимов — отозвалось в памяти чем-то знакомым, но неуловимым. Не исключено, Турецкому доводилось читать о Любимове... или видеть его по телевизору... или... нет, воспоминание ускользало, не давая ухватить себя за хвост. Не важно; он обязательно наведет справки о председателе «Клуба по борьбе с запрещенными стимуляторами». А также стоит побеседовать с Ярославом Шашкиным, который на фотографии едва ли не обнимался с Натальей Чайкиной.

Вот сколько информации удалось извлечь из крошечной газетной вырезки, затесавшейся меж свидетельствами и дипломами, которые бережно хранил Константин Германович Чайкин, дорожа каждой материальной частицей памяти о покойной жене. Если бы не он, возможно, судьба расследования сложилась бы по-иному и Турецкий долго еще блуждал бы в потемках, вместо того чтобы поскорее выйти в ослепительный свет прожекторов, освещающих поле битвы за спортивные награды... Вот только игры на нем велись неспортивные, с применением запрещенных приемов.

Рюрик Елагин, многократно проявивший себя специалистом в добывании информации, уже через два часа после получения задания притащил Александру

Борисовичу сведения о Павле Любимове и Ярославе Шашкине.

— Александр Борисович, а вы знаете, что Любимов убит?

— Как? Когда?

— Первого января сего года.

В тот же самый день, что и Наталья Чайкина... Необходимость диктовала ознакомиться с делом Любимова как можно скорее. Тем более что дело, как выяснилось, не закрыто, виновные так и не найдены.

— Кто этим делом занимается, Рюрик?

Оказалось, следователь Дмитрий Горохов из прокуратуры Северо-Западного округа. Когда Турецкий получил эту информацию, время приближалось к восьми вечера и застать следователя Горохова на рабочем месте было бы трудновато. Зато для того, чтобы позвонить бывшему чемпиону, ныне пенсионеру, Ярославу Шашкину, было еще не слишком поздно.

Шашкин, по всей видимости, жил один в квартире, потому что подошел к телефону не сразу и сам. Узнав, по какому поводу его беспокоят из Генпрокуратуры, проявил не поддающийся описанию энтузиазм:

— Наконец-то, — каркающим голосом закричал он в трубку, — кто-то заинтересовался тем, что нас убивают! Нас всех убьют, а милиция пальцем о палец не ударит! Пашу убили, Наташу убили... завтра, того и гляди, до меня очередь дойдет... — Голос Шашкина оборвался в кашель, такой же громкий и еще больше похожий на воронье карканье.

— Ярослав Васильевич, — дав ему откашляться, вклинился в паузу Турецкий, — вы готовы побеседовать со мной об этих убийствах?

— Да запросто! Да когда угодно! Могу я приехать к вам немедленно? Или лучше вы ко мне... — Снова кашель, словно сошла с ума стая ворон. — Я тут приболел маленько...

События закручивались стремительно, и Турецкий не отказался от приглашения. Слишком хорошо ему было известно, что свидетеля надо хватать и не отпускать, пока он тепленький. Сколько раз так бывало: думаешь, что времени больше чем достаточно и от свидетеля можно получить любую информацию завтра или в любой другой день. Но завтра или в любой другой день он отказывается говорить — или не в состоянии больше говорить никогда... Поэтому, грустно представив несостоявшийся вечер в кругу семьи (Ирина Генриховна привыкла к тому, что муж задерживается, она сердиться не будет), Турецкий полетел по указанному адресу.

Ярослав Васильевич Шашкин был еще не стар, но, кажется, в самом деле болен, потому что, открывая Турецкому дверь, снова закашлялся даже от такого минимального физического усилия. Александр Борисович подумал, грешным делом, что болезнь дала осложнение на голову, потому что после того, как он представился, Шашкин пустился повторять на все лады: «Старший помощник генерального прокурора, ну и ну! Бог ты мой! Вот это да!» — словно предшествовавшего разговора по телефону и не было. В состоянии ли этот пожилой человек отвечать за свои слова, не окажется ли беседа с ним бесполезной? Как бы раскусив эти сомнения, Ярослав Шашкин уточнил:

— Вы уж простите мне, Александр Борисович, мои стариковские ахи и охи. Такие важные гости, как вы, не часто в мою конуру заглядывают. Все больше такие же, как я, спортсмены, списанные в утиль.

Широкоплечий, румяный, с бычьей шеей, хотя и надрывно кашляющий, Шашкин никак не производил впечатления экземпляра, списанного в утиль. Да и «конура» была обставлена довольно пристойно и даже с потугами на роскошь. Новенький музыкальный центр с караоке, домашний кинотеатр, современная стиральная машина — Ирина Генриховна приобрела такую всего полгода назад... И все это — при журчащей на всю квартиру сантехнике, выцветших обоях, скрипучем паркете. Создавалось впечатление, будто Шашкин не так давно разбогател и, словно ребенок, начинающий обед со сладкого, пустился удовлетворять сиюминутные капризные потребности в ущерб потребностям насущным.

Но причины благоприятного финансового поворота в своей судьбе Ярослав Васильевич не освещал. Наоборот, с места в карьер пустился жаловаться на спортивную мафию, которая вытесняет старых добросовестных тренеров с их мест, буквально выбрасывая их на улицу побираться. Взамен же набирает людишек, которые выжимают из спортсменов все силы, пичкая их анаболиками... То ли дело Шашкин и его поколение, они и слов таких, как «анаболики», не слыхали! Ну и конечно же, когда появился «Клуб по борьбе с запрещенными стимуляторами», мафии это крепко не полюбилось. Так что, если Александру Борисовичу нужны подозреваемые по делу Натальи Чайкиной и Павла Любимова, пусть обратит внимание на боссов из Олимпийского комитета России. Рыба с головы гниет.

Турецкий тоже был убежден, что дела Натальи Чайкиной и Павла Любимова необходимо объединить, чем он намерен заняться. Но сперва невозможно не задать несколько вопросов:

— Ярослав Васильевич, а что, клуб сейчас существует?

— Существует, но больше на бумаге. Когда Паши не стало, у нас все затихло. Трудно нам без него...

— А каким образом вы боролись против приема допинга? Каковы были ваши средства?

— Узнавали. Разоблачали...

— И многих разоблачили?

— Игоря Сизова. Дарью Хромченко... Да мало ли! Сразу и не припомнишь.

— Футболисты «Авангарда» Лунин и Бабчук среди них были?

— Наташа мне о них говорила. Не успела их выставить. А собиралась... Видно, уговорили простить. Хоть она и железная леди была, а все-таки в глубине души добрая женщина.

— Ярослав Васильевич, я должен попросить у вас список членов вашего клуба.

Почему-то этот простой вопрос привел Шашкина в замешательство, которое он попытался скрыть новым приступом что-то уж чересчур подвластного ему кашля, похожего на карканье. Каркал он в течение двух минут, возможно надеясь, что Турецкому надоест ждать. Но Турецкий проявил недюжинное терпение:

— Я жду, Ярослав Васильевич. Если, как вы говорите, на членов клуба объявлена охота, нужно знать, кто еще находится в опасности, чтобы предотвратить нападение. А может быть, кто-то еще, кроме Чайкиной и Любимова, был убит?

— Нет... никто... А членов клуба... я так не помню... я всех-то не знал. Общался в основном с Пашей и с Наташей. Вы еще с Давыдовым побеседуйте.

— С кем?

— С Тихоном Давыдовым, главой антидопинговой комиссии Олимпийского комитета. Паша обращался к нему...

— Как же у вас получается: Олимпийский комитет — плохой, а глава антидопинговой комиссии — в белом фраке?

Шашкин хмуро проворчал что-то в том духе, что честные люди изредка встречаются на всех уровнях, даже в этой несчастной коррумпированной стране. В целом разговор, так бодро начавшийся, после этого как-то скис.

«Интересно, — размышлял Турецкий, покидая квартиру Шашкина, — что он скажет, если придется давать показания официально? А ведь придется...»

Еще более интересным показалось бы Турецкому то, что, едва проводив его, Шашкин бросился звонить по телефону. Кому?

13

«Я делаю это ради своих родителей, — уверяла себя Надя Кораблина. — Они имеют право увидеть свою дочь на олимпийском пьедестале, имеют право жить в нормальных человеческих условиях, а не в этой жалкой квартирке в получасе езды от ближайшего метро. Они в меня верят, и я не желаю их разочаровывать».

На самом деле о родителях она думала в последнюю очередь, когда уцепилась за Лиино предложение, сделанное таким экстравагантным образом — после тренировки, в душевой. Но, направляясь к рекомендованному врачу, Надя чувствовала, что поджилки у нее трясутся, и испытывала мощную потребность в самооправданиях. «Для родителей, это я только для родителей», — словно молитву, твердила Надя, превращаясь в маленькую девочку, для которой папа с мамой значили все, а честолюбие — ничего.

Ведь и вправду, сколько надежд вложили эти не слишком удачливые, мало зарабатывающие, поздно вступившие в брак мужчина и женщина в свое единственное желанное дитя, так и названное — Надеждой! Любя дочь пылко и трепетно, не позволяли ей поблажек, приучали трудиться, искали ростки способностей, которые в дальнейшем могли принести зрелые плоды достижений в этом жестоком мире, не терпящем неудачников. Еще до школы Надя успела и посетить художественную студию, где занималась рисованием, и пройти тестирование в музыкальной школе. Слух у девочки оказался неплохой, но не абсолютный, а талант художницы пребывал в пределах обычного детского самовыражения: «палка, палка, огуречик, получился человечек». Зато она нашла свое призвание, став... тоже «художницей» — так называют в спортивном мире рабынь и фавориток художественной гимнастики. Удостоверясь, что искомый талант наконец-то обнаружен, папа и мама стали самоотверженно поддерживать Надю на ее тернистой стезе. Наступая на горло естественной жалости к своему драгоценному чаду, не позволяли дочери хоть чуть-чуть выбиться из рабочего графика, отдохнуть за счет прогуливания тренировок, лишали лакомых кусочков, грозящих прибавкой в весе. Эти временные трудности — пустяки. Главное — достигнутая цель.

Если бы папа и мама узнали, что для достижения цели требуется прием каких-то таблеток, разрешили бы они ей обратиться к рекомендованному Лией врачу? Может, и разрешили бы, — так уверяла себя Надя. Она им обязательно все расскажет... Но сначала сама посмотрит, что это за таблетки. И что это за врач такой.

Врач, которого звали Борис Алексеевич (а сам он велел называть себя попросту Боб), успокоил Надю одним своим видом. Он был надежен, весел, толст. Он любил к месту и не к месту вставлять громкое «н-ну», произносимое с напором, перед которым обязано было склониться все живое. К тому же он умел все на свете объяснить.

— Бедная красотка, — загремел он, обращаясь к Наде, — кто ж тебя так запугал? Ты же к Айболиту пришла, а не к Бармалею. Я людей не ем, я их лечу. Раздевайся по пояс... Нет, лифчик можешь оставить. Хотелось бы мне, чтобы ты и от него освободилась, но — извини, на работе я не мужчина, а профессионал. Давай-ка сердечко послушаем. Давай давленьице смерим. Н-ну... что я тебе должен сказать? Твой организм испытывает чрезвычайные перегрузки. Поняла? Чрез-вы-чай-ные. Вот так перенапряжешься и, не ровен час, получишь инфаркт. Не такая ты сильная, как тебе хотелось бы. А ведь... ты каким видом спорта занимаешься? Художественной гимнастикой? Небось любишь свою художественную гимнастику, а?

— Люблю, — призналась Надя, прижимая скомканную в кулаке блузку к трепещущей груди. После осмотра она еще не успела одеться.

— Н-ну и правильно. Люби, кто тебе запрещает? Я так и думал, что ты у нас девушка стойкая, спорт бросать не собираешься. Но и состояние сердечно-сосудистой системы у тебя аховое, я тебе все как есть скажу. Надо подлечиться.

— Вы меня в больницу положите? — Надин голос зазвенел отчаянием. Больница, когда на носу ответственные соревнования? Это катастрофа! По опыту она знала, что врачи любят настаивать на госпитализации. А ей это слово «госпитализация» хуже горькой редьки.

— Н-ну зачем сразу в больницу? — Этот врач был демократичнее других, встречавшихся прежде Наде. —

Я понимаю, тренировки и все такое прочее. Запустишь тренировки, потом трудно восстановиться. Я, птичка моя лебедь, сам бывший спортсмен, мне не надо объяснять. Так что предлагаю лечиться без отрыва от производства. Лекарство тебе, правда, необходимо такое, которое в аптеке так сразу не достанешь. Его надо заказывать за границей, за большие деньги. Чисто случайно у меня есть небольшой запас. Предыдущий мой пациент отказался, захотел лечиться народными средствами у каких-то тибетских знахарей. Н-ну, я так скажу: ему же хуже! Возможности современной фармакологии на порядок выше возможностей тухлых тибетских травок. А тебе повезло. Бери, пользуйся.

— Лекарства... очень дорогие?

— Для тебя — нет. В моих интересах дать их тебе поскорее, чтобы не пропали. А то, знаешь, срок годности кончится, и плакали мои денежки. А так хоть человеку помогу. Лекарства, знаешь ли, надо подбирать индивидуально. Н-ну... Чисто случайно совпало так, что для тебя они точь-в-точь подходят, как и для моего предыдущего пациента.

— Это сильное лекарство? — Надя все еще продолжала колебаться.

— Что ты имеешь в виду?

— Я имею в виду... я подумала... у него есть вредные побочные действия?

Доктор Боб расхохотался. Точнее выражаясь, он, запрокинув голову и широко разинув пасть, принялся извергать звуки, которые способен издавать, наверное, только морской лев, выбравшись на сушу из воды.

— Вот я же сразу сказал — ты запуганная! Но я тебе не удивляюсь, современные фармакологи тоже стараются всех запугать. Возьми аннотацию к каким-нибудь таблеткам от кашля и прочти список побочных эффектов — чего там только не найдется! И бессонница, и запор, и кожные высыпания, и импотенция... Прочтет это человек и подумает: «Спасибочки, я уж лучше кашлять буду!» Н-ну, в действительности все не так страшно. Понятно, что люди, которые выпускают лекарства, стремятся перестраховаться: мол, если возникнет у вас какая-то бяка, не говорите, что мы вас не предупреждали! Н-ну, на самом-то деле из всего этого списка может случиться какой-нибудь запор, и то у одного из миллиона, и то еще неизвестно, то ли связанный с приемом таблеток от кашля, то ли никакого отношения к ним не имеющий. Н-ну, вот так, моя черешня! Ничего не бойся: лекарство сильное, но практически безопасное. До тебя я еще многим его назначал, и все были довольны. Если какие-то нежелательные признаки появятся, обращайся ко мне. Я пороюсь в умных медицинских справочниках и выясню, как ликвидировать эти признаки. Или назначу другое лекарство. Н-ну, это на самый крайний случай: думаю, до этого не дойдет.

Закончив долгий разъяснительный монолог, доктор Боб присел к своему белому столу, на котором под стеклом были веерами разложены лекарственные аннотации и рецепты, и принялся что-то чиркать ручкой в медицинской карте, которую он тотчас же завел на Надю. Так успокоительно, так по-врачебному... Сомнения оставили Надю: Лия действительно рекомендовала ей отличного доктора. Квалифицированного, умного, разбирающегося в проблемах спортсменов. Почему только она раньше Лию в грош не ставила? Оказывается, Лия — из тех, кто может бескорыстно прийти на помощь. Решено, теперь она станет лучшей Надиной подругой. Только бы таблетки помогли!

Таблетки, заключенные в небольшую стеклянную бутылочку, выглядели необычно: напоминали крохотные фишки от какой-нибудь настольной игры. Кругленькие, посередине вдавленные, глянцевитые, розового цвета. Надя подумала, что в детстве они бы ей очень понравились: она бы гладила их, постоянно носила в кармашке, кормила ими своих кукол, любовалась... Сейчас она тоже любовалась ими, но по-взрослому: эти миниатюрные розовые фигулинки должны были помочь ей восстановить здоровье, стать олимпийской чемпионкой. А разве не к этому сводились все ее заветные мечтания? Золотая медаль, софиты, слава...

— ...Принимать надо по четкой схеме, — вклинился в Надино разгулявшееся воображение голос доктора Боба. — Зазубри ее наизусть и не нарушай. У тебя ведь, насколько я помню, скоро ответственные соревнования?

— Да. — Откуда взялось «насколько я помню», кажется, Надя ему этого не говорила? А, не важно, должно быть, Лия разболтала: она ведь тоже у доктора Боба консультируется.

— Перед соревнованиями обязательно принимай. Это тебя здорово поддержит. Этого требует твой организм.

14

Жаль, что вдова Павла Любимова не присутствовала при бурной встрече нанятого ею адвоката Гордеева со следователем Гороховым! Не исключено, что скорбящая Аня вынырнула бы из депрессии и даже, впервые за долгие, нестерпимо тягучие и грустные месяцы вдовства, рассмеялась. Тут, конечно, стоит учесть холерический темперамент Юрия Петровича, известный всем его друзьям. Бывают случаи, когда адвокат Гордеев для пользы дела свой темперамент сдерживает, но в данной ситуации он счел за лучшее дать себе волю и даже предстать перед Гороховым бо́льшим холериком, чем он на самом деле являлся. Это было его маленькой местью.

А мстить было за что! С того дня, когда Бочанин и другие друзья Любимова в складчину собрали деньги для гонорара защитнику и внесли их в кассу десятой юрконсультации на Таганке, Гордеев, приняв на себя обязанности защитника на стороне потерпевшей, коей была следствием признана супруга убитого, Любимова Анна, приступил к исполнению своей функции. К сожалению, надо отметить, что возможности адвоката, представляющего в уголовном деле интересы потерпевшей стороны, не столь велики. Тем более что речь идет о деле, по которому не установлен обвиняемый в правонарушении. Поэтому первоначальная работа Гордеева заключалась в хождении по прокурорским и милицейским ведомствам, в жалобах на бездействие этих ведомств и в составлении документов различной формы. Насколько ему удалось понять, основной тормозящей палкой в колесе правосудия был следователь Горохов. Он считал, что дело он фактически раскрыл, притом не ударив палец о палец — что немаловажно, так как был сверхъестественно ленив. Адвокат Гордеев пытался воздействовать на Горохова доводами разума — и не получил никакого результата. Тогда он попытался растормошить его иными методами: не понимаете по-хорошему — будем действовать по-плохому.

— Так, значит, за полгода — никаких результатов? — грозно вопрошал Юрий Петрович, наступая на следователя и так значительно помахивая кожаной папкой для бумаг, точно в ней содержались какие-то новые материалы, изобличающие Горохова в недобросовестности, продажности и прочих мелких недостатках. — О чем вы думаете? Чем вы все это время занимались, вместо того чтобы ловить убийцу, позвольте вас спросить?

— Но вы понимаете... это трудно... где его теперь найдешь... — лепетал Горохов, пытаясь укрыться от буйного адвоката за громадой служебного письменного стола. Однако стол, сам по себе внушительный и массивный, не мог служить надежной защитой.

— Теперь? — вознегодовал Гордеев. — А раньше? В январе? Почему сразу не подсуетились?

— Оперативники сработали из рук вон плохо...

— Ну правильно, давайте валить свои недоработки на оперативников! Куда мы, спрашивается, придем?

— Понимаете, — Горохов совсем сник, — ведь это случайное убийство... Шансы найти этого кавказца равны нулю.

— Да неужели? — Всеми мимическими средствами Юрий Петрович постарался выказать сарказм. — Вы настолько некомпетентны, что пытаетесь выдать заказное убийство за случайное? А может, просто вам невыгодно, чтобы киллер был найден?

Простора для отступления у Горохова больше не было: оставалось только залезть под стол.

— Как вы смеете разговаривать со мной в таком тоне? — Загнанный в угол следователь перешел в наступление, как трусливое, но кусачее животное. — Вы мне не начальство, вы всего лишь адвокат потерпевшей стороны. Вы не имеете права критиковать следствие...

В эту минуту на столе зазвонил служебный телефон, и Горохов с облегчением схватил трубку. Возможно, звонило именно начальство. Вот пусть оно и поддержит действия своего подчиненного!

— Да, это я, — солидно отозвался Горохов. Тут же, без перехода, его мешковатая фигура подтянулась, точно он попытался стать во фрунт. — Александр Борисович Турецкий?

Услышав это до боли знакомое имя, Юрий Гордеев радостно насторожился. Горохов же предлога для радости здесь не усмотрел: напротив, ситуация для него усугублялась. По рыхловатому, вмиг побелевшему лицу покатился крупный пот.

— Да, я... Дело Любимова... Уже полгода, правильно... Но тут, видите ли, убийство на почве межнациональной розни... Что? Не проверил... Не уточнил... Нет... Нет... Я не предполагал, что...

Из вежливости Гордеев опустил глаза. Если честно, не только из вежливости: уж очень неприглядный вид имел распекаемый следователь. Сам же Гордеев воспрянул духом: если за дело берется Саша Турецкий, значит, оно сдвинется с мертвой точки!

По окончании телефонного нагоняя следователь Горохов, вмиг утеряв те признаки военной осанки, которые сумел приобрести, бессильно опустился на стул неряшливой грудой плоти в форменном мундире. Гордеев прикидывал: сказать ему что-нибудь или не надо. Из жалости решил не добивать обреченного.

— Кажется, вы были правы, — первым возобновил общение следователь. Не в силах справиться с собой, прибавил на повышенных тонах: — Или вы сговорились!

Гордеев хмыкнул. Предположение о продажности Горохова следовало отмести: на такой товар вряд ли найдутся покупатели. Если господина адвоката не обманывает его богатый опыт, Горохов откровенно глуп...

Но если разговаривать с Гороховым, по большому счету, было уже не о чем, то с Александром Борисовичем Турецким нашлось больше тем для диалога. Даже если бы их давней дружбы не существовало, адвокат, как любой честный гражданин, имеет право оказывать помощь следствию, ведь так? А у Гордеева было чем поделиться со следствием.

— Ну вот, встреча на Эльбе! — радушно воскликнул Александр Борисович, вскочив из-за стола и стремительно несясь к застывшему на секунду Юре Гордееву. «Эльба» на самом деле оказалась всего лишь кабинетом Турецкого: не откладывая дело в долгий ящик, старший помощник генерального прокурора захотел встретиться с адвокатом, едва они созвонились, как можно скорей. Если с Гороховым Юрий Петрович держался язвительно и напряженно, то у Турецкого позволил себе расслабиться. Это же Саша Турецкий! Высоко взлетел, заматерел на своем выдающемся посту, но по-прежнему остался все тем же Сашей, с которым они в прежние времена вместе праздновали победы, делились личными трудностями, переживали поражения и устраивали мозговые штурмы. Пожалуй, из всего перечисленного в данный момент придется выбрать мозговой штурм: посмотрим, что удастся сообразить, объединившись!

— Следователь Горохов — бестолочь, — без обиняков заявил Юрий Петрович после того, как обмен беглыми, почти английскими: «Ну, ты как?» — «В порядке, а ты?» — «Я тоже нормально» — был завершен. — Причем бестолочь с выдумкой, что еще хуже обычной бестолочи. Ухватится за какую-то свою мелкую выдумку и носится с ней, как курица с яйцом. Придумал чеченскую, понимаешь ли, инициацию...

— Но чеченцы все-таки имели место? — многозначительно подмигнул Турецкий.

— Ну как же, имели. И очень приметные чеченцы. Супруги Бочанины, свидетели смерти Павла Любимова, еще на подготовительной стадии прожужжали мне уши описанием молодого главаря, у которого не хватало двух пальцев на левой руке. А что, — осенило Гордеева, — эти приметные руки засветились где-нибудь в другом месте?

— Засветились, Юра, еще как засветились! Прямо скажу, понаделали же они дел... Похоже, твой главарь-кавказец, несмотря на потерю пальцев, тот еще шустрячок. За один день успел уложить двух людей, тесно связанных с миром спорта...

— И с «Клубом по борьбе с запрещенными стимуляторами»? — вторично проявил смекалку, а отчасти бросил пробный шар Гордеев. Турецкий поощрительно хлопнул его по спине:

— Узнаю фирменную хватку Гордеева! Ну, выкладывай, что там тебе удалось накопать.

— Наверняка меньше, чем тебе, Саша.

— Не скромничай, Юра. Говори как есть.

И Гордеев поведал Александру Борисовичу главное, что было ему известно о безупречной жизни и непонятной смерти Павла Любимова. О том, как Павел вместе с друзьями, многие из которых относились к предыдущему легендарному спортивному поколению, создал общественную организацию, ставящую своей целью борьбу с допингом, в первую очередь с мощными и опасными лекарствами — анаболическими стероидами. Не утаил Гордеев и того, что действует как адвокат Анны Любимовой, которую официальная версия смерти мужа, предложенная Гороховым, ничуть не удовлетворяла.

— Дело становится все яснее и яснее, — улыбнулся Турецкий, — точней, все темнее и темнее. Пора побеспокоить Костю Меркулова.

15

Филиппу Кузьмичу Агееву наружное наблюдение приходилось вести не впервой. Отслеживал он передвижения людей разного пола и возраста, причем некоторые были так хитры, что им удавалось его и запутать, и изрядно помучить. То были, как правило, матерые преступники. Но Надя Кораблина, правда, не преступница, но оказалась нелегким объектом. У этой хрупкой на вид девчонки были такие стремительные, спортивные, укрепленные гимнастикой ноги, что немолодой Агеев за ней с трудом поспевал! Быстрота передвижения компенсировалась разве что малочисленностью посещаемых Надей пунктов: в основном она циркулировала между домом и спорткомплексом. «А больше, я так думаю, сил ни на что не хватает», — посочувствовал мысленно Наде Агеев. Молоденькая ведь совсем, в эти годы жить да радоваться... Но, видно, у таких, как она, свои радости. Трудно спорить: каждому свое мило.

Но вот в один прекрасный день Надя изменила своим привычкам: сразу после спорткомплекса, вместо того чтобы рвануть домой и там дать отдых усталому телу, поехала... в другой спорткомплекс, «Вымпел». Неужели чтобы потренироваться дополнительно? Агеев в этом крепко усомнился. С тем большим энтузиазмом он следил за Надей в этот раз. Надя проникла в святая святых по пропуску, Агеев — используя навыки, накопленные за предыдущие случаи наружного наблюдения. Далее обеспокоенная чем-то Кораблина очутилась у двери с табличкой «Савин Б. А. Врач». Вот оно! К врачу Агеев, разумеется, не пошел, хоть и следовало бы ему подлечиться от одышки, которую он нажил, гоняясь за этой шустрячкой Кораблиной. И помимо медицины, здесь можно было найти уйму интересного... В частности, Филиппа Кузьмича весьма привлекла небритая личность в кожаной куртке, которую (личность, а не куртку) врач, кажется, выдворил из кабинета немедленно по прибытии Нади Кораблиной. Небритый почему-то не ушел, а продолжал слоняться туда-сюда; видимо, между ним и врачом еще не были исчерпаны все вопросы. Сделав официальное лицо, выпрямив спину и достав на всякий случай служебное удостоверение, Агеев направился к нему:

— Что делают посторонние на территории спорткомплекса? Предъявите документы!

Агееву не пришлось даже раскрывать свои корочки: носитель кожаной куртки был, видно, из труcливых либо имел в прошлом нехороший опыт общения с представителями власти, а потому документы предъявил немедленно.

— «Фармакология-1»... — старательно, вслух, едва не по слогам прочел Агеев на глянцевитом бланке. — Что это за фирма такая?

— Пищевые добавки, витамины, средства для укрепления иммунитета, поддержка бодибилдинга, — ощутив себя на твердой почве, зачастил представитель «Фармакологии-1». — Прямые поставки с наших складов, одобрено Минздравом, есть лицензия... Хотите ознакомиться с каталогом? Что-нибудь купите?

— Ну уж нет. Поищите других клиентов.

Небритого в кожаной куртке как ветром сдуло. Может быть, он покинул территорию «Вымпела», решив не испытывать судьбу, а может быть, отсиделся в туалете до того, как доктор Б. А. Савин закончил прием. Так или иначе, вряд ли он догадался, что пока он нашаривал во внутреннем кармане куртки свой коронный документ, частный сыщик Агеев успел щелкнуть физиономию представителя «Фармакологии-1» в нескольких ракурсах.

Мало ли! А вдруг пригодится?

Других разысканий в пределах «Вымпела» Агеев провести не успел: Надя вышла из кабинета. Пришлось срочно ретироваться, чтобы не лезть ей на глаза. Впрочем, если бы перед Надей в ту минуту промаршировал целый полк размахивающих служебными удостоверениями Агеевых, она бы и тогда ничего не заметила: такое углубленное в себя и насквозь счастливое у нее было лицо. Растерянное, но счастливое. Как если бы она долго плакала, и вдруг нашелся человек, который ее утешил.

Чутье Агееву подсказывало, что слежке его за Надей скоро придет конец...

16

Как все-таки замечательно, что в этом сумасшедшем потоке жизни есть вещи, которые не меняются! Что есть кабинет Кости Меркулова, вечного начальника над Турецким, есть секретарша Клавдия, есть приготовленный ее заботливыми руками крепкий вкусный чай... Случалось, и не раз, что шел в этот кабинет Саня Турецкий тяжело, точно кандалы у него к ногам прикованы, и смерть как не хотелось ему видеть взыскательного Костю, докладывать о своих ошибках и недоработках в ожидании неизбежного нагоняя. Но сегодня Александр Борисович влетел к Меркулову, можно сказать, на крыльях служебного вдохновения, стремительно, словно на дельтаплане. Костя даже удивился:

— Что у тебя, Саша? Раскрыл дело Чайкиной?

— И не только Чайкиной, — без лишней скромности заявил Турецкий. — Считай, попутно раскрыл еще один висяк, который завис первого января, как и убийство гендиректора «Авангарда».

— А не обманываешь? Ну давай, рассказывай.

— А чаем меня здесь поить собираются? Что-то в горле пересохло.

— Кажется, ты настраиваешься на основательную лекцию? — поощрительно улыбнулся Костя Меркулов. Нахальный вопрос подчиненного его не рассердил: как-никак, они с Сашей Турецким старые знакомые, вместе оприходовали не один пуд соли и не один, надо полагать, килограмм индийского чая. — Будет тебе угощение, будет. Сейчас Клавдии позвоню.

Вот в этот момент Александр Борисович Турецкий с полной отчетливостью ощутил, что в стремительном потоке жизни, и тэ дэ, и тэ пэ, есть вещи, которые не меняются.

И хорошо, что они есть!

Попивая Клавдиин чаек и закусывая его миниатюрным бисквитным печеньицем, Турецкий выкладывал то, что удалось ему усмотреть в материалах того и другого дела — и перед чем спасовали некомпетентные следователи Плотников и Горохов. Подчеркнул особенности, сближающие дело Чайкиной с делом Любимова: оба убийства произошли первого января этого года, с интервалом в несколько часов; и там и там фигурировали кавказцы, у главаря которых отсутствовали два пальца на левой руке; убитые были причастны к спорту и состояли членами «Клуба по борьбе с запрещенными стимуляторами». Не утаил Турецкий и то, что господин адвокат, Юра Гордеев, уже носом землю роет, выступая на стороне вдовы Павла Любимова, и оба подивились стечению обстоятельств, сводящих вместе старых друзей.

— Чайкина и Любимов наступили на интересы тех, кому выгодно распространение запрещенных стимуляторов, — с уверенностью утверждал Турецкий.

— Кому же оно выгодно? — впрямую спросил Меркулов.

— Имен пока назвать не могу, — развел руками Турецкий, — но скоро, полагаю, смогу. Надо пошерстить высшее спортивное руководство: они заинтересованы в том, чтобы спортсмены получали больше наград и медалей, значит, кое-кто в состоянии додуматься до того, что награды можно завоевывать нечестным путем. Кроме того, очень меня с этих позиций волнуют чеченцы, которые занимаются сбытом наркотиков...

— Если я не забыл, речь шла об анаболиках, — поправил Меркулов.

— А, наркотики, анаболики, разве не один черт?

— Я, Саша, не медик, но мне представляется, черти это разные... Обратись-ка ты лучше в Федеральную службу по контролю за оборотом наркотиков — есть у нас такая, и там должны все это различать. У них свой опыт, может быть, что-то подскажут.

— Юра думает, надо начинать с чеченцев.

— Да-а, Юра... Удивительное все-таки совпадение: и ты, и Гордеев взялись за это дело одновременно. Кстати, ведь придется привлечь и Департамент уголовного розыска МВД — а значит, и замдиректора этого департамента Славу Грязнова... Любопытно: а чем сейчас занимается его племянник и агентство «Глория»?

17

Агеев предполагал, что после визита Кораблиной к врачу Савину что-то должно измениться, но ничего не менялось. Все так же циркулировала Надя между спорткомплексом и домом на окраине, все так же не появлялись агенты загадочной «Дельты». Поскорей бы уж они появлялись, что ли. Не то чтобы Филипп Кузьмич, с его возрастом и опытом, по-мальчишески дрожал от нетерпения: нет, он любому сказал бы, что наружное наблюдение — дело долгое и тягомотное и результат его бывает непредсказуем, а может и вовсе никакого результата не быть. Просто за то время, что Агеев следил за Надей, он стал симпатизировать этой трудолюбивой девушке, чья жизнь, кажется, полна трудностей, непостижимых для неспортсменов. Что за гадость ей дал этот самый Б. Савин — не тот ли самый, который, по словам Дениса, подтолкнул футболиста Игоря Сизова к приему допинга? А вдруг она отравится? Агеев не имел ни малейшего представления о принципе действия анаболиков, зато питал ко всем вообще лекарствам естественную неприязнь человека, который не привык болеть. Любое лекарство представлялось ему ядом. Мифически зловещие анаболики — ядом вдвойне. Где же «Дельта», почему она не бдит? Берите скорей у Нади пробы крови, а то угробит себя такая славная девочка!

Небо, как выражались в старину, вняло его мольбам. А может, не небо, а другие судьбоносные инстанции, роли не играет. В общем, если начать с обстановки, то обстановка была обычная: автобусная остановка... Агеев уже привык совершать вместе с Надей, незамеченный ею, ее обычный путь домой и даже вызубрил расписание движения транспорта. Кстати, в автобусе и около него не стоило отчаянно маскироваться: и с работы, и на работу одним и тем же маршрутом постоянно ездят одни и те же пассажиры, так что набор лиц изо дня в день — в основе своей — одинаковый. Здороваться можно! Если же в салоне автобуса не здороваются, тому виной не отсутствие наблюдательности, а типичная московская некоммуникабельность и разрушающий межличностные связи злостный урбанизм... Ну а теперь можно отбросить типичные для Филиппа Кузьмича хохмочки и серьезно указать на то, что уже на протяжении трех предшествующих дней он выделил из толпы двоих людей, которые раньше на этом маршруте не ездили. Немолодые, лет под пятьдесят, но подтянутые, стройные, так что издали, глядя только на фигуры, этих лет им не дашь. Судя по заботливости, с которой мужчина поддерживал женщину под локоток при посадке, а она компостировала ему билет, следовало предположить, что они состоят в близких отношениях. Немолодые любовники? Скорее, супруги. Агеев выделил их из автобусного сборища даже не по причине их простого, но сдержанно-элегантного вида, а потому, что не в состоянии был объяснить себе мотив их поездок в автобусе. Внезапно получили квартиру или работу в этом захолустном районе? Вряд ли: они были лишены озабоченности, которую накладывает повседневный труд. Свеженькие, точно курортники. К тому же как-то пристально приглядывались к Наде, что усугубляло агеевские подозрения. Ну и помимо всего прочего, «супруги» неизменно держали при себе чемоданчик. Толстенький такой чемоданчик...

И вот — Надя едет домой. Сегодня ей удалось сесть, и она блаженно, с детским любопытством, смотрела в окно, наслаждаясь дивным летним вечером. Агеев на задней площадке следит за Надей и двумя «супругами» (как он их мысленно окрестил), которые проталкиваются к Наде поближе. Встали за ее креслом, но не заговаривают, не выдают себя... Ну! Ну? Нервы Агеева, при внешнем спокойствии сыщика, вибрируют. Надя ничего не замечает. Собралась выходить... Тут-то они ее и взяли под белы рученьки. Что конкретно «супруги» сказали Наде, Агеев, конечно, расслышать не мог — слова относило ветром. На остановке они оказались втроем.

То, что произошло дальше, может считаться провалом в работе сыщика. Агеев не думал так лопухнуться: он трезво намеревался позволить «супругам» взять у Нади кровь на анализы, чтобы проследить, куда они их повезут. Он не учел одного — своих чувств! Как уже упоминалось, за время слежки он по-своему полюбил свою подопечную; эта малявка стала для него родной. Что же это получается: видеть, как расширяются ее огромные, посиневшие от ужаса глаза, наблюдать, как ставят крест на карьере новой российской звезды художественной гимнастики — и не вмешаться? Против этого восставало... да вот, извольте, хотя бы честолюбие Филиппа Кузьмича. Он желает, чтобы Кораблина стала знаменитостью, и он мог бы как-нибудь бросить в тесной компании: «А ведь я ее рядом видел... в точности, как вас!» Он желает, чтобы эта девочка получила то, чего заслуживает, — пусть даже она один раз оступилась, приняла не то, что надо... С кем не бывает? Агееву тоже много чего случалось в жизни пить... даже и не спрашивайте!

«Алла Лайнер спасибо скажет», — оправдывал себя Филипп Кузьмич, предпринимая неожиданные для себя действия...

18

Наконец-то Гордеев мог констатировать факт: дело об убийстве Павла Любимова сдвинулось с мертвой точки! Благодаря случайности... нет, благодаря Турецкому... нет, в первую очередь Турецкому, но Гордееву повезло, что он оказался в кабинете Горохова в тот самый момент, когда Сан Борисыч позвонил этому горе-знатоку чеченских обычаев посвящения в братство мужчин. Вряд ли Горохов был бы настолько любезен, чтобы оповестить Гордеева о том, что вот уже и другие находят в его версии вопиющие пробелы. Гордеев верил в счастливые совпадения.

Полна совпадениями наша бедная жизнь! Поздним вечером после встречи с Сан Борисычем Гордеев совсем уж было собрался звонить Ане Любимовой, как позвонила она сама. Голос ее адвокату не понравился: вроде бы сухой, рассудочный и вместе с тем полный напряженности, будто ее грызет изнутри, словно она старается скрыть боль, в которой боится признаться.

— Юрий Петрович! — Обычно Аня, когда звонит в неурочное время, из вежливости спрашивает, не отвлекает ли она адвоката. Если сегодня она этого не сделала, значит, действительно не в себе... — Юрий Петрович, время идет, и я подумала: а вдруг следователь прав, и Пашу убили случайно? Проходили мимо чеченцы и убили. Вдруг Инна с Витей мне голову заморочили, а я поверила?

— Анна Владиславовна, послушайте...

— Сначала вы меня послушайте, Юрий Петрович. Я много передумала. Я сижу дома с ребенком, вижу изо дня в день одни и те же стены и постоянно думаю. О Паше, о себе, о том, что мне теперь делать. Я понимаю, что прошло много времени и теперь трудно найти убийц. Но я все равно не успокоюсь, пока не отомщу за Пашу. Знаете, по телевизору показывают шахидок. Русские убили их мужчин, и они отправляются убивать русских — мужчин, женщин, детей. Кого угодно, не выбирая, за одно то, что они — русские. Я уж думаю, может, и мне так поступать? С чеченцами? У них есть кровная месть, а у нас нет, и они нас не боятся. А надо, чтобы боялись.

— Анна Владиславовна, но вы же ничего не знаете...

— Вот именно, Юрий Петрович, я ничего не знаю. Я не знаю, кто убил моего мужа, а значит, судебного процесса, на котором вы от меня выступали бы адвокатом, не будет. Я не хочу напрасно платить вам деньги. И поэтому я прошу вас об одном: если в ближайшее время не удастся найти Пашиных убийц, вы мне поможете в кровной мести. За Пашу я убью десять московских чеченцев. Наугад. Если Пашу убили случайно, значит, по той же случайности среди тех, кого я убью, может попасться настоящий виновник. А если нет, тоже плакать не буду. Вы постоянно связаны с уголовными делами, вы научите меня обращаться с оружием, подскажете, как замести следы...

— Анна Владиславовна! — зарычал в трубку Гордеев. До сих пор он из сочувствия позволял выговориться несчастной вдове, но этот бред, извините, всяческие границы перехлестывает! — Вы меня не за того принимаете: я не Джек-потрошитель и не террорист. Я просто адвокат и бывший следователь. И в таком качестве как раз собирался вам сообщить, что по делу вашего мужа произошли существенные сдвиги...

Об этих сдвигах Гордеев рассказывал долго и смачно, кое-что преувеличивая. По крайней мере, сцена поединка со следователем Гороховым приобрела в его устах совсем уж невозможно гротескный вид! Но если Аня имела право не поверить, что юрист второго класса Горохов, с его сытеньким насекомым брюшком, кругами бегал от Гордеева по своему кабинету, прикрываясь портфелем, из которого по полу стелился шлейф бумаг, то не поверить, что дело Павла Любимова, объединенное с делом Натальи Чайкиной, взято под контроль Генпрокуратуры, она не могла. Вмешательство старшего помощника Генерального прокурора Российской Федерации — это что-нибудь да значит! А то, что эту солидную должность занимает старый друг Юрия Гордеева, сулит постоянный тесный контакт со следствием.

— Так что, Анна Владиславовна, — красиво завершил поток информации адвокат Гордеев, — настоятельно вам рекомендую выбросить из головы разных шахидов и шахидских подружек. Дикие люди, что с них возьмешь! А вам это не к лицу. У вас на руках сын, вам его надо вырастить и воспитать. За что малому ребенку столько бед: отец погиб, мать стремится в сериал-киллеры... Анна Владиславовна! Анна Влади... Анечка, что с вами? Вы плачете?

— Какая же я дура, — глубоко, облегченно вздохнула Аня. Что-то зашуршало: то ли всхлип, то ли это попали в трубку ее длинные черные волосы.

— Совсем не дура, — великодушно молвил Гордеев, — просто если все время сидеть дома и таращиться на стены, в голову может прийти еще не такая ерунда. Не по-адвокатски, а по-человечески вам советую: вызовите приходящую няню или знакомую, чтобы было кому посидеть с ребенком, и сходите проветритесь. В кино, в гости, на танцы, куда угодно! Вы молодая и красивая, рано вам себя хоронить.

Положив трубку, Юрий Петрович приосанился. Анна Любимова действительно была молодой и красивой, и даже некоторая ее полнота — полнота кормящей матери — его не отпугнула бы. Юра Гордеев не из тех, кто прельщается одними субтильными фотомоделями с ногами от ушей, он умеет ценить разнообразные ощущения! Но, как ни жаль, есть два препятствия: Аня — клиентка. И вдова. Юрий Петрович — большой ценитель женской красоты, но при этом он питает уважение к смерти и ни за что не воспользуется своим адвокатским званием для давления на терзаемую разнообразными страхами и эмоциями, потерявшуюся в этом мире женщину. Может быть, если они встретятся впоследствии — уже не как адвокат и клиентка, а двое свободных независимых людей — у них, как знать, что-то склеится...

Нет. Это вряд ли. Анна, сразу видно, настроена на семью. Юрий Петрович — закоренелый холостяк. Холостяком, видно, и умрет. Ну что ж, на его век женского пола хватит!

19

— Мама! — донесся из прихожей голос Нади.

Елена Степановна на кухне подскочила с табурета, едва не поцарапав палец теркой, которой она строгала для дочери легкий витаминный ужин из одного зеленого яблока и двух бананов средней величины. Такой оттенок голоса она узнавала безошибочно: он неизменно служил приметой несчастья. Наденька потеряла варежки на прогулке в детсаду; на Наденьку напали дворовые хулиганы; Наденька растянула связки голеностопного сустава на тренировке... И как обычно, откликаясь на тревожный зов, прямо в клеенчатом фартуке, разукрашенном бананово-яблочной кашицей, Елена Степановна выскочила в тесную прихожую их малогабаритной квартиры, готовая немедленно действовать: броситься на поиски новых варежек или эластичного бинта, бежать разбираться с обидчиками, совершить любой другой, единственно необходимый поступок. Девочка моя родненькая, что с тобой? Что мама должна сделать для тебя?

Надя не выглядела заболевшей или травмированной, несмотря на красные от внутреннего жара волнения щеки. Три шага по направлению к матери она сделала легко, не спотыкаясь, без напряжения, характерного при боли в поврежденном суставе, — и бросилась матери на шею, не боясь запачкать о фартук новое платье, купленное в ГУМе нынешней весной. Эти безрассудные нежности окончательно повергли Елену Степановну в смятение.

— Надя, что это ты? Ты здорова?

— Здорова, — жалобно прохныкала Надя, содрогаясь от наконец прорвавшихся слез. — А вот таблетки принима-ала-а-а...

— Какие таблетки? — У Елены Степановны похолодело в груди. Завертелся, туманя голову, рой жутких предположений, вплоть до того, что Надя пыталась отравиться на почве несчастной любви или временных неудач в гимнастике. Как это могло произойти, ведь она была уверена, что дочь полностью ей доверяет? — Говори по-человечески! Тебе вызвать «скорую»? Промывание желудка? Ты можешь, наконец, объяснить...

Но Надя уже объясняла — скомканно, путано, перескакивая с пятого на десятое. Она по-прежнему не могла прийти в себя от наплыва событий. Ее поймали на приеме допинга! Точнее, она принимала допинг, и ее почти изобличили... вот только пробу крови взять не успели... В общем, дело было так...

Она до сих пор с трудом может представить себе лица тех двоих, мужчины и женщины, которые по выходе из автобуса на ее остановке заявили, что они действуют по поручению лаборатории «Дельта», и потребовали, чтобы художественная гимнастка Кораблина позволила взять у нее кровь на допинг. Надя была так потрясена тем, что им известно ее имя, что лица напавших на нее (она не могла воспринимать их по-другому) виделись ей в каком-то искажающем сиянии. Они были ужасные, ужасные! Мерзкие старик со старухой, будто из сказки братьев Гримм. Они тянули к ней свои скрюченные, сморщенные руки, раскрывали чемоданчик, в котором сверкали иглы и пробирки, багровые от чужой крови... Так, по крайней мере, показалось ей — даже если это был всего лишь предзакатный отблеск на стекле. Надя хотела броситься бежать, но застыла на месте, уверенная, что, если им известно ее имя, если им все о ней известно, будет только хуже, если она убежит. Это усугубит ее вину... Какую вину? Ну уж это не загадка! В кармане сумочки Нади болтается флакончик с таблетками... такими красивенькими, крошечными, словно предназначенными для кукол... Она с самого начала догадывалась, что́ это за таблетки, подозревала, что их прием не сойдет ей просто так.

И что теперь делать? Свалить все на доктора Боба? Что им какой-то доктор Боб! Хоть десяток докторов, а все-таки Надя сама за себя ответственна.

Неизвестно, что с Надей было бы, если бы не спас ее еще один незнакомец — третий. Теперь ей вспоминается, что он тоже был немолодым и не слишком-то красивым, но ей показался настоящим красавцем, когда осадил тех двоих. Он назвал их по фамилии — оказывается, это супруги Мурановы... Супруги Мурановы, Надя не могла не слышать о них, несмотря на то, что занимается художественной, а не спортивной, как они, гимнастикой. Неужели это они — такие страшные? Как они могут так нападать на Надю, ведь сами в прошлом были молодыми спортсменами? Третий человек сказал, что действия Мурановых незаконны, и тем самым они привлекли внимание частного охранного предприятия «Глория». Мурановы заговорили сразу громко и возмущенно, выражая желание встретиться с начальником этой самой «Глории», утверждая, что ничего незаконного в их действиях нет. Представитель «Глории» согласился с тем, что встретиться с директором им так или иначе придется...

Завершения спора Надя не услышала. Довольная тем, что в перепалке о ней забыли, она пошла в направлении своего дома. Сначала медленно, осторожно, потом — когда поняла, что ее отсутствия не заметят, — быстрей и быстрей...

И только в подъезде Надю заколотило в истерике: представила, что было бы, если бы у нее успели взять кровь на анализ. А может, это еще предстоит? Может быть, вот-вот в дверь позвонят супруги Мурановы, победно таща с собой лабораторию в чемоданчике? Ведь она приняла таблетки после полудня, лекарство все еще растворено в ее крови...

Как раз в эту секунду по квартире пронесся звонок в дверь. Резкий и требовательный. Надя испуганно прижалась к матери:

— Мамочка! Не открывай, это они за мной пришли!

— Глупости, Надя, — неуверенно возразила Елена Степановна, смущенная и расстроенная рассказом до-

4   Зак. 3454

чери. Подойдя к двери вплотную, она крикнула: — Кто там? Мы вызовем милицию!

— А что, на вас наехали бандиты? — раздался с лестничной клетки бодрый голос главы семьи.

Вдвоем дочь и мама бросились открывать замки и снимать цепочку. Глеб Сергеевич ворвался в прихожую, блестя по-летнему покрасневшей от солнца лысиной, невысокий, но деловитый и надежный, и принялся воинственно озираться: ну-ка, где бандиты, от которых надо защищать его дорогих девочек?

— Глебушка, — трагически заломила руки Елена Степановна, — твоя дочь принимала какие-то таблетки! Это у них называется допинг...

— Ленуся, — привычно приподнявшись на носках, муж чмокнул длинную и худую Елену Степановну в щечку, — давай обсудим это за ужином. — Он убедился, что непосредственной опасности нет, а значит, нет причин суетиться. Мужчина не должен допускать суеты. — Поставит кто-нибудь чайник? Я голодный, как тигровая акула.

— За ужином? Э... да. — Елена Степановна успела вспомнить, что специально для Глеба Сергеевича на плите разогревается (ой, наверное, уже выкипел!) вчерашний суп. — В самом деле, Надя, Глеб, пойдемте ужинать!

Суп, если честно, превратился в рагу, но это не вывело Глеба Сергеевича из равновесия. По профессии бухгалтер, он любил расставлять все по местам, кропотливо сводить дебет с кредитом, чтобы выяснять, хороши или плохи дела фирмы. И когда случившееся с Надей представили на его обозрение, он авторитетно заявил, что ничего по-настоящему плохого не произошло. И не произойдет. С одним условием: Надя должна расстаться с таблетками и никогда больше ничего подобного не принимать. Ни-ког-да. Кто бы ей их ни подсовывал, хотя бы даже тренер. Пусть она сейчас же даст в этом слово своим родителям!

Надя слово дала. Во-первых, она была послушной дочерью, во-вторых, сегодняшний вечер устрашил ее до такой степени, что она и сама по доброй воле приняла суровое решение: на время спортивной карьеры не прикасаться ни к каким лекарствам. Даже от головной боли. Уж лучше терпеть головную боль...

Семейный вечер завершился торжественным спусканием глянцевых таблеточек в унитаз. Наблюдая, как эти розовенькие штучки исчезают в водопаде спускаемой воды, Надя чувствовала, как отделяется, уходит от нее что-то лишнее, ненужное. А она и не догадывалась, как это ее тяготило...

Елена Степановна тоже наблюдала за исчезающими в водных потоках таблетками, только мысли ее были не о них. О других таблетках, официально продающихся в аптеке. Называются «фуросемид», мочегонные. Их Алла Александровна велела давать Наде, когда девочка лет в десять-одиннадцать неудержимо потянулась ввысь: рост гимнастике помеха! И вот, в результате того, что фуросемид на протяжении периода формирования организма вымывал кальций из костей, Надя осталась крошечной замухрышкой. Вопреки наследственности: Елена Степановна на рост пожаловаться не могла... А эти новые таблетки, полученные из неизвестно каких, вряд ли чистых, рук — что они готовы были сделать с ее дочерью? В какого урода, какую горгулью превратить?

Не раз и не два посещали Елену Степановну тягостные размышления: что дороже — здоровье или рекорды? Но и заставить Надю бросить спорт она бы не смогла. Слишком много вложено, чтобы отступать...

...Следующей насущной задачей следствия было — поговорить с Тихоном Давыдовым, которого упоминал Ярослав Шашкин. Однако сделать это оказалось совсем не легко: глава антидопинговой комиссии являлся, по-видимому, каким-то неуловимым мстителем! Мстил он конкретно Турецкому или всему правосудию в его лице, установить не представлялось возможным, поскольку от встреч Давыдов уклонялся с завидным постоянством и фантомасовой ловкостью. Когда ни позвонишь — то у него важное собрание, то совещание, то пресс-конференция, то еще какая-то необходимая хрень. Всякий раз глава антидопинговой комиссии усиленно извинялся, уверяя, что у него сейчас такой период, но, конечно, он рад будет ответить на все предложенные вопросы, надо немного обождать, как только, так сразу...Турецкий медленно, но верно свирепел. Со дня на день он собирался побеседовать с Давыдовым жестко и предельно по-мужски, откровенно спросить, что заставляет его избегать встречи, в конце концов, прислать официальную повестку, от которой не отвертишься, но всякий раз воздерживался: восстанавливать против себя важного, возможно, свидетеля было бы неумно.

Действительно ли только свидетеля? Может быть, причина упорного увиливания Давыдова от серьезного разговора заключается в том, что он замешан в преступлении и хочет избежать ответственности? Глава антидопинговой комиссии причастен к распространению допинга? Чего не бывает на этом свете! Особенно в нашем государстве, страдающем не столько от врагов, сколько от своих же чиновников. Это еще с советских времен повелось: какой начальник на чем сидит, тот тем и пользуется... Александр Борисович не относил себя к записным скептикам: напротив, свое мировоззрение он однажды, под пьяную руку, сформулировал как «выстраданный следовательский оптимизм». Но работа в Генпрокуратуре предрасполагает к самым печальным допущениям и выводам. Ну да ладно! Рановато строить догадки, пока не проведешь разведку боем: что же, собственно, за человек этот Тихон Давыдов?

А что же он, в самом-то деле, за человек?

Что тому было причиной — то ли температура воздуха, упорно не желающая снижаться даже в результате кратких бурных ливней, то ли расшалившееся подсознание — совершенно непонятно, только Александр Борисович постоянно ловил себя на том, что, разговаривая по телефону с Тихоном Давыдовым, воображает невидимого собеседника в крайне экстремальном, диковинном и наверняка имеющем мало общего с действительностью облике. Один раз это был действительно «неуловимый мститель», скакавший по среднерусской равнине с саблей на горячем гнедом коне и в буденовке. В другой раз Давыдов предстал в виде всадника опять же, только вместо сабли у него на боку находился кольт в кожаной кобуре, вместо буденовки голову украшала стетсоновская шляпа, а пейзаж лишился русских черт и смахивал на прерию. По-видимому, вся картина должна была изображать «неуловимого Джо». В третий раз, когда Турецкий негодовал по поводу того, как это Давыдову удается так ловко испаряться, он вообразил себе главу антидопингового комитета в виде джинна, который, завершив свои колдовские делишки, уползает обратно в медный кувшин, разукрашенный арабскими узорами, — до такой степени явственно, что набросал эту визуализацию духов шариковой ручкой на полях лежавшей перед ним в тот момент газеты. И у красноармейца, и у ковбоя, и у джинна вместо лица было пустое пятно. По идее, Турецкий должен был придать этим фигурам черты реального Давыдова, но так как Давыдов оставался для него существом полуреальным, восполнить пробел не мог.

«А вдруг он лохматый, — имея в виду Давыдова, цитировал про себя Турецкий стишок Агнии Барто, посвященный сверчку, — и страшный на вид? Он выползет на пол и всех удивит...»

Учитывая все вышесказанное, попробуйте вообразить чувства Турецкого, когда Неуловимый Антидопинговый Джинн самолично позвонил ему и попросил о встрече!

— Уж простите, Александр Борисович, я тут был немного занят, — умиротворяюще журчал в трубке Тихон Давыдов, — но, можно считать, совсем освободился. У меня тут будут на неделе дела в Лужниках, но сразу после этого, если удобно, готов подъехать куда вы скажете.

— Я рад. Давайте уточним время и место...

Турецкий договаривался о встрече со странным безотчетным чувством: как будто не верил, что она может состояться.

«Ерунда! — призвал он к служебному порядку свои беспокойные нервишки. — Заморочил ты себе, Саша, голову всякими ковбоями да джиннами, а теперь удивляешься, что Давыдов тебе не померещился. Тихон Давыдов — человек как человек, в точности как все люди. Вот как раз и прощупаю, что он за человек...»

Чувство стало слабее, но не исчезло. Однако Турецкий решил просто не обращать на него внимания.

20

— Применение анаболиков я считаю извращением самой цели спорта, — безапелляционно, как школьная учительница, проговорила Софья Муранова. — Человеческое тело — ведь это же совершенство, это самое прекрасное, что есть в природе! Знаете, что написал Леонардо да Винчи на полях рисунка, изображающего мышцы руки? Он примерно так обратился к зрителю: «Если тебе покажется, что этих мышц слишком много — попробуй убавь; если мало — попробуй прибавь; а если увидишь, что все находится в соответствии, вознеси хвалу Творцу, создавшему столь дивный механизм». Возвышенно, правда? Так же как наука и искусство стремятся показать, на что способен человеческий разум, в спорте человек старается выразить, на что способно его тело. К чему же тут посторонние влияния, лекарства, которые не добавляют совершенства, а калечат? Нет, извините! Я выступаю за естественность. Никогда не пользовалась анаболиками и стараюсь, чтобы других минула эта напасть.

В то, что бывшая олимпийская чемпионка по спортивной гимнастике Софья Муранова никогда не пользовалась анаболиками, верилось сразу и без сомнений. Ее естественность простиралась до того, что она и косметикой, и украшениями не пользовалась — и, между прочим, была хороша, как немолодая царица, безо всяких бус и сережек, с седеющими волосами, забранными под белую косынку, завязанную сзади изысканным узлом, с улыбчатыми морщинками в углах ярко-голубых, не померкших с годами глаз. Так величественно не таить признаков возраста умеют только женщины, которых крепко любят. Источник этой любви находился рядом, взирал на нее преданными глазами — и, хотя был выше ростом, казалось, что он смотрит на Софью снизу вверх. Валентин Муранов в присутствии речистой и напористой супруги тактично тушевался, предоставляя ей разбираться с Денисом, изредка бормоча отдельные реплики себе под нос. Валентин, как можно было уловить из его ворчания, считал большой уступкой то, что они вообще согласились прийти в офис «Глории». А Софья не боялась никого и ничего, отстаивая свою точку зрения.

— А другие спортсмены не верят в ваши благие побуждения, — настаивал Денис. — Они считают, вы вредите их карьере из зависти, потому что сошли со спортивной сцены.

Софья негодующе всплеснула руками:

— Денис... вы позволите вас так называть? Вы человек совсем молодой и, уж простите мое замечание, очень слабо разбираетесь в проблемах спорта. Завидовать нам с Валей некому и незачем: предназначенную нам долю почестей мы получили в свое время. Многократные чемпионы мира, одно время были тренерами объединенной сборной страны по гимнастике... Другое дело, что не мы ушли из российской сборной, а нас ушли. С какой целью? Вот это вас должно интересовать по-настоящему.

— С какой стати его это должно интересовать? — позволил себе все-таки вмешаться в диалог Валентин Муранов. — Ты, Соня, разве не догадываешься, на кого он работает?

— Я не слепая, Валя, — досадливо отозвалась Софья. — Ну так что ж из того? Денис — человек молодой, неиспорченный, в спортивных интригах не искушенный. Ему представили проблему однобоко, со стороны наших спортивных бонз, он ее так и видит. Так, Денис? Он и не подумал о том, что у нас — своя правда. Пусть будет выслушана и другая сторона. Понимаешь, Денис, не исключено, наша вина заключалась в том, что мы с Валей серьезно относились к тренерским обязанностям. Мы считали, что спортсмена нужно тщательно растить. Накачанные мускулы, до блеска отточенное выполнение гимнастических элементов — это все замечательно, но всегда нужно спрашивать: «Какой ценой?» Если ценой ломки неокрепшего организма, то достигнутые результаты, пусть даже блестящие, не будут прочными. Спортивного долголетия таким образом добиться невозможно. Так рождаются чемпионы-однодневки: блеснут на миг — и исчезнут, лишенные здоровья. Да вот, за примерами далеко ходить не надо...

— Ильина, — не то спросил, не то подсказал Муранов.

Софья кивнула. Похоже, супруги даже думали дуэтом.

— Да, Валя, правильно... Известна ли вам, Денис, олимпийская чемпионка по метанию молота — Ильина?

— Никогда не слышал.

— Вот именно. А ведь какая многообещающая была девочка! Сейчас-то ей, бедняжке, двадцать восемь лет — а болезней у нее, как у дряхлой старухи. Ее сгубил допинг — между прочим, опасные таблетки заставлял принимать тренер. Мы с Валей ее навещаем. Заодно и вас можем прихватить: по крайней мере, увидите воочию, что делают анаболики с людьми и против чего мы вынуждены бороться.

Денис не отказался от посещения Ильиной — конечно, не только из человеколюбия, а из намерения разузнать что-то новое, дополнить очередным элементом складывающуюся картину. Дело, в перипетии которого он погрузился с головой, оказалось сложнее, чем ожидалось поначалу, и запрещенные препараты играли в нем не последнюю роль. То, что спортсменам подсовывают эту гадость, — ведь это на самом деле преступление! Сначала Игорь Сизов, потом неведомая пока что Ильина... Против воли супруги Мурановы, которых он заочно представлял едва ли не монстрами, внушали ему симпатию — стоит ли уточнять? — большую, чем заказчица, Алла Александровна Лайнер. И это вопреки тому, что Лайнер ему льстила, выставляя безупречным профессионалом, а Софья Муранова откровенно говорила о его неосведомленности в том, что касается мира спорта. Как-то угадывалось, что Софьина похвала стоит дорого, и, возможно, потому хотелось добиться этой похвалы.

Однако до выяснения всех обстоятельств Денис решил сопротивляться скороспелым симпатиям и антипатиям.

— Вы еще ничего не сказали о том, почему вам пришлось уйти с тренерской должности...

— Фактически уже сказала: результаты любой ценой — не наша с Валей стихия. А высшее спортивное руководство непрерывно требовало: «Давай, давай!» Этим божкам местного масштаба нужно было побольше золотых медалей, побольше валюты: люди их не интересовали. Не интересуют и теперь. Я не могу утверждать, что они поощряли употребление анаболиков, у меня нет доказательств, но сказать, что они закрывали на это глаза, имею полное право. Иначе они не отнеслись бы так к нашему докладу. Все началось с того, что мы обратили внимание: чемпион России по спортивной гимнастике Александр Панькин начал очень много есть. Нет, ну, понятно, что на тренировках калории сгорают быстро, но когда двадцатилетний парень трескает все подряд, в три горла, как подросток, — это подозрительно. На фоне этого обжорства он не растолстел, а, наоборот, стал стремительно наращивать мышечную массу — до такой степени, которая в спортивной гимнастике даже и ни к чему. Ну, я не врач, но в таких симптомах разбираюсь. И точно! В его пробах была выявлена положительная реакция на метандростенолон — популярнейший из анаболиков. Когда мы с ним поговорили... точнее, когда Валя с ним по-мужски поговорил, оказалось, что принимать анаболики он начал не по собственному почину. Его подтолкнул к этому врач нашей сборной. Врач дал Саше лекарство, которое, извините, лекарством не назовешь, если оно назначается здоровому человеку!

— Фамилия врача, случайно, не Коротков? — Дениса посетило наитие.

— А вы осведомлены лучше, чем мы думали! — одобрила Софья. — Олег Коротков, кстати сказать, склочник, каких мало. Мы имели с ним столкновения по поводу режима гимнастов. Ну, узнав обо всем от Панькина, мы не стали даже связываться с Коротковым, а сразу подали докладную, в которой изложили факты, четко и ясно. Нам казалось, что факты вопиющие, по ним должно быть проведено внутреннее расследование с неприятными последствиями для распространителей сильнодействующих лекарственных веществ. В действительности получилось, что Коротков вышел сухим из воды. С должности врача сборной по спортивной гимнастике его убрали, зато он всплыл, помнится, в футбольном клубе... а потом в сборной по биатлону... Что, он и там продолжил проворачивать свои махинации?

Денису оставалось только кивнуть.

— Так я и думала, — словно себе прошептала Софья Муранова. Блеск голубых глаз угас на мгновение, лучики морщин словно заполнились серым налетом.

Валентин с грубоватой ласковостью притянул жену к себе, похлопал по плечу:

— Ладно тебе, мать, не переживай. Этого следовало ожидать. Что с них возьмешь?

— И все-таки жалко, что мы ничего не смогли сделать. — Софья обращалась к Денису так настойчиво, словно он ее обвинял в бездействии. — Все нарекания посыпались не на Короткова, а на нас. Причем упрекали нас одновременно за противоположное. Мы, дескать, не радеем о победе нашей сборной — и в то же время якобы стараемся добиться быстрых результатов, во имя чего допустили применение анаболиков... Те, кто нас знал, не поверили, но вы же знаете, Денис, принцип клеветников: лей грязи побольше, что-нибудь да останется. Мы были вынуждены уйти...

— Но мы не сдались! — припечатал Валентин Муранов, и Софья его поддержала:

— Мы не сдались! Мы скооперировались с другими бывшими спортсменами, которым не по душе нынешняя ситуация в спорте.

Тут Софья взглянула на мужа, как бы спрашивая совета: можно ли выдавать врагу, каким, по ее мнению, все еще являлся Денис, имена соратников по борьбе с допингом?

— Не волнуйтесь, — оказал ей любезность директор ЧОП «Глория», — нам известно, кто еще состоит на службе лаборатории «Дельта». Бывший вратарь Ярослав Шашкин, к примеру. Многократный чемпион мира в тяжелом весе Давид Коссинский...

Относительно Коссинского Денис не питал стопроцентной уверенности, но, судя по реакции Мурановых, угодил в точку.

— Давида начисто забыли руководители федерации тяжелой атлетики и боссы федерального агентства по спорту, — кивнул Валентин. — Ему, гиганту, и его семье практически не на что было выживать в этой жизни. У жены терпение на пределе, пилит его, заявляет: «Ты не мужчина!» Откровенно говоря, ситуация сложилась — хоть вешайся. А гонорар, полученный от «Дельты», позволил Давиду не только хорошо питаться, но и устроить единственную дочь в финансовую академию.

— Это ведь благодаря Коссинскому Дарья Хромченко была поймана с поличным? — снова блеснул эрудицией Денис. — Ну и натворили же вы дел! Взятие с поличным раздосадовало президента Федерации тяжелой атлетики России Матвея Васильченко настолько, что он поклялся руки-ноги обломать тому предателю, который сообщил о допинге в Международную федерацию тяжелой атлетики и в эту пресловутую лабораторию «Дельта».

— Знал бы только Васильченко, — развеселился Валентин Муранов, — что руки-ноги он грозил обломать своему учителю и бывшему тренеру, олимпийскому чемпиону Коссинскому!

Софья тоже заулыбалась. Денис, хоть и вынужденно, присоединился к их веселому расположению духа.

— Как там на самом деле вышло с Хромченко? — поинтересовался он.

И Софья Муранова объяснила, что Коссинский осторожно вел слежку за Дарьей Хромченко. Он уличил эту «гордость российской тяжелой атлетики» в применении допинга. За два дня до вылета в Париж члены сборной по тяжелой атлетике, в том числе Дарья, сдавали на подмосковной базе в Подольске контрольные допинг-пробы. Все анализы были отрицательными. Но всезнающий экс-чемпион Коссинский хорошо знал, что за четыре дня метандростенолон практически невозможно вывести из организма. Об этом он анонимно и сообщил своим работодателям из «Дельты». И уже в Париже Дарья Хромченко была поймана с поличным. А разве Коссинский должен был поступить иначе?

— Ну вот что, — заявил Денис, — я вижу, что вы — порядочные люди и делаете благородное дело. Будьте благородны целиком и полностью: скажите, кем управляется и где находится лаборатория «Дельта»!

Супруги Мурановы враз отрицательно закачали головами. Для демонстрации единодушия в этом вопросе им даже переглядываться не пришлось.

— Упростите нам работу! — уговаривал Денис. — Нам известны агенты «Дельты», рано или поздно мы обнаружим ваше гнездо. Так же, как вы следите за спортсменами, мы будем следить за вами.

— Прежде, чем вы что-то предпримете в отношении «Дельты», вам надо увидеть экс-чемпионку Ильину, — твердо сказала Софья.

21

Москва дышала сладостным предосенним настроением. Еще властвует днем тридцатиградусная жара, однако ночи уже пробирают холодком; шелестит повсюду разнообразнейшая зелень, но на деревьях, если приглядеться, можно различить желтые листья. Если лето туманит голову, то осень ее проясняет: чем холоднее, тем отчетливее воздух и мысль.

Этой осенней ясности мышления безуспешно искал в себе Юрий Гордеев — и не находил. Он сознавал, что, несмотря на все дуэли с Гороховым и прочими халтурщиками, ему не удалось отработать деньги жены и друзей покойного Павла Любимова: убийца не найден — цель не достигнута. Совместно с Турецким они докопались до важнейших потайных связей, объединяющих дело Любимова с делом Чайкиной, однако продвинуться в поиске заказчиков и исполнителей им не удалось. Возможно, слишком глубоко копают? Что, если все обстоит проще, чем они себе вообразили?

В прежние времена частенько Гордееву помогало озарение — результат подспудной работы мысли; но в данный момент ему не удавалось, ни явно, ни подспудно, принудить свои натруженные мозги к выполнению хоть какого-нибудь, самого простенького задания. Голова казалась пустой и раскаленной, как чайник, в который налили слишком мало воды и поставили на огонь. Среди облака пара вырисовывались контуры догадок, за которые Юра поспешно хватался — и так же поспешно их отбрасывал, убедившись в их полнейшей никчемности. Нет, в конце концов, так жить нельзя! Лето сейчас или не лето? А если лето, почему он не имеет права позволить себе хотя бы крошечный отдых? Да, решено, именно так он и поступит. Под Наро-Фоминском есть симпатичный недорогой пансионат, где можно забронировать по телефону места... И, предупредив всех заинтересованных лиц, чтобы в случае чего звонили ему на мобильный, адвокат Юрий Гордеев оседлал своего верного «опель-корса» и отбыл в направлении Киевского шоссе.

Для кого как, а для Гордеева отдых начался с той же минуты, когда он, сидя за рулем, почувствовал, что наслаждается созерцанием заоконных видов. Любование городскими пейзажами, как правило, противоречило гордеевской натуре холерика, и, застряв в пробке, он мысленно или вслух костерил виновников, вместо того чтобы восстанавливать спокойствие духа, разглядывая какую-нибудь особенно интересную архитектурную деталь особняка или зелень парка, возле которого застряла его машина. Сегодня Юрий Гордеев никуда не торопился, предполагая появиться в пансионате только к ночи, а потому дал себе слово не нервничать. И это вопреки тому, что именно сегодня он влипал из пробки в пробку! Вечер пятницы, ничего удивительного. Создавалось впечатление, что все население столицы стронулось с насиженных мест, ища убежищ от раскаленного мегаполисного солнцепека в тенистых лощинах за городом. «Опель-корса» меньше двигался, чем стоял, а гордеевские мысли текли своим чередом, освобожденные и прохладные, точно их уже коснулось дуновение подмосковного ветерка.

Конечно, напрасно рассчитывать на озарение там, где старые факты сто раз проверены и перепроверены, а новых добыть не удалось. Вряд ли какой-либо кульбит мысли поможет Гордееву преподнести следствию на блюдечке кавказца с искалеченной рукой, который, по всей вероятности, давно переправлен в Чечню, а то и еще куда подальше. А на что еще рассчитывать? Может быть, на удачу? Да, бывает и такое: совпадение, случайное стечение обстоятельств — и сложное дело, производившее впечатление криминалистического казуса, мгновенно раскрыто. Правда, стечение обстоятельств ставят в план разве что безнадежные мечтатели — или совсем уж профнепригодные юристы. Гордеев не относил себя ни к тем, ни к другим. Хотя помечтать не вредно: как хорошо было бы, если бы...

Мечтательное настроение не помешало Гордееву взглянуть, сколько у него осталось бензина. Взглянув, он спохватился: пора отправляться на автозаправочную станцию! Нет, не то чтобы бензин был на нуле; его могло хватить и до самого пансионата, однако Гордеев не чувствовал бы себя спокойно, если бы отправился за город не с полным баком. Импортный тест «Мужчина вы или женщина?», которым Юра однажды проверил себя на досуге, утверждал, что это — женская черта в его характере. Во всем остальном Гордеев был согласен с автором теста, однако по данному пункту он бы с ним поспорил: держать наготове полный бак плюс запасную канистру заставляла Юру не бабская мнительность, якобы ему свойственная, а профессия, требовавшая быть готовым ко всему. Даже за городом. Даже на отдыхе. В любой момент напряженного адвокатского бытия.

Заправочная станция не была перегружена посетителями: перед гордеевским «опелем» только что заехал на заправку один-единственный «мерседес», такой ослепительно-белый, без единой пылинки, точно его сию минуту сняли с автомобильной выставки и по воздуху доставили сюда. Владелец — высокий длинноволосый брюнет лет двадцати пяти — очевидно, неровно дышал в отношении своей нерядовой машинки, судя по тому, как трепетно он, не боясь запачкать элегантный костюм, вставлял пистолет шланга в отверстие бензобака. Из переднего окна с опущенным стеклом высовывалась агрессивно обелокуренная (не исключено, что в тон «мерседесу») женская голова. В сочетании с белыми волосами черная помада и длиннейшие черные ногти придавали сидевшей в элитном автомобиле обладательнице простенького курносого личика облик женщины-вамп. Застарелые холостяцкие повадки заставили Юрия Гордеева первым делом обратить внимание на эту единственную на заправке особь женского пола и чуть-чуть пофантазировать на тему: отбеливает ли она волосы только на голове — или не только, а если не только, то как это может выглядеть. Придя к компетентному заключению, что выглядеть это может до жути вульгарно (но он ведь не из тех чистоплюев, которые презирают вульгарность!), Гордеев разочарованно отметил, что белокурая голова втянулась в окно. Потеряв объект наблюдения, удрученный Гордеев перевел взгляд на спутника очаровательной блондинки — не потому, что он представлял какой-либо интерес, а чисто механически: надо же куда-то смотреть, пока не подойдет очередь!

Работники заправочной станции были, должно быть, очень удивлены, когда «опель-корс», не получив своей дозы бензина, с какой-то стати проехал всю полосу и устремился вдоль по шоссе, вслед за маячившей впереди белизной «мерседеса»...

«Не могут по Москве расхаживать десятки кавказцев, у которых не хватает двух пальцев на левой руке»? Примерно так, кажется, высказывался Саша Турецкий, выражая свою досаду. Гордеев был полностью согласен с ним: десятки — не могут. Примета эта редкая и характерная. Как же должен был повести себя адвокат, увидев, что на руке, придерживавшей шланг, не хватает двух пальцев — причем именно большого и указательного! Надо думать, что человек, получивший в прошлом это увечье, привык к нему, потому что отсутствие двух пальцев не мешало ему управляться со шлангом. Так же, как не помешало стрелять из автомата? Ну да, левая рука все-таки, не правая...

На первый взгляд владелец «мерседеса» не подходил под описание, данное свидетелями убийств Любимова и Чайкиной: чисто выбритый, элегантно одетый, он совсем не производил впечатление дикого абрека, недавно спустившегося с гор, чтобы убивать. В соответствующей обстановке и в нетребовательной компании этот тип свободно мог сойти и за иностранца — испанца, допустим, или француза. Однако у Гордеева глаз был наметан, ему не составило труда установить, что черты отличия могут быть устранены, если заставить этого холеного красавчика три дня не бриться, а потом одеть его в типовые черную куртку и вязаную шапочку с первого попавшегося вещевого рынка... Но даже если адвокат ошибся, он не успокоится, пока не удостоверится в своей ошибке. Он не имел права просто так оставить в покое кавказца, у которого не хватает двух пальцев на левой руке! Человека, который незримо терзал его на протяжении всего этого долгого, муторного дела!

Радость пополам с сомнением рвали на части душу Юрия Гордеева. Больше всего он боялся даже не того, что пресловутый кавказец окажется законопослушным гражданином, ни сном ни духом не причастным к двум, а то и более убийствам, а того, что слежку за ним завершить не удастся. Куда он со своей отбеленной подругой собрался — что, если тоже за город? Посреди полупустой проселочной дороги, двигаясь вслед за «мерседесом» на «опель-корсе» — тоже, между прочим, не «запорожец», — Гордеев будет примечателен, как ярко раскрашенная божья коровка на фоне асфальтовой серости. А если кавказец отправляется в далекий маршрут? А если (ну да!) у Гордеева все-таки не хватит бензина и вследствие этого он упустит потенциального подозреваемого? Сплошные тревоги! На всякий случай Гордеев записал в блокнот, извлеченный из бардачка, номер «мерседеса». Так ведь машина — не человек: ее можно и продать, и бросить в незнакомом месте, и ищи потом ветра в поле...

Часть гордеевских сомнений улетучилась, когда, не доезжая до Киевского вокзала, белый «мерседес» свернул к роскошному отелю — одному из тех сверкающих стеклом айсбергов, которые в ближайшие годы спешно выросли в фешенебельных районах Москвы на месте так же спешно снесенных зданий XIX—XX веков, многие из которых, насколько помнил Гордеев, как будто бы не проявляли признаков ветхости... Ну, сейчас ему было не до сожалений об уходящей московской архитектуре! Красавец кавказского типа, чью внешность совершенно не портило отсутствие двух пальцев на левой руке (кто станет присматриваться к таким мелочам, кроме полоумного адвокатишки?), обняв за талию свою подружку, которая, появившись из «мерседеса» целиком, продемонстрировала достойную фотомодели фигуру, поспешил в гостиничный холл.

Туда же, держа дистанцию, направился вслед за ними Гордеев. Не выпуская из поля зрения кавказца, он лишь краешком заметил название гостиницы — наподобие «Чего-то там Плаза». Массивными колоннами и тем, что пол и потолок здесь были расчерчены на квадраты, холл «Плазы» напоминал не то древнеегипетский храм, не то станцию метро «Маяковская».

Предусмотрительно держась в тени разделанной под мрамор колонны, хотя и не прячась, Гордеев успел заметить цифры, обозначающие снятый кавказцем номер. Интересно, кто в этой паре главный: кавказец или девица? По первому впечатлению, кавказец, однако жизнь не раз преподносила Гордееву сюрпризы, и прежде наличия фактов он остерегался строить какие-либо догадки. Нет, его сомнения разрешились, когда красотка-вамп громко назвала портье свое имя, а кавказец снисходительно бросил: «Со мной». Кавказец держался с портье запросто, с оттенком фамильярности, как с давним, пусть и нижестоящим, знакомым. Угадывалось, что он привык быть завсегдатаем в таких роскошных заведениях.

— Что вам угодно? — обратился к нему портье.

Ну вот, обстоятельства вынуждают лезть напролом. Так, пожалуй, и факты появятся.

— Э... гм. Сколько у вас стоит снять номер на сутки?

— Люкс?

— Нет, обычный... простой.

Гостиница не страдала от избытка постояльцев, и поделом: стоимость суточного пребывания в самом заурядном номере «Плазы» равнялась приблизительно недельному отдыху в намеченном пансионате под Наро-Фоминском. Однако на отдых Гордеев, ведомый сыскной лихорадкой, успел махнуть рукой. На стоимость номера — и подавно: адвокатский гонорар с лихвой компенсирует рабочие затраты. Впрочем, даже если бы и не компенсировал, в эту минуту Юра Гордеев менее всего предавался раздумьям на финансовые темы. Он чувствовал себя охотником, подстерегающим крупного свирепого зверя. Охота в общем-то, если трезво рассудить, вещь непрактичная, и лицензия вместе с расходами на огнестрельное оружие превосходит стоимость мяса туши какого-нибудь, скажем, кабана. Очевидно, когда человек, вместо того чтобы отправиться в ближайший магазин и купить свинины, идет на кабана, пренебрегая риском смерти от его клыков, им руководят иные соображения. Иррациональные. Но — весомые.

В конце концов, какая разница, куда деваться: поехать ли на природу или остаться в городе? Гордеев нуждался в перемене обстановки — он ее, считай, получил.

Номер, который снял Гордеев, находился вдалеке от люкса, который мимоходом, словно это было в порядке вещей, оторвала влюбленная парочка... «Криминальная парочка», — подумал было Гордеев, однако оборвал себя: никакого криминала он пока не вскрыл. Если не считать того, что парень лет двадцати пяти водит белый «мерседес» и запросто снимает люксы в «плазах» — а это само по себе подозрительно. Особая примета? Потребуется много сил, прежде чем удастся раскрутить эту примету... Продумывая план дальнейших действий, Гордеев попутно осматривался — ему нечасто доводилось посещать московские гостиницы.

Сравнивая «Вэрайети Плазу» (название он установил по фирменным эмблемам, с поразительной ненавязчивостью украшавшим все предметы интерьера) с аналогичными заведениями за рубежом, Юра не мог не признать, что качество гостиничного бизнеса в нашей стране или, по крайней мере, в ее столице за каких-нибудь пару лет резко улучшилось. Цветной телевизор, пахнущее лавандой безукоризненно чистое белье, комплект полотенец и туалетная бумага хорошего качества тешили его патриотические чувства. Нельзя не признать: цены здесь дерут по-страшному, но и работают на совесть. С одним маленьким «но»: в заграничных гостиницах, даже в итальянских, отличающихся довольно-таки ненавязчивым сервисом, принято кроме мыла оставлять на подзеркальной полочке в ванной еще и шампунь в миниатюрной упаковке. Чистота гордеевской шевелюры как раз оставляла желать лучшего. Не поговорить ли с горничной — разумеется, о шампуне? Пожалуй, именно к ней стоит обратиться.

Едва взглянув на горничную, Гордеев понял, что не зря теряет время в этом пышном мавзолее. Горничная была — ну совершеннейший его тип... точнее, наоборот: горничная принадлежала к тому типу женщин, которые неизменно клюют на таких напористых мужчин с холостяцкими замашками, каковым являлся и господин адвокат. Чуть за тридцать, аккуратная стрижка, пристойный макияж, полные внутреннего голода глаза — и этими глазами она тотчас проэкзаменовала Гордеева с головы до пят, упуская из виду, что он занимается тем же самым. Особа въедливая, проницательная, наверняка любит шпионить за постояльцами. Носик маленький, мягкий — бесхарактерный, в общем, носик... Так что, если рассчитывать на данные носика, есть шансы на то, что результатами своего шпионства она поделится с Гордеевым. Если найти к ней верный подход.

В согласовании с названием отеля, горничную звали Вера. Об этом сообщал бейджик на высокой, выступающей под форменным платьем груди.

— Вера, — применил испытанную в боях улыбку Гордеев, — у вас шампуня не найдется?

22

Дом, куда направлялся Денис вместе со своими не вполне добровольными помощниками, располагался в озелененном, весьма престижном районе, но выглядел уныло. Почему-то казалось, что фасад с мрачноватыми балконами похож на человека, насупившего брови, и в целом дом хотелось перекрасить из темно-красного в какой-нибудь другой, более жизнерадостный цвет. Лифт, в котором пахло собакой, справляющей свои делишки где ни попадя, довез всю компанию до четвертого этажа.

Дверь нужной квартиры оказалась прямо напротив лифта. Позвонив, Софья Муранова принялась терпеливо ждать. Прошло, наверное, не менее десяти минут, прежде чем густой мужской голос недоброжелательно спросил:

— Кто там?

— Валерочка, это мы!

«Откуда еще Валерочка взялся, Софья же сказала, что бывшая чемпионка живет одна? — мелькнула мысль у Дениса. — Приходящий бойфренд, наверное, или родственник».

— А-а, Соня. — Голос сменил гнев на милость. — Погоди, сейчас открою.

Защелкали замки, следом звякнула цепочка. Когда дверь приоткрылась на ширину цепочки, в проеме мелькнула гигантская черная тень, вызывавшая ассоциации с доисторическим мастодонтом... Но даже тень не смогла подготовить Дениса к тому, что предстало его пораженному зрению.

В прихожей, заполняя ее наполовину, стояла самая огромная из виденных им женщин... То, что Валерочка — женщина, явствовало из каштановых, увеличивающих голову кудрей и накрашенного личика. Оценивая объективно, личико было хорошенькое и неуместно молодое: если Софья определила возраст спортсменки в двадцать восемь лет, то личику Денис дал бы от силы пятнадцать. Но оно производило неприятное впечатление своими малыми размерами, теряясь среди широченных плеч, как юбилейная монета, приставленная к обычному человеческому телу. Ростом бывшая спортсменка достигала двух метров... да нет, она была выше двух метров! Денис — не из маломерков, однако его макушка приходилась на уровень Валерочкиных накрашенных губ. Если таков был рост — что можно сказать по поводу объема? Чтобы составить одну Валерочку, потребовалось бы три Дениса... ну, два с половиной Дениса, соблюдая законы жесткой реалистичности. Вся эта гора была скорее обернута, чем одета, в пурпурный бархат занавесочного вида — и Денис не исключал, что бархат и впрямь в недавнем прошлом служил занавесками... да хоть бы и театральным занавесом, если на то пошло.

— Проходите, пожалуйста, — снова обнародовала свой мужской голос Валерия и двинулась по коридору медленно, опираясь на костыли. Самые длинные костыли были ей, очевидно, маловаты, поэтому не держали ее под мышками, и Валерии приходилось налегать на кисти рук — пухлые, точно налитые желтоватой водой, моментально побелевшие от напряжения. Квартира была большая — насколько уловил Денис, не меньше четырех комнат, но три красивые двери из натурального дуба были полуприкрыты, из-за них тянуло запахом медикаментов, грязного белья, позавчерашней еды. Четвертая комната годилась для приема гостей: свежий воздух, картины на стенах, массивная, но со вкусом подобранная мебель. Валерия предложила посетителям стулья, расставленные возле круглого полированного стола, сама же в античной позе улеглась, подпершись локтем, на диван, изготовленный, надо полагать, специально по размерам хозяйки.

— Вы уж извините, — предупредила она, — сидеть мне врачи запрещают. Ни сидеть, ни стоять нельзя, а ходить мне и без запретов трудновато: сразу в суставах сплошной хруст. И дикая боль. Была бы я машиной, меня бы уже в переплавку сдали. И туда бы еще не взяли: на что им сплошная ржавчина?

Софья, перегнувшись через спинку стула, сочувственно похлопала Валерию по плечу, заколыхавшемуся, точно груда желе, под пурпурным бархатом:

— Ладно, Валерочка, это ты еще расскажешь. И справки свои покажешь, и рентгеновские снимки, если Денис Андреевич потребует. А вообще-то Денис Андреевич не врач. Он — сыщик. Собирается вывести на чистую воду и тренеров-мясников, и спортивное наше руководство. Не волнуйся, и до твоего Сергея Юрьевича очередь дойдет.

Под твердым, ясным, ироничным Софьиным взглядом Денис едва сохранил самообладание.

— А, Сергей Юрьевич далеко-о! — разочарованно махнула рукой Валерия, вызвав в своем теле новую волну колыханий. — Он от меня сбежал в Америку, надеюсь, хоть там на прежних грехах попадется. У них законы — не то что у нас! Ну, если не попадется, плакать не стану. Вы что думаете, мне месть нужна? Да вы посмотрите, Денис Андреевич, на меня, красавицу писаную. — С мальчишеской лихостью она по-хулигански исказила последнее слово. — Смотрите, смотрите как следует, не отводите глаз. Мне такой уже ничего не нужно. Мне нужно, чтобы с другими не случилось того же, что со мной.

Денис честно смотрел в лицо Валерии. При дневном свете, падавшем из окна, стало видно, что впечатление молодости создавалось за счет густого грима, из-под которого все же проступали и черные волоски на подбородке и верхней губе, и грубая отечность век, и неестественная, синеватая, как у ощипанной курицы, бледность кожи в тех местах, куда не попала пудра. Денис тоскливо представил, как эта болезненная человеческая масса, готовясь к приему посторонних людей (посторонние редко забредают в ее обширное печальное жилье), достает из дальнего угла ящика запыленную косметичку и, глядя в зеркало, давно ставшее врагом, самоотверженно приводит себя в порядок... Зачем — из уцелевшего чудом женского кокетства? Или чтобы не напугать гостей больше, чем следует?

— Сонечка, ангелочек, не в службу, а в дружбу — поставь на кухне чайник! Денис Андреевич, вы что будете: чай, кофе?

Денис выбрал чай, хотя не был уверен, что сумеет заставить себя сделать в этом доме хотя бы глоток чего бы то ни было. Особенно в сопровождении рассказа о тернистом жизненном пути Валерии Ильиной...

Родилась она третьим ребенком в семье. До неё родители успели произвести на свет мальчика и девочку, и, ожидая прибавления, мать утверждала, что, по всем приметам, будет мальчик. Непременно мальчик, ей ли не знать? Да еще крупный какой! И как бойко толкается! Уже и имя заготовили: Валерий, что значит «здоровый, крепкий». А получили — Валерию. Девчонку, но такую, что и мальчику не уступит. Богатырша — четыре кило! В роддоме предупредили, что дети, рожденные крупными, не всегда продолжают проявлять те же темпы роста во внутриутробном развитии, а кроме того, могут являться носителями скрытых болезней. Мрачные прогнозы не оправдались. Что касается здоровья, младшая Ильина до школы ни разу не чихнула. А прибавление в росте и весе двигалось семимильными шагами.

Нежное уменьшительное «Лера» к этой бой-девчонке с румянцем во всю щеку не привилось: и дома, и в детском саду, и в школе так постоянно и окликали: «Валера!» А чаще: «Валера, оставь его в покое! Валерка, опять дерешься?» Что было несправедливо: дралась она, только заступаясь за слабых, или когда дразнили «дылдой» и «гулливерихой». Но, испробовав силу ее кулаков, второй раз дразниться не решался никто.

Только не подумайте, будто Валерия с детства была мужеподобна! Обожала играть в куклы, менять им причесочки и платьица. А позднее, в хрупкие годы девического пробуждения — как же она любила наряжаться! Это когда у нее была еще настоящая фигура, пусть коренастая, сверх меры крепенькая, но все же ладненькая, к которой идеально шли пышные юбки. Что, если бы ей тогда позволили заглянуть в будущее и увидеть нынешнюю тушу, которую надо старательно уворачивать в складки, прятать от всех людей? Не поверила бы. Или покончила с собой. А сейчас втянулась и живет — вопреки огромному лишнему весу, вопреки изнурительным болям. Живучее существо — человек! Унизительно, мерзостно живучее...

В школе учителя ценили младшую Ильину за острый ум и любознательность, но укоряли за недостаток дисциплины. Учительница физкультуры была единственной, кто никогда не жаловался на нее. Уже в пятом классе Валерия вымахала до эталонных женских ста шестидесяти пяти сантиметров — эдакая тетя Степа среди малявок-одноклассников! — и продолжала расти, что постепенно начало беспокоить ее отца и мать. Валерию повели к эндокринологам. Когда врачи подтвердили, что девочка-подросток имеет абсолютно нормальный гормональный фон, а ее необычные рост и сила обусловлены акселерацией (пусть даже никто толком не знает, что под этим термином подразумевать), учительница физкультуры посоветовала родителям отдать свое уникальное чадо в спортивную секцию. Инженеры Ильины никогда не мечтали о том, чтобы кто-нибудь из их детей стал знаменитостью, олимпийским чемпионом, но об этом в начале и речи не шло. Просто подумали: а ведь действительно, пусть лучше младшая дочь займется спортом, чем будет по улицам болтаться или часами хохмить и секретничать с подружками. Спорт — он ведь дисциплинирует. И (как верили эти честные люди) положительно влияет на здоровье.

Почему Валерия выбрала такой малопрестижный в глазах широкой публики и не слишком зрелищный спорт, как метание молота? Чистая случайность! Для гимнастики она была слишком массивна, в секции фехтования кончились места; она хотела бы заниматься боксом, но девочек в боксеры не принимали. Метать молот никто особенно не стремился, и Валерия предусмотрительно, проявив взрослый ум, решила, что на общем сереньком фоне она будет вне конкуренции. Она одновременно и ошиблась, и попала в точку. В каждой избушке свои погремушки, и вскорости выяснилось, что конкуренция между малолетними Брунгильдами о-го-го какая! Но Ильина в считаные сроки доказала свое превосходство. «Исключительные врожденные данные», — говорили о ней. И исключительное трудолюбие, можно было бы прибавить. Впервые ощутив, что ее рост и сила, до сих пор вызывавшие лишь насмешки и нарекания, способны на что-то пригодиться, она взялась за работу, как зверь. Заняв первое место среди сверстников, закономерно угодила в сборную России. А там уже с ней стал работать тренер, Сергей Юрьевич Субботников.

Даже сейчас, постоянно помня, к чему привело их сотрудничество, Валерия не может сказать ничего плохого о начальном этапе тренировок под руководством Субботникова. Сергей Юрьевич отшлифовал ее технику, показал, как можно с наименьшими усилиями достичь наибольших результатов. Практика оказалась не лишней: нагрузки в сборной резко возросли. Если раньше спортивная секция порой казалась для Валерии развлечением, отдыхом от школьных занятий, то теперь это был каждодневный труд, равный труду грузчика. Учебники оказались отодвинуты в сторону: после тренировок едва хватало сил доползти до кровати. Ныло все тело, в том числе мышцы, о наличии которых Валерия даже не подозревала: болела она вся. Сбавлять темпов было нельзя: на ближайшей олимпиаде она должна была защищать честь России. По-прежнему трудолюбивая и исполнительная, Валерия собирала волю в кулак. Но с дрожью, с подавляемыми слезами чувствовала: не выйдет. У воли — свой предел, а у мышц, костей, суставов — свой. Если и дальше вынуждать тело совершить то, на что оно не способно, наступит... Что именно наступит, Валерия не знала, но чувствовала: ее ждет что-то страшное.

— Что с тобой, Валера?

Сергей Юрьевич был ласков и внимателен, очень редко на нее кричал. Валерия доверяла ему больше, чем родителям, и призналась в своем состоянии. Ей не выдержать таких нагрузок! Может быть, она — неспособная?

Сергей Юрьевич утер Валерии проступившие слезы со щек своим носовым платком, будто она была несмышленым ребенком, который плачет из-за сломанной игрушки.

— Ты — очень способная. Просто твоему организму нужно немножко помочь. Ты постоянно в напряжении, расходуешь массу витаминов, белков, микроэлементов... Я дам тебе хорошие таблетки, которые изобрели специально для людей, которым физически тяжело, и все пройдет.

Маленькие голубые таблетки светились в его ладони, как пропуск в страну счастья. Почему-то не круглые, а продолговатые, разделенные посередине чертой на две половины. Валерия отродясь таких не видела. Правда, она вообще тогда таблеток мало видела: не привыкла болеть...

Сергей Юрьевич оказался прав: с таблетками тренировки из кошмара снова превратились в удовольствие. Валерия чувствовала, до какой степени сделалась сильнее. Ее мышцы менялись, росли. Увеличивались плечи — теперь они стали гораздо шире бедер... Почему-то стали плохо сидеть на ней платья, но, увлеченная высокой спортивной целью, Валерия об этом недолго горевала: с легким сердцем перешла на джинсы. Правда, то, что со спины, а все чаще и с фасада, ее принимали за парня, раздражало: она ведь, как и любая нормальная девушка, хотела нравиться! «Ну, ничего, — утешала она себя, — вот займу первое место на олимпиаде, получу кучу денег и накуплю за границей кучу тряпок по своей фигуре. И еще — похожу к косметологу, чтобы избавиться наконец от этих противных черных волосков на лице. Косметологи это лечат запросто. Не у меня одной такие проблемы...»

Проблема встала в полный рост в один прекрасный вечер, после телефонного звонка... Самое смешное, что звонили, как оказалось, не ей.

— Алло! — подняв трубку, сказала рано вернувшаяся в тот день с тренировки Валерия и услышала:

— Привет, Колька! Слушай, у тебя нет случайно лишнего учебника по патанатомии?

Старший брат, Николай, учился на третьем курсе медицинского института.

— Я не Колька, я Валерка, — сказала Валерия, внутренне похохатывая: ну и глупые же эти студенты-медики, парня от девушки не отличают. И чему их в институте учат?

— Какой Валерка? — Даже после нескольких слов, произнесенных ее обычным голосом, собеседник не узнал в ней представительницу женского пола, и это кольнуло беспокойством.

— Колькин брат. — Валерия решила играть роль до конца.

— Вот не знал, что у Кольки брат имеется! Он вроде говорил, у него одни сестры.

— А я двоюродный, из Мурманска.

— А-а, из Мурманска! То-то я слышу, голос у тебя командный, как у боцмана Севморфлота... Слушай, Валер, ты передай Николаю, что Игорь Симонов звонил. Запомнишь? Си-мо-нов. Спрашивал учебник по патанатомии.

— Я запишу, — полушепотом закончила разговор Валерия и положила трубку.

На душе стало жутко и холодно. От телефона она бросилась в комнату брата; лихорадочно перебрав медицинские книги на его полке, схватила учебник эндокринологии и утащила к себе, но не в состоянии была его открыть. Вместо этого она так же нервно, срывая пуговицы, начала раздеваться и, полностью обнаженная, встала перед зеркалом, отражающим ее в полный рост. Собственное отражение надвинулось на нее, как несчастье. Многократно за день смывая под душем трудовой пот, Валерия привыкла к своему голому телу и не замечала в нем ничего необычного. Тем сильнее оглушило потрясение — сейчас, когда она рассматривала в подробностях эту... нет, лучше сказать, «это»... Узлы мышц занимают то место, где положено быть нормальной женской груди; мускулистые сухощавые бедра, жилистый, безо всякой пухлости, зад; нигде ни

128

намека на женственный жирок, на соблазнительные округлости. Фигура расширяется от талии кверху, а не книзу. Мужик мужиком, только члена не хватает. Может, со временем еще и член отрастет?

На следующую тренировку Валерия явилась задолго до назначенного времени, чтобы поймать Сергея Юрьевича во внерабочей обстановке и поговорить с ним наедине. Чтобы не было молота под рукой. Валерия опасалась, что под влиянием чувств может проломить тренеру голову... Впрочем, при той стадии физического развития, которой она достигла, молот для этого не был нужен: хватило бы и кулака.

— Сергей Юрьевич, эти голубенькие таблетки, которыми вы меня кормите, — это же мужские гормоны! — Готовясь к разговору, Валерия основательно пролистала медицинские учебники. — Посмотрите, я же превращаюсь в мужчину. А что дальше? Я не хочу! Я хочу быть женщиной. Хочу, чтобы у меня был муж, дети... Я же не смогу родить! Я думала...

— Заткнись!

Жарко и хлестко, как пощечина. Голова Валерии непроизвольно дернулась назад, словно от настоящего удара.

— Что ты думала? Что ты думала: что спорт — это развлечение? Прогулки по лужайке? Чуть стало тяжело, сразу в кусты? Нет, моя милая, спорт — это как восхождение в гору: чем выше, тем опаснее. Если хочешь достичь вершины, надо рисковать. По-твоему, так только в спорте? Во всем! В политике, в науке, в искусстве. Чтобы получить главный приз, люди жертвуют отдыхом, здоровьем, семейным счастьем. Семейное счастье — оно для простых, для обычных людей. А я-то из тебя готовил королеву! Я надеялся, ты сможешь, преодолеешь. А ты... Я думал, что ты сильная!

Валерия сжалась, как зверь, на которого нападают.

— Я — сильная! Я хочу быть сильной — сама по себе... Без таблеток!

— Заблуждение, Валерочка, — Сергей Юрьевич слегка смягчился. — Там, где рекорды, все на таблетках. Помнишь, как ты мучилась, напрасно тужилась, пока я тебе их не дал? Что, думаешь, твои соперницы их не принимают? Горстями едят! Их зарубежные аналоги даже сильнее тех, что ты пьешь. Почему этим мухлевщицам должно достаться золото? Почему из-за твоих капризов должна страдать сборная России?

Сергей Юрьевич распинался перед ней не менее часа, даже вспотел — ей отчетливо запомнилась потемневшая от пота прядь волос, точно приклеенная ко лбу. У переносицы то собирались, то расправлялись морщинки, слегка портя ровные черные брови. Тренер у нее был смазливенький, недаром предпочитал работать с девчонками, на которых действовал точно на ораву бестолковых кроликов опытный удав. И убеждать умел, ох умел! Начал с того, что получит Валерия, если победит на олимпиаде, а перешел к тому, что накачка гормонами — это ненадолго. Век спортсмена вообще короток, поэтому за время расцвета нужно взять от спорта все, что можно, а потом наслаждаться достигнутым. Пусть Валерия не волнуется: у нее будет еще достаточно средств и времени, чтобы слезть с таблеток, привести себя в порядок, пролечиться у лучших врачей. Это пустяки, зато сколько возможностей открывается! Ей что, деньги не нужны? Родители-то у нее вроде бы не миллионеры, к тому же у них трое детей... Нет, конечно, все еще можно переиграть, на олимпиаду вместо нее поедет Люда Одинцова, но возможности Одинцовой намного ниже. Будет обидно, если сборная не соберет намеченного числа медалей. Спорт для страны означает международный престиж. Так что подумай, Валерочка, крепко подумай...

Почему она поверила Сергею Юрьевичу? Наверное, потому, что очень уж хотела поверить. Потому, что очень хотела получить золотую медаль и, кроме спорта, не мыслила себя нигде. В любой другой области она стала бы — никто, ничто и звать никак. Легко ли отбросить то, что добывалось с такими трудами?

На олимпиаде, помимо тренировок и приспособления к новой обстановке, Валерию мучила еще одна головная боль: как не попасться на допинге? Теперь, когда истинное назначение голубых таблеток перестало быть тайной, не нервничать она не могла. Сергей Юрьевич принял ряд мер, чтобы перехитрить антидопинговый контроль. Например, спортсмен должен сдать мочу в присутствии комиссии, которая пялится на него во все глаза: незаметно вылить в баночку чужую, чистую от лекарства, мочу вместо своей не удастся. Что делать? Способ чудовищный, варварский, но действенный: непосредственно перед пробой из мочевого пузыря выводится все содержимое при помощи катетера, а через этот же катетер вводится чужая, взятая у совершенно нейтральной женщины моча. Валерия — девственница и, видимо, останется девственницей до конца своих дней (кто на нее польстится?), но после этой злодейской процедуры ей не нужно объяснять, что чувствуют изнасилованные.

Зато какое это счастье — стоять на первом месте пьедестала почета и каждым сантиметром своего натруженного, опозоренного, напичканного гормонами тела впитывать победу. Свою победу! Это ты — Валерия Ильина! Играет гимн твоей страны, лучи прожекторов летят к тебе точно из небесных сфер, где тебя заметили, тебя приветствуют, как героиню... нет, как богиню! Утирая слезы счастья, которые дробили прожекторы в радугу, Валерия расслабленно подумала, что мужские гормоны — может быть, это не так уж плохо. В худшем случае, если из девушки превратится в парня, ей придется изменить всего лишь последнюю букву в имени.

Четыре года досталось ей. Четыре года славы, софитов, букетов, ажиотажа газетчиков и телевидения. За эти четыре года она успела собрать весомую коллекцию спортивных наград и обеспечить плацдарм для Сергея Юрьевича, который триумфально свалил за границу как творец «русской статуи» — так окрестили ее англоязычные средства массовой информации. А по истечении четырех лет... Нет, Валерия не превратилась в парня. Скорее, произошел откат: затерроризированные чрезмерными дозами андрогенов гипофиз, надпочечники и яичники совершенно растерялись и в панике стремились взять свое. Валерию никогда нельзя было назвать худенькой, но тут, при сохранении прежних нагрузок и режима питания, она внезапно принялась раздуваться, как дирижабль. Если поначалу чрезмерно развитые мышцы вытеснили естественный для женского телосложения жир, то теперь подкожножировая клетчатка пошла вытеснять мышцы даже там, где они физиологически необходимы. Прибавьте сюда изношенность суставов, мстящих за перегрузки, и пострадавшую от постоянного приема лекарств печень. За какой-нибудь год Валерия Ильина из спортсменки, способной совершить подвиг силы, на который не способен никто из обычных людей, превратилась в развалину, для которой подвигом стали самые простые, бытовые действия. Поставить чайник, помыться, переодеться, дойти до туалета... Поседевшая от горя мама ухаживала за младшей дочерью, как за младенцем, фактически переселившись в эту огромную квартиру — памятник Валериным спортивным заработкам. Зачем купила такую большую? Надеялась, дурочка, когда-нибудь завести семью...

Спортивные знакомые, даже те, кто числились друзьями, быстро отсеялись. Единственной поддержкой для нее стали родственники. Особенно поразил брат: далекий от Валерии по возрасту, все детство почти не обращавший на нее внимания, Николай теперь возмущался, настаивал на том, что надо судиться с теми подонками, которые лишили его сестру здоровья. Ага, как же, судился один такой! Сергей Юрьевич процветает за границей, с него и взятки гладки, а спортивное руководство страны — слишком серьезные ребята, чтобы допустить хотя бы намек на то, что с их ведома спортсменам подсовывают анаболики. При проявлении активных действий со стороны Валерии моментально в прессе вынырнули несколько словно написанных под копирку статей о том, что чемпионка мира по метанию молота Ильина могла бы продлить свою спортивную карьеру, но, к сожалению, из-за приема запрещенных препаратов, которые она раздобыла неизвестно где, находится в тяжелом состоянии... Дальше обсасывались такие гадости, что у Валерии подскочило давление. Активные действия предпочли свернуть: добиться справедливости в нашем отечестве — неподъемная задача для человека, которому дай бог хотя бы просто выжить.

И снова Николай проявил себя с лучшей стороны. Пользуясь профессиональными знаниями (к тому времени он получил диплом врача и устроился в престижную клинику), брат отправил Валерию в долгое путешествие по больницам, санаториям и реабилитационным центрам. Надо признать, путешествие помогло: без него Валерия превратилась бы в лежачую колоду, поверженную статую. Сейчас худо-бедно она может сама обслуживать себя.

В реабилитационных центрах Валерия с удивлением обнаружила, что завидует инвалидам детства. Эти люди не знали себя здоровыми; получив свое увечье при рождении или вскоре после него, любое улучшение они воспринимали как радость. Как никто другой, инвалиды детства умеют радоваться самой незначительной мелочи. А она... Так много имела — и так ничтожно мало у нее осталось. Как бы она хотела забыть о своем прошлом, о своей глупости! От рождения ей было дано столько здоровья, что, казалось, черпай полными ложками — на десять жизней хватит. А кончилось оно в те годы, когда у других, нормальных людей, не спортсменов жизнь только начинается.

Не случайно ей дали имя Валерия. Какой же крепкой нужно быть, чтобы вынести все это!

Она крепкая. Да, она все-таки крепкая. Так или иначе, она поняла, что нет смысла вечно сокрушаться о прошлом, хандрить и тосковать. Надо чем-то заняться, хотя бы ради того, чтобы не повиснуть камнем на шее родственников. Купила ноутбук, принимает через газету бесплатных объявлений заказы на компьютерный набор текстов. Как она печатает? Лежа, обложившись подушками, с большими перерывами, чтобы не травмировать суставы кисти. Доходы, конечно, микроскопические по сравнению с ее прежними, но тем не менее деньги она получает. И получает некоторое развлечение. Тексты, которые ей приносят, заставляют думать, сравнивать, мечтать ... Вот недавно закончила перепечатывать докторскую диссертацию одного филолога, так Валерии в ней понравилась цитата из

«Жития протопопа Аввакума», до которого по-другому у нее ни за что руки не дошли бы. Смысл цитаты в общем-то состоит в том, что лидер русского раскола и его жена, отовсюду изгнанные, потеряв свой дом, бредут под пронизывающим ветром по льду, таща за собой груз уцелевшего имущества. Спотыкаются, падают. И вот жена, силы которой уже на пределе, спрашивает: «Долго ли муки сея, протопоп, будет?» Аввакум хотел бы утешить ее, но утешить нечем, и он честно отвечает: «Марковна, до самыя смерти». Тогда жена, собрав последнее мужество, отзывается: «Добро, Петрович, ино еще побредем».

Валерия как раз по отчеству Петровна. В плохие дни, когда ноет каждая жилочка, каждый килограмм жира кажется неподъемной ношей, а каждый сустав — хрупким, как осенний лед, она, взгромождаясь на костыли, себя подбадривает: «Добро, Петровна, ино еще побредем». Как она умудряется носить свой вес по огромной квартире? Тоже своего рода олимпийский рекорд. Только кому он нужен?

Валерия больше не жалеет себя. И ей не нужно, чтобы ее жалели другие. В качестве объекта жалости она чувствует себя вроде диковинного зверя в зоопарке, на которого таращатся любопытствующие. Но она согласна была бы разрешить показывать себя в клетке, если бы оттуда она могла взывать к молодым спортсменам: «Пожалуйста, не повторяйте моих ошибок! Не соблазняйтесь недолговечной славой и коварными таблетками, будь они голубыми или любого другого цвета».

Следуя просьбе хозяйки, Софья Муранова добросовестно заварила чай и даже разлила его по низким фарфоровым чашечкам, но на протяжении рассказа

Валерии никто не отпил ни глотка. Закончив, Валерия взяла чашечку, показавшуюся особенно миниатюрной в ее ручище, и, освежая утомленное горло, одним глотком выпила чай. Следуя ее примеру, и гости, чтобы не обидеть хозяйку, принялись с разной скоростью пить остывший и не слишком ароматный напиток.

— А Вадим Алексеевич тебе, Валерочка, новую работу в клюве притащил, — с подчеркнутой оживленностью защебетала Софья, что казалось мало свойственным ей. — Поинтересней твоего компьютерного набора, по крайней мере, творческая. Хочешь вести спортивную колонку в еженедельной газете?

— Правда? Ой, не знаю, Соня. Я ведь резкий человек: такого спортивного шороху наведу, что газета закроется.

— Вот-вот, резкость там как раз и нужна! Наличие резкости и собственной точки зрения — большой плюс.

— Какой там из меня журналист...

— Как из всех бывших спортсменов, пишущих о спорте. Главное, разбираться в теме, а стиль подредактируют.

Стыдливый румянец расцвел на Валериных щеках, пробиваясь из-под слоя косметики. Видно было, что предложение доставило ей удовольствие, и она очень хочет его принять, но сомневается в своих силах.

— Валер, а тебе не трудно одной в такой громадной квартирище? — вступил Валентин Муранов, который, видно, редко подавал голос в присутствии жены.

— А что, Валь, женишка мне подложить хочешь? Ты давай тогда какого-нибудь с ногами. Куда мы оба колченогие?

— Вопрос о женишке мы обмозгуем в частном порядке. А пока насчет квартиры. Серьезно, Валер: если тебе с ней трудно, можно разменять на две поменьше —

в одной жить, другую сдавать? Или обменять с доплатой на меньшую, а деньги пригодятся...

— Я подумаю. — Голос Валерии, размягчившийся, как только Софья завела речь о газетной колонке, снова стал суровым, почти злым. — Не сейчас. Эта квартира для меня — пусть несуразная, но она... вроде как реликвия. И я здесь привыкла жить.

— Я разве настаиваю? — Валентин откинулся на спинку стула, оборонительно выставив ладони. — Просто предложил... так, на всякий случай...

«Зря это он», — скривился Денис. Директор ЧОП «Глория» нутром почуял, что это деловое предложение заставило Валерию заволноваться: «Неужели и Мурановы хотят поиметь с меня какую-то выгоду? Вот и к квартире моей подбираются. А на первый взгляд такие славные ребята...» Бывшая спортсменка разучилась верить людям: неудивительно, что с ней, которую предал и тренер и поклонники, это произошло. Но если гормональный баланс Валерии Ильиной невозможно вернуть к норме, то, может быть, хоть душевный баланс поддается восстановлению?

Валерия и супруги Мурановы увлеклись бытовыми проблемами: обсуждали квартплату, инфляцию, цены на еду... Денис Грязнов в его роли частного сыщика как будто бы стал собравшимся глубоко безразличен. Он решил напомнить о своем присутствии:

— Валерия, вы вроде выписки хотели мне показать, медицинские справки? Я не врач, но посмотрю.

Для того чтобы принести документы, Валерии вновь пришлось взгромоздиться на костыли и совершить душераздирающее путешествие прочь из комнаты и обратно. Никто не осмелился ей помогать. Вернулась она, прижимая подбородком к плечу красную папку-скоросшиватель.

— Держите, — невнятно, из-за опасения раскрывать рот, пробормотала Валерия.

В последний момент папка выскользнула и шлепнулась на пол, рассеивая веером документы. Здесь были и официального вида записи на бланках с печатями, и газетные вырезки, и какие-то давно просроченные удостоверения — все в куче. Что касается хранения бумаг, здесь олимпийская чемпионка не проявляла спортивной скрупулезности. Присев на корточки, Денис принялся ликвидировать последствия схода лавины. И первое, что ему бросилось в глаза, — фотография из журнала: так получилось, что она приземлилась сверху, не смявшись благодаря плотной глянцевой бумаге. Запечатленный фрагмент безмятежного прошлого: Валерия Ильина в пурпурном, с изумрудными вставками, костюме, облегающем ее, как руку — резиновая перчатка, со своим снарядом — ядром на проволоке, подсвеченная прожекторами. Денис впервые увидел, как выглядит спортивный молот, раньше думал, что и вправду как молот. Но даже ядро на проволоке поразило его меньше, чем Валерия. Так вот она какая! Была...

Денис не осмелился, сравнивая, поднять глаза на сегодняшнюю Валерию. Но его оробелый взгляд не избежал встречи с глазами Софьи. Всепонимающими и безжалостными.

23

Турецкий не встречался с футболистом Игорем Сизовым, а потому Лунин и Бабчук, которых вызвали на допрос немедленно по прибытии со сборов, не предоставили ему материала для сравнения. Побывал бы на их допросах Денис Грязнов, непременно отметил бы, что если лицо Сизова было интеллигентным, с тонкими чертами, то физиономии Лунина и Бабчука, далекие от изысканности, вызывали в памяти незамысловатую шутку: «У отца было три сына, двое умных, а третий футболист». При том, что внешне эти любители запрещенных стимуляторов были похожи между собой, как близнецы: оба — высокие, долговязые, с длинными и непропорционально большими, как у щенков дога, ножищами. На допросах оба, независимо друг от друга (допрашивали их, естественно, порознь) вели себя одинаково и проходили абсолютно одни и те же фазы постепенного признания.

Первая фаза:

— Ни о каком допинге не слышал, в глаза его не видел, не принимал. Из-за чего Наталья Робертовна на меня обозлилась, понятия не имею: должно быть, что-то женское. Баба в климаксе страшнее лютого зверя.

Вторая:

— Ну да, ну попринимал чуть-чуть таблетки перед соревнованиями. Иначе, думаю, не выдержать: нагрузки такие, что и подъемный кран сломался бы, хоть он и железный. Откуда брал? Не помню. А Лунин (Бабчук) откуда взял? Не знаю. Наверное, в аптеке на свои деньги купил. Кто еще в «Авангарде» знал о приеме допинга? Понятия не имею. Принимал на свой страх и риск. Почему Наталья Робертовна нас с Бабчуком (с Луниным) все-таки не выгнала? Ну, мы ее очень просили. И команда была за нас...

Третья:

— Не виноватый я, чесслово! Разве я сам начал всю эту фигню принимать, будь она неладна? Мне тренер посоветовал, а врач таблетки дал. Они же там, в «Авангарде», все повязаны. Одна Наталья Робертовна, ясная душа, ни о чем не подозревала. Про тренера и врача она уж точно думала, что они чистенькие. Они ее и уговорили, чтобы она нас оставила в покое. А может, пригрозили, что, если будет много себе позволять, чечи с ней разберутся...

Слово «чечи», возникшее в признаниях обоих футболистов, показалось следователям прокуратуры весьма примечательным:

— А ну-ка, а ну-ка! Что еще за чечи?

Но в этом пункте показания Лунина и Бабчука, и до того не блиставшие внятностью и последовательностью, становились совсем уж сбивчивы и непонятны. Насилу-то удалось из них выудить, что тренер и врач их запугивали: если проболтаются кому-нибудь о приеме анаболиков — не жить им на белом свете, прикончат их чеченцы. Что именно за чеченцы, какова была их заинтересованность в допинге, Лунин и Бабчук не смогли составить себе представления. Но чеченцев возле «Авангарда» неоднократно видали. Какие из себя? Да все черные, ну как есть чечи. Во что одеты? Ну как обычно чечи одеваются. Чтобы у кого-то из них был не полный комплект пальцев на левой руке — такого не заметили. Удостоверясь, что наблюдательностью Лунин и Бабчук не отличаются, а их уровень умственного развития достаточен ровно для того, чтобы знать, что в принципе на руке у человека бывает по пять пальцев, неудачливых футболистов оставили в покое.

Пора было переходить к другим фигурантам.

24

Если первое общее собрание глориевцев по поводу отыскания лаборатории «Дельта» не обнаруживало среди частных сыщиков особенного оптимизма относительно перспектив дела, то сейчас оптимизм бил через край. Лучились спокойной гордостью истинные профессионалы Голованов и Кротов, изобретал какие-то новые шуточки неуемный Филипп Кузьмич Агеев, едва не приплясывал Коля Щербак. Даже Макс, необъятный Макс, который на этот раз не принимал большого участия в происходящих событиях, так топорщил в улыбке косматую бороду, словно на директорском столе Дениса поднимался из нарядной коробки пышный, белый, как невеста, полный сливочного крема, персонально для него, компьютерщика Макса, предназначенный торт. Один Денис, вопреки настроению подчиненных, выглядел суровым, как самая насупленная из осенних туч — вопреки тому, что за окном стояла отличная летняя погода, как и тому, что уж директору-то на этом собрании полагалось выглядеть именинником.

У Дениса Грязнова за всю его служебную биографию не раз случались приступы недовольства собой, когда хотелось послать эту самую биографию и эту самую работу к чертовой бабушке и заняться чем-нибудь другим — хоть ассенизаторством, хоть космонавтикой, хоть пойти на рынок торговать сушеными грибами. Но обычно такие приступы скептицизма по отношению к собственной персоне возникали в тех случаях, когда преступники оказывались сильнее и хитрее его, или когда стояли так высоко, что он не мог надеяться довести дело до суда, или когда он вместе с глориевцами по каким-либо причинам не мог полноценно исполнить пожелания заказчика.

На этот раз плохое настроение директора ЧОП «Глория» было вызвано иными обстоятельствами. Внутренней борьбой ...

— Ну, как дела? — начал он совещание с вопроса, который звучал так, будто Денис спрашивал: «Ну, мои дорогие, на какое число назначены похороны?»

— Дела отличные! — не поддержал траурного тона Агеев. — Нам пишут наши симпатичные... Ну, короче, лаборатория «Дельта» у нас в кармане.

Сева Голованов и в самом деле похлопал себя по карману — внутреннему карману легкого летнего пиджака. Только извлек он оттуда не лабораторию «Дельта», уменьшенную в миллион раз и заключенную в стеклянную реторту, а карту Москвы и Московской области, исчерканную красным фломастером.

— Следя за Давидом Коссинским, который напал на двукратного чемпиона мира по дзюдо Олега Москвина, требуя сдачи проб крови...

— Ну и как, взял? — подал реплику Макс.

— Ну, допустим, взял. Подумаешь! Москвин ничуть не встревожился: он строгий противник допинга. Чего ему скрывать-то? Даже каплями в нос не пользуется, потому что в них может быть эфедрин. Мы с ним потом за жизнь побазарили... Так, в общем, я не о Москвине...

— А о Коссинском.

— И даже не о Коссинском, а о том, куда он повез пробы. Вот, смотрите: метро «Перово», Зеленый проспект, а тут, как свернешь, сразу здоровенный серобетонный заборище, вроде как у крематория или хуже. За этим самым заборищем — наркологическая клиника. Туда наши «спортивные старички» ездят и с пробами, и так просто — скорее всего, получать зарплату за свой нелегкий, но доблестный труд.

— Еще и за город ездят, — вмешался Коля Щербак, тоже, очевидно, принимавший участие в разрисовывании карты. — В Малаховку. Ох и трудно было их отследить!

— Тоже мне — трудно, — насмешливо прищурился Алексей Петрович. — Болтай еще! Старички — они же, будто дети, доверчивые...

— Доверчивые? — Дениса наконец прорвало: он поднялся со своего места, нависая над подчиненными. — А правда, почему бы и не быть доверчивым тому, кто уверен, что делает благое, честное дело? Но ведь они и впрямь его делают!

— Денис, — ошеломленно спросил от лица всех остальных глориевцев Голованов, — ты это о чем?

— Да все о том! Допустим, супруги Мурановы и их друзья помогают выявить спортсменов, принимающих анаболики. Но кто же, спрашивается, виновен в приеме анаболиков — неужели Мурановы? Или все-таки врачи и тренеры, которые подталкивают своих подопечных гробить здоровье во имя рекордов? Для человека, хоть сколько-нибудь способного к логическому мышлению, ответ очевиден. У нас, глориевцев, с логическим мышлением все в порядке, иначе мы бы здесь сейчас не работали. Так на чьей же мы стороне — заказчиков или своей совести?

— Кх-гм, — скептически откликнулся на этот крик благородной души Алексей Петрович, — по-твоему, Денис, надо предоставить «Дельте» все условия, чтобы она и дальше была эдаким, вроде получается, санитаром спортивного леса?

Макс обиженно шевелил в бороде пухлыми маслеными губами. Ну вот, так хорошо все сложилось, зачем обязательно ругаться? Радоваться нужно! И чай пить... В горле уже пересохло без горячего.

— А зачем обязательно противопоставлять? — осенила светлая мысль Агеева. — Заказчик сам по себе, совесть сама по себе... То есть я, тьфу, не очень гладко выразился. Я хотел сказать, что Аллочка Лайнер пожелала установить имена агентов лаборатории «Дельта», которые бесцеремонно берут пробы крови у спортсменов? Пожалуйста; глориевцы не только узнали их имена, но даже кое с кем за ручку лично здоровкались. Алла Лайнер любопытствовала узнать, что это за «Дельта» такая и где она находится? Сделано! Так что гонорар мы отработали. А что касается прочего, мы сами себе короли.

— Ты считаешь, Филипп Кузьмич, — безнадежно вздохнул Денис, — что мы по собственной инициативе, не ожидая никаких денег, должны взяться за расследование дела о распространении анаболиков?

— А мы за него уже взялись! — торжествующе провозгласил Агеев. — У меня, пока я ковылял за Наденькой Кораблиной, скопился замечательный материал криминального характера. Все эти явки, фамилии и фирмы я, что называется, взял на карандаш. И у других наших ребят, как я понял еще до совещания, много чего на душе наболело насчет анаболиков...

Лицо Дениса прояснилось. Ну где еще сыщешь таких неподражаемых сотрудников? Которые могут нахамить начальнику, могут не поддержать его решения, но искренне болеют за него и в трудную минуту обязательно найдут выход! Да, решено: «Глория» выведет на чистую воду тех, кто травит спортсменов.

Но с кем поделиться сведениями? Абы с кем — опасно. Оставалось привлечь старые знакомства и обратиться к дяде Сане Турецкому. Он не обманет и не предаст.

25

Шесть разной высоты, но однотипных серых корпусов в нескольких кварталах от Зеленого проспекта, обнесенных высоким каменным забором, нечасто привлекали внимание посторонних. Те, кого случайно занесло в этот район, не находили в торчащих из-за забора зданиях ничего архитектурно выдающегося и равнодушно обходили их стороной. А те, кому судьба определила проживать поблизости, в блочных домах схожего вида, тоже корпусами не интересовались, поскольку знали, что в них раньше помещалась психиатрическая больница с дневным стационаром, а в последние годы — наркологическая клиника. Это сомнительное соседство не беспокоило местных жителей: при железных воротах несли вахту вооруженные охранники, а преодолеть забор могли разве что наркоманы-скалолазы, располагающие полным альпинистским оборудованием. А таких наркоманов в клинике, понятное дело, не держат.

За забором открывался вид на геометрически расчерченные дорожки, вымощенные щербатой каменной плиткой. Дорожки связывали лечебные корпуса со служебными, причем между ними была налажена бойкая, активно функционирующая связь. Из кухни — двухэтажного домика, пропитанного ароматами кислой капусты, — трижды в день развозили по корпусам тележки, заполненные алюминиевыми баками, в которых что-то болотисто хлюпало и переливалось. В другой двухэтажный домик — патологоанатомическое отделение — с периодичностью примерно раз в месяц, а то и реже везли на каталке груз, прикрытый белой простыней. В административный корпус, содержавший в себе также приемпокои и находившийся несколько на отшибе, вблизи ворот, время от времени забегали сотрудники; отсюда медленно шли в сопровождении санитаров новопоступившие пациенты — неся при себе минимум дозволенных вещей, с вытянутыми лицами, толком не знавшие, чего ожидать от этого места, а потому настроившиеся на самое худшее.

И еще имелся на территории один маленький, но часто посещаемый корпус. Он содержал лабораторные службы. В любой больнице лабораторные методы исследования необходимы в повседневной работе, но что касается наркологической клиники, постоянно проводимые здесь анализы мочи, крови и, случается, спинномозговой жидкости требуют особенно большого количества сотрудников и дорогостоящего материального оснащения. Так что лаборатория клиники возле Зеленого проспекта по части профессионализма находилась на высоте. Кабинеты корпуса, значившегося в клинике под номером три, были нафаршированы сотрудниками, и никто не прохлаждался без дела.

В любом обитаемом здании, безразлично, служебном или жилом, по прошествии определенного отрезка времени скапливается куча хлама — более или менее крупных предметов, которые никогда не найдут себе применения, но выбросить их по тем или иным причинам не поднимается рука. В третий корпус — так уж исторически сложилось — врачи стаскивали все бесполезные подарки, приносимые вылеченными больными; дары полезные или ценные они, разумеется, оставляли себе, а всяческие причудливые сувениры вручали лаборантам, как бы желая вознаградить их за доблестный и незаметный труд. Особенно это касалось предметов творчества пациентов. Психологи этой высококлассной клиники поощряли в наркоманах и алкоголиках развитие способностей к рисованию, лепке, сочинению стихов, и порой таковые способности действительно выявлялись. Да еще с какой нечеловеческой силой! В частности, среди работников и посетителей лаборатории прославилось одно полотно, точнее, ватманский лист, покрытый акварельными красками. Едва взглянув на этот шедевр, медики в испуге зажмурились; взглянув вторично, попристальнее, сочли за лучшее признать: «Да-а, сильно!» — и тут же свернуть шедевр в трубочку, перетянуть резинкой и забросить на шкаф в коридоре, где уже пылились в таком же виде пришедшие в негодность таблицы нормальных лабораторных показателей и дряхлые графики дежурств.

Картина изображала покрытую выпуклой серой кремлевской брусчаткой площадь под бесконечным черным небом, лишенным звезд и луны. Посреди площади возвышалась зеленоватая рюмка, в которую каким-то чудом была втиснута человеческая голова. Вопреки тому, что туловища к ней не прилагалось, голова выказывала несомненные признаки жизни: рот ее был перекошен отчаянием, а глаза панически расширены. И было от чего! Из дальних углов площади приближались, с неба пикировали твари невообразимых форм и очертаний, но все они выглядели одинаково зловещими и безжалостными. Одни походили на гибриды людей и насекомых, другие — на предметы домашнего обихода, вдруг получившие способность двигаться, третьи — на бесформенные сгустки ускользающего потустороннего тумана... Алкогольный психоз (а попростому белая горячка) сотворил из безымянного пациента, не оставившего на своем творении даже подписи-загогулины, художника, близкого по духу Гойе, Босху и Дали. Самый тупой, невосприимчивый, лишенный нервов зритель признал бы: здорово нарисовано, но долго смотреть на это не захочется. А то, чего доброго, свихнешься!

Тем более своеобразными представлялись вкусы группы лаборантов, которые не только раскопали эту высокохудожественную пакость в завалах макулатуры на шкафу, но и украсили ею изнутри дверь своего кабинета, размещавшегося в конце коридора на втором этаже, в закутке-аппендиксе, обвивавшем полукругом лестничную площадку запасного выхода.

Эта группа вообще отличалась определенными странностями. Прежде всего, к лабораторному отделению наркологической клиники она не относилась и, соответственно, зарплату получала где-то на стороне. Кроме того, работала она согласно какому-то своему, необыкновенному распорядку. То кабинет простаивал запертым на протяжении дней и даже недель, то вдруг лаборанты скопом являлись и вкалывали с утра до ночи. Набивалось их в комнатушку столько, что дверь держали открытой — терроризируя пробегающий мимо персонал горячечными видениями талантливого алкоголика. С обычными, «наркологическими», лаборантами обитатели аппендиксного кабинета не общались, да те и не напрашивались на всяческие «ля-ля тополя», удовлетворяясь объяснением, что эта группа ведет международные научные разработки. Неизвестно, кем был пущен этот слух, но он походил на правду, потому что в лабораторию по очереди наведывались два иностранца: один — худой, рыжеватый, другой — смуглый толстяк в очках со сложными линзами. Худой вечно улыбался, причем все его лицо собиралось складками, как пустой желтый мешочек, толстяк был неприветлив, погружен в себя и суров. Оба не проявляли ни малейшего намерения поделиться с простыми работниками лаборатории секретом, чем это они тут занимаются.

Помимо иностранцев, забегали сюда и русские, принося в чемоданчиках необходимый для исследований биологический материал. Были они по большей части людьми не первой молодости, но бодрыми и подтянутыми. А уж шустрые — куда там молодежи! Да, иностранцы — деловые люди: понимают, что пенсионеров тоже можно нанять в курьеры. Они больших денег не потребуют, будут благодарны за одно то, что снова чувствуют себя нужными... Хотя платили им, наверное, тоже немало, потому что они, опасаясь, скорее всего, потерять выгодный приварок к пенсии, в разговоры тоже не вступали, появляясь и исчезая мгновенно, как чертики из коробочки.

Так или иначе, лабораторный корпус наркологической клиники жил своей жизнью. И у «наркологических» лаборантов было достаточно своих проблем, чтобы уделять внимание чужим.

Все-таки чего-то Денис не догонял в этих спортивных сложностях. Спортсмены, как ушедшие на покой, так и полные сил, представлялись ему какими-то инопланетянами, которые стремились вовсе не к тому, к чему стремятся нормальные люди. Как достоинства, так и пороки их казались странными, потусторонними, зазеркальными. Поэтому, чтобы лучше понимать психологию противника (или союзника?), господин Грязнов посчитал нужным найти... кого же, как не психолога! Только психолога — спортивного. Желательно — независимого, не связанного ни с Институтом физкультуры, ни с какой-либо командой. Такого пришлось, правда, искать не через спортивную, а через медицинскую среду. Но частные сыщики, как известно, за время работы обрастают нужными связями в самых непредсказуемых областях человеческой деятельности, а потому поиски не составили особого труда. Психотерапевт с двадцатилетним стажем рекомендовал Денису побеседовать с молодым, но проницательным спортивным психологом Анатолием Малкиным, который состоит в Российской ассоциации психологов и занимается частной практикой. К нему вечно очередь на запись, потому что со своими клиентами он творит чудеса. Неудивительно: ведь он испытал на своей шкуре то, на что ему клиенты жалуются. Сам бывший спортсмен...

Бывший олимпийский чемпион по тройному прыжку Анатолий Малкин, ныне спортивный психолог, назначил встречу за крайним столиком возле окна в кафе неподалеку от Суворовской площади, и Денис с облегчением перевел дух: по крайней мере, психолог придет туда своими ногами! Ведь ему настойчиво намекнули, что Малкин покинул спорт в результате тяжелой травмы... После свидания с Валерией, которая с трудом передвигалась по квартире, отравляя общение своими воспоминаниями о былых победах и натужливым мужеством, новых экстремальностей как-то не хотелось. Но дело есть дело, и Денис явился на Суворовскую площадь исправно, даже десятью минутами раньше назначенного времени. Кафе занимало первый этаж старого, должно быть, сталинской постройки дома, расположенного буквой «П» и украшенного недавно побеленными статуями не то партийных работников, не то партизан. Денис занял тот самый столик у приоткрытого по случаю лета окна, из которого открывался очаровательный вид на иссушенный зноем, но все равно зеленый дворик и на пресловутые статуи, которые архитектор расположил в самых причудливых местах. При виде статуй, которые походили на часовых, несущих вахту возле секретного объекта, который давно не существует, Денису почему-то вспомнился старый московский лимерик:

На Лубянке в одном кафетерии
Есть скульптура Лаврентия Берии:
Окруженный орлами,
Он парит над столами
И в еду подсыпает бактерии.

— Вы уже определились с выбором? — любезно спросила официантка Дениса, который поглядывал то на статуи, то в меню, напечатанное на толстой бумаге, тоже какой-то советской, словно для почетных грамот предназначенной.

Мельком отметив, что цены здесь приемлемые, но совершенно не испытывая аппетита, Денис заказал «Аква минерале» с газом, продолжая переживать: а что, если Анатолий Малкин приедет на инвалидной коляске? Возможно такое? Конечно. Разве инвалид не человек, разве он не может назначить встречу в кафе? Нет, Денис ничего не имеет против людей в колясках, просто это очень грустно. Когда он брался за это спортивное дело, то по-мальчишески воображал, что общаться придется исключительно с полубогами, пышущими здоровьем и силой. А тут, извольте: то старики, у которых лучшие годы давно позади, то обломки спортивной славы, выброшенные с вершины жизни на ее обочину. Прямо-таки нехорошие мысли навевает: о бренности всего мирского. «Так проходит слава земная», нуя или вроде того...

Денис так увлекся своими печальными мыслями, так явственно представил бывшего чемпиона мира в тройном прыжке со всеми правдоподобными деталями, вплоть до инвалидной коляски, что, когда напротив него за столик подсел изящный, одетый в черную рубашку (в разгаре лета — с длинными рукавами) и светлые брюки, пахнущий хорошим мужским одеколоном человек, директор «Глории» едва не попросил его занять другое место, потому что за этим столиком у него назначена встреча. Его визави пришлось поздороваться: «Добрый день, уважаемый Денис Андреевич», — чтобы Денис сумел вынырнуть из своих грез и вернуться к действительности:

— Здравствуйте, Анатолий!

— Что-нибудь заказали?

— Только минеральную воду. Очень душно.

— Да-а, погода нас в этом году балует... А я, с вашего позволения, отобедаю. Я ведь тут не случайно: у меня в этом доме живет клиент, чемпион мира по футболу. Я к нему хожу на дом проводить психотерапевтические сеансы. Сеанс начнется в пятнадцать ноль-ноль, так что еще больше часа в нашем с вами распоряжении.

— А что с ним такое? С футболистом?

— Профессиональных тайн не выдаю, — развел руками психолог, и Денис мысленно обругал себя за глупость и бестактность. — Зато можете рассчитывать, что я сохраню и ваши тайны... Дина, будьте добры, я хочу сделать заказ!

Психолог, видимо, был в этом кафе нередким гостем: официантка по имени Дина подбежала к нему с лучистой улыбкой, приберегаемой работниками сферы обслуживания специально для самых перспективных клиентов. Быстро, как дирижер — знакомую партитуру, Анатолий Малкин пробежал глазами меню, удерживая его почему-то не правой, а левой рукой. Ну, что же, может быть, он левша, такое бывает. В некоторых видах спорта, кажется, левши ценятся больше правшей — вдруг это и тройного прыжка касается?

— Томатный суп, шницель и лимонное мороженое, — заказал Анатолий, и Дина с готовностью зачеркала в блокнотике карандашом.

Денис ощутил, что она не осталась равнодушна к бывшему спортсмену с его строгим, сдержанным, но по-мужски привлекательным обликом. Ну вот, по крайней мере, страхи оказались напрасны: Анатолий не калека, он вполне здоров. А травма — ну, бывает же, что и после травмы здоровье восстанавливается...

— Так что же, Денис, вас интересуют психологические аспекты применения допинга? — спросил Анатолий, откинувшись на спинку стула и глядя проницательными карими глазами как бы сквозь Дениса — или прямо в его внутреннюю сущность?

— Меня скорее интересует, — попытался точнее сформулировать вопрос директор агентства «Глория», — почему спорт сам по себе является таким сильным допингом, что люди ради спорта идут на применение допинга.

Вопрос именно в такой заковыристой форме вызрел у Дениса не случайно. Его не вполне убедили рассуждения Игоря Сизова относительно того, что спортсмен не будет принимать никакие таблетки, если будет точно знать, что они нанесут вред здоровью. Кажется, Игорь — особый случай: слишком независим, слишком интеллигентен, слишком рассудителен. Валерия точно знала, видела действие этого вреда на своем теле воочию — и принимала все равно! Принимали и другие, те, чью спортивную карьеру подрубила на корню деятельность лаборатории «Дельта». Так что же это за злое колдовство заставляет людей гробить себя? Или, наоборот, не злое, а чудесное, обворожительное колдовство, ради которого не жалко пожертвовать и здоровьем, и годами жизни, и всем-всем-всем?

— У вас нестандартная точка зрения, — прищурился Анатолий Малкин, — которая имеет право на существование. Знаете, если танцевать от печки, то начинать я, наверное, должен от высказывания основателя современного олимпийского движения, французского барона Пьера де Кубертена: «О, спорт, ты — мир!» Наверняка вы это высказывание слышали, возможно, даже произносили, но вряд ли задумывались: а что оно, по существу, означает? Здесь вступают в действие коммуникативные различия. Для вас, человека, далекого от спорта, оно, по всей вероятности, означает, что спорт — это отдельный, существующий где-то вдалеке и независимо от вас мир. А для типичного спортсмена, представьте, это значит, что спорт для него составляет весь мир. Служащий заменителем того, большого мира, о котором он совсем не задумывается...

Томатный суп, предназначенный Малкину, прибыл одновременно с минеральной водой для Дениса. Аккуратно прикрыв салфеткой колени, Малкин взял ложку — взял, как все обычные люди, правой рукой... Тут-то успокоившегося было Дениса точно по глазам ударило: кисть правой руки торчала как-то неестественно, под острым углом к предплечью. Вокруг запястья толстой розовой змеей обвивался грубый шрам, уходящий под рукав. Только сделав это открытие, Денис обратил внимание, что и сидит психолог как-то неловко, склоняясь вправо, и правое плечо у него выше другого... Директор «Глории» постарался не выдать своих эмоций. Тем более что, в отличие от Валерии Ильиной, несчастье которой окружало ее невидимой, но ощущаемой грязноватой оболочкой, психолог не вызывал ни отвращения, ни сочувствия. Напротив, его словно одевала железная, непроницаемая для чужих чувств броня.

— Я мог бы рассказать вам много историй своих клиентов — конечно, не называя имен, — тихо, ненастойчиво начал беседу Анатолий Малкин, — и все они говорят об одном и том же... Но, боюсь, это будет некорректно с моей стороны. Так что могу провести анализ высказанного вами утверждения на примере собственной биографии. Тут уж меня в нескромности никто не упрекнет...

Малкин — не москвич. Подобно большинству русских олимпийских чемпионов, он родился в провинции — в Петрозаводске. Тяжелое, каменное, промышленное название носит его родной город, и детство Толе вспоминается как нечто серое, тяжелое, беспросветное. Когда ему было пять лет, отец бросил семью, оказав благодеяние жене, которая была вынуждена зарабатывать алкоголику на еду и выпивку, постоянно не высыпаясь и залечивая синяки из-за его ежедневных дебошей. Негативный образ отца оказывал, видимо, давление на психику Толиной матери даже после того, как реальный отец был бесповоротно изгнан. Бдительно следила она за сыном, выискивая в его детских капризах следы взрослой тяги побуянить, в детской мечтательности — взрослую лень. По мере роста сходство с отцом становилось все сильнее... Больше всего опасаясь неблагоприятных отцовских генов, а также действия отрицательного примера в первые годы жизни, мать сочла полезным, чтобы Толя занялся спортом. Сама отвела в детскую спортивную школу. Там его и лениться отучат, и пить не позволят!

В детской спортивной школе все было не такое, как дома: светлое, чистое, внимательное и строгое. От несоответствия среды домашней и спортивной, от тяжести внезапно навалившихся нагрузок Толя сначала оторопел, потом подумал, что, несмотря на то что мама рассердится, надо бежать отсюда скорей. Когда впервые упал на колено, стало так больно, что он не выдержал и заплакал. «Ты чего нюнишь, а? — подмигнул совсем юный, как сейчас понимается взрослому Анатолию, тренер, отозвав Малкина в укромное местечко. — Разве олимпийским чемпионом не хочешь стать? Смотри, если чемпионом, то плакать нельзя. Реву-корову на олимпиаду не пустят». Толя подумал, что если разобраться, то чемпионом стать неплохо бы, и слезы высохли сами собой. Потом он, правда, установил, что точно такие же слова тренер говорил и всем другим мальчикам. Ну, так что же, разве он не прав? Их тут много. Не может же быть так много чемпионов? На всех олимпийского золота не хватит. Но кому именно выпадет славная судьба, тренер знать не может. Поэтому и зовет в чемпионы всех подряд. Все правильно, по-другому и не получится. Вот только ни тренер, ни мальчики-сверстники еще не подозревают, что только Малкин — большеголовый, худющий, не слишком сильный — станет королем тройного прыжка...

Толя до двадцати трех лет не владел ни одним иностранным языком. Он и школу окончил чисто формально: тому, кого тренер признал перспективным, оценки и без контрольных выставят. Хотя с официальной точки зрения тренировки не должны продолжаться дольше четырех часов в день, но фактически все соглашаются с тем, что они длятся часов по восемь, а то и по двенадцать... Да, так вот, насчет иностранных языков: три слова по-английски Малкин все-таки выучил. И слова это были следующие: *хоп*, *степ* и *джамп*. А по-русски — *скачок*, *шаг* и *прыжок*, составные части того, что с определенных пор составляло основное Толино занятие. После разбега (если речь не идет о тройном прыжке с места) спортсмен выполняет скачок, оттолкнувшись от земли толчковой ногой, на которую и приземляется. За ним следует шаг — с толчковой ноги на маховую. А завершается вся эта несложная для постороннего взгляда, но трудная для освоения комбинация приземлением в яму с песком на обе ноги.

Да, для Толи Малкина эти три волшебных слова стоили всего английского языка. Точно так же, как вместо школьной истории Толя изучал историю тройного прыжка: его возникновение, его героев — тех, кто внес вклад в его развитие. Место античной Греции и средневековой Европы у него в душе занимали Шотландия и Ирландия, обитатели которых на своих национальных праздниках впервые придумали состязаться в многократных прыжках. Он не знал, чем знамениты Кромвель и Жан-Жак Руссо, он на полном серьезе верил, что Пушкин и Петр I были современниками; зато ночью его разбуди, он выдаст, какие результаты и в каком году показали Эндрю Битти, Наото Таджима, Юзеф Шмидт. А фотографию двукратного олимпийского чемпиона, бразильца Адемара Феррейра да Силва Толя постоянно носил при себе, находя в нем сходство с собой. Если не внешнее, то внутреннее. Анатолий Малкин еще станет в своем виде спорта чемпионом номер один, как бразилец!

Если вы думаете, что Толю вел вперед чистый романтизм, вы ошибаетесь. С определенного возраста он понимал, что хочет заработать кучу денег и упрыгать своим тройным прыжком из родного Петрозаводска, где все серо и уныло, где никаких перспектив, где никогда не произойдет ни одного счастливого события. Что ж, он имел для этого все возможности! Совмещая в себе малый вес японца и длинноногость бразильца, Толя Малкин был признан самым перспективным и легко допрыгал до Москвы. Московский тренер, который сразу понравился Толе тем, что поставил себя на дружеской ноге и попросил звать его запросто, Михалычем, уверял, что победа у них, считай, в кармане, если потрудиться как следует. Что ж, Михалыч не обманул! На ближайшей олимпиаде Анатолий Малкин, которому едва исполнился двадцать один год, поставил новый мировой рекорд. Ура! А после... Никакого уже тебе Петрозаводска, одни заграничные города. Правда, в них Малкин не видел никаких достопримечательностей, кроме стадионов и гостиничных номеров, но к достопримечательностям он и не рвался. Не возникало потребности на них смотреть. Картины какие-то, тухлые музеи... Кому это надо? Хлюпикам-очкарикам?

Все до того прыжка, последнего. Так готовился, рассчитывал, что это будет второй его мировой рекорд, что это будет прыжок к славе. А оказалось... По чьей-то халатности (так и не выяснилось чьей) в яму был загружен некачественный песок. Перемешанный с камнями. Малкин прыгал первым...

Анатолий помнит, как прыгнул, но не помнил, как приземлился. Он как будто бы превратился в ракету и полетел в голубое небо и далее — прорвав земную атмосферу. Летел, летел в космосе... пока не рухнул на больничную койку. Лечение на Западе дорогое — даже для чемпионов. Поэтому Малкина перевезли в Москву.

Сначала Толя думал, что ничего еще не кончено, рвался поскорее вернуться в строй. В том, что это произойдет, причем в ближайшее время, он не сомневался: как же иначе! Куда же спорт без него и, самое главное, куда же он без спорта? Зачем он тогда нужен? Без спорта в его жизни настала пустота. В больнице процедуры, перевязки, уколы еще как-то помогали заполнить время; но когда они кончались, изо всех щелей выползал страшный вопрос: «Чем заняться?» У обычных людей он не возникает, у них время утекает сквозь пальцы — проблема, напротив, в том, как бы поймать время, удержать, направить на полезные дела. А он, Анатолий Малкин, просыпался по привычке в половине седьмого утра и валялся, бессмысленно созерцая обстановку палаты. То же самое испытывали, он видел, и другие пациенты отделения спортивной и балетной травмы ЦИТО. В обычных больницах люди заполняют образовавшийся досуг чтением, но Анатолий не испытывал потребности в художественной литературе, как и в искусстве вообще. Обычные пациенты разгадывают кроссворды, но Толя практически нигде никогда не учился и был недостаточно эрудирован даже в пределах школьной программы. На худой конец, можно смотреть телевизор, но чемпион Малкин привык смотреть только спорт, а спортивные передачи вызывали колючее недовольство тем, что вот, кто-то побеждает, а его победы из-за травмы откладываются... До каких пор?

Между тем врачи на обходах подолгу задерживались возле малкинской койки и понижали голос, пряча за непонятной терминологией, которой они скупо перебрасывались, что-то зловещее. Гипсовый «ошейник» все не снимали, относительно руки говорили, что срослась она неправильно и нужна еще одна операция... Из Петрозаводска вызвали мать, которая каждый день приходила, внося в палату бестолковую суету: то бессмысленно перекладывала и перетирала предметы на его тумбочке, то принималась рыдать, вспоминая, каким замечательным мальчиком был ее Толечка, то зачем-то совала врачам детские фотографии сына. Мать раздражала, мать оказалась ему чужой. Анатолий испытал большое облегчение, когда она уехала... «Слава богу», — подумал он и вдруг испугался: ведь это же его мама, самый родной для него человек! Если он разорвал связь с нею, то с кем еще у него осталась связь?

С тренером. Да, с тренером. Кто же, как не он, должен позаботиться о своем подопечном? Однако, еще сразу после травмы, Анатолий получил из вольного мира неутешительную весть: тренер не стал оспаривать результаты соревнований, сделал вид, что в травме Малкина виноват он один. Анатолий, как только получил возможность разговаривать по телефону, постоянно названивал тренеру, но тот на вопросы отвечал уклончиво, поскорее старался свернуть разговор, ссылаясь на то, что крайне занят. Долго не казал носа в отделение спортивной и балетной травмы, когда же пришел, держался так, будто оказал великую честь, посетив какой-то грязный свинарник. Брезгливо присел на кончик стула, тщательно вытер пальцы платком. Анатолий, будто в замедленной съемке, наблюдал эти движения. Платок был большой, как треть полотенца, в коричневую и серую клетку. Тренер тер им пальцы как-то мучительно, с колоссальным напряжением, словно вкладывал в это всю испытываемую им неловкость.

— Ты вот что, Толя, — зачастил тренер, — я чего хотел тебе сказать: чтобы ты на меня не рассчитывал. И на финансирование от нашей федерации — тоже. Ну, так получилось, только и всего. Жизнь, по правде говоря, она штука несправедливая, сам понимаешь. Не только взлеты в ней, и падения случаются. Мне, само собой, безумно жаль, что ты в расцвете лет и способностей вынужден уйти из спорта, но сам понимаешь, если платить каждому травмированному...

— Ты что, Михалыч? — не поверил Анатолий. Может, он что-нибудь не так понимает, может, у него после второй операции осложнение на голову? — Как это — уйти из спорта? С чего ты взял? Кто тебе сказал?

— Врачи мне сказали, Толя, врачи, — увещевающе, точно с несмышленышем разговаривая, просюсюкал тренер. — Сам, что ли, не додумался? У тебя один шейный позвонок теперь синтетический, вместо правой руки получится клешня, с этим уже не попрыгаешь. Нет, Толя, пора на покой. Да ты зря переживаешь, парень, зря: деньжата у тебя пока есть, на лечение хватит.

— А куда же я... с клешней?

— А чего тебе волноваться? Штаны застегнуть сможешь, и нормально. Вернешься к себе в Петрозаводск, они тебя и с клешней примут. С распростертыми объятиями! Местная спортивная школа вся в твоих фотографиях. Правда, чтобы тренером стать, нужно окончить институт физкультуры, но уж ты не переживай, подыщут тебе место какое-нибудь.

На Анатолия надвинулась серая каменная тяжесть. Петрозаводск! От чего ушел, к тому и пришел. И это после Багио, Атланты, Гармиш-Партенкирхена... Последним на земле местом, куда Малкину хотелось бы вернуться, был родной город.

— Не поеду я в Петрозаводск, — пробурчал Анатолий.

— А куда ж ты, дурик, денешься? — словно бы сочувствовал тренер. — В Москве жить — дорогое удовольствие. Чем же ты зарабатывать намерен? Бутылки, что ли, на улицах собирать? Или шляпу перед собой поставить и просить: «Подайте бывшему чемпиону мира в тройном прыжке»?

Про бутылки — это он напрасно! На тумбочке Анатолия бессменно дежурила стеклянная бутылка из-под нарзана с торчащей из резиновой пробки соломинкой для питья. Осколки осыпали стеклянной крошкой ножной конец его одеяла и вызвали недовольную воркотню уборщицы, но удовольствие при виде того, как быстро испарился Михалыч из палаты, возместило Анатолию эти мелкие неприятности.

Однако, когда Михалыч скрылся безвозвратно, а осколки были выметены и место стеклянной бутылки заняла пластмассовая, радость победы улетучилась. Да и какая это была победа? Смешно. Разве ему в одиночку одолеть Михалыча? Одолеть сложившуюся систему?

— От твоего тренера не добьешься справедливости, — сообщили ему в коридоре другие пациенты-спортсмены, товарищи по несчастью, более, чем он, осведомленные. — Твое падение ему на руку. У него долгосрочный контракт с Великобританией, не знал ты, что ли? Англичане платят валютой, не в пример нашим. Для него полезно было вытащить в чемпионы английского негра ценой твоих руки и позвоночника...

Ни руки, ни золотой медали, ни позвоночника. Просто — койка, на которой страдает от крушения надежд и от безделья бывший чемпион... всего-навсего парень двадцати трех лет. С уровнем развития второклассника. Другие к его возрасту приобретают друзей, образование, жизненные интересы. У него — ничего. Ничего, кроме привычки просыпаться с утра пораньше, как будто день по-прежнему занят тренировками. Пустота, похожая на вакуум, который словно бы засасывает, заглатывает его по частям. Может, не мучиться? Может, броситься этой пустоте навстречу?

После того как потерпели крах его попытки составить план, как дальше жить, Анатолий Малкин начал строить планы относительно того, как бы умереть. Казалось бы, его травма предоставляла для этого неисчерпаемый кладезь возможностей: чего проще, расколоти свой гипсовый ошейник о железную штангу над кроватью — и ты на том свете, где, не исключено, повезет больше, чем на этом. Но по отношению к этому напрашивавшемуся способу Анатолий проявлял брезгливость. А что, если не умрешь, а всего лишь останешься целиком парализованным, говорящей головой, для которой потеряно тело — и потеряна таким образом возможность самоубийства? Лучшим методом было бы принять смертельную дозу наркотика и отбыть в потусторонние края с кайфом — но учетные лекарства в отделении строго контролировались. Острые, режущие предметы? Их Анатолию после случая с тренером старались не давать, так же, как старались заменять пластмассой все стеклянное. Под конец, отбросив мудрствования, Анатолий решил, что падение с высоты (двенадцатый этаж) решит все проблемы. Он уже был в состоянии чуть-чуть передвигаться и побрел в мужской туалет — любимое место сбора хирургов-практикантов, где не переводились курильщики, выпускавшие дым в открытое окно. Обычно Анатолий недоумевал по поводу горе-медиков, позволяющих себе такое нарушение режима в присутствии некурящих больных, сейчас эта больничная вольность играла ему на руку. О, удача — в туалете никого не было! Из окна тянуло свежим ветром: стоял пасмурный апрель. Взгромоздясь коленями на клеенчатую кушетку, обсыпанную пеплом, Малкин выглянул за пределы обшарпанного, испещренного птичьими зелено-белыми кляксами карниза. «Ох, как далеко!» — поразилось что-то в нем. Асфальт, заставленный санитарными машинами, представлялся очень близко — и бесконечно далеко. Анатолий зажмурился, чтобы собраться с духом. Собрался. Посмотрел снова. Легче не стало. Невыносимо было представлять там, внизу, самого себя — размазанного по этому асфальту. «Скорее! — поторопил он себя. — Влезай на окно и бросайся вниз! Вот-вот зайдет кто-нибудь!» Но «скорее» не получалось. Все в нем пришло в остолбенение. Пустота, которой он боялся, возникла перед ним такой зримой и подлинной, что совершать мышечные усилия ради нее, карабкаться на кушетку, потом на подоконник, показалось ненужным и тщетным...

— Что, хороший погода? — раздался голос сзади.

Анатолий, утративший способность вертеть головой, повернулся всем туловищем. Это был студент, а может быть, врач-практикант — Малкин слабо ориентировался в медицинских званиях и различиях. Нет, скорее студент: уж больно вид у него легкомысленный. Казах, а может быть, таджик — смуглый, узкоглазый, субтильный, с ершиком жестких волос, приподнимающих белую шапочку. Под мышкой — толстенный замызганный учебник в оранжевой обложке. Судя по внешнему виду, учебник не раз читали в ванной комнате. А также им дрались, забивали гвозди и резали на нем сырокопченую колбасу.

— Хороший погода, — на сей раз утвердительно, с выраженным акцентом произнес молодой медик. — Скоро гулять пойдешь на улица. У, счастливый, везет тебе. А я тоже хочу гулять, с девушки гулять хочу, а нельзя, не могу — несчастный, совсем несчастный! До сессия меня допускать не хотят. Когда сдам топографический анатомия, говорят, тогда. Раньше — нет. Сам виноват, друзья меня пить зовут, всегда иду, отказывать совсем не могу...

Что-то он еще говорил — этот несчастный счастливый человек, бытие которого было переполнено несметными сокровищами. Девушки, друзья, выпивка, институтская зубрежка, ветреный апрель — сколько нитей, привязывающих человека к жизни! И внезапно, подобно выздоравливающему, у которого при виде испускающей сытный пар тарелки с наваристым борщом пробуждается утраченный, казалось бы, аппетит, Анатолий почувствовал, насколько он хочет жить. Не просто так, серенько, по инерции, ежедневно тоскуя по спорту — он захотел, чтобы у него было это все: друзья, семья, профессия, книги — одним словом, все, что он упустил, точнее, недополучил в погоне за олимпийским золотом, за деньгами. То, что отобрал у него спорт, он вернет себе!

Первая часть жизни для Анатолия минула пассивно: мать повела его в спортивную школу — он пошел за матерью, словно теленок. После матери начал им командовать тренер — слушался тренера. А там уже покатилось-поехало, и он поверил, будто тройной прыжок — единственный возможный путь для него. А если мать ошиблась? Для того и существует свободный выбор, чтобы исправлять ошибки, — в том числе ошибки своих родителей. Если врачи не соврали, его переломы совместимы с долгой жизнью. А значит, он успеет все исправить. Он все успеет...

Не так давно Анатолий Малкин, уже будучи квалифицированным психологом, вычитал в специальной литературе необычный случай: больная аутизмом женщина, которая только в тридцать лет после длительного лечения научилась общаться с окружающими, читать и писать, в рекордные сроки выучила три иностранных языка и написала десять книг. Что-то похожее, правда, в менее резкой форме, произошло с самим Малкиным. Там же, в больнице, не теряя времени, он начал наверстывать то, что ему по возрасту полагалось. Начал с художественной литературы, но и «Каштанка», и «Три мушкетера», и даже «Преступление и наказание» были слишком далеки от того, что заставляло его страдать. Тогда он приучился следить за сюжетом, одолевать даже толстые книги, но почему люди восторгаются художественной литературой, на том первоначальном этапе так и не понял. Это сейчас он мертвой хваткой вцепляется в Чехова, Тургенева, находя на их страницах больше психологических открытий, чем в трудах Берна и Фрейда... Несколько больше его увлекло чтение популярных брошюр, которые, каждая на свой манер, обычно противореча другим, объясняла, что делать и как жить. Идеи брошюр показались ему малоперспективными, но в самом намерении помочь человеку, который (вроде него!) оказался в сложной ситуации, из которой не знает, как выкарабкаться, было что-то правильное. Если эти рекомендации ему не подходят, значит, должны быть где-то и настоящие, другие! Эх, пойти бы учиться на... это... как называются такие люди, которые помогают людям, оказавшимся в сложной ситуации? Психологи? Ну, значит, на психолога...

К сожалению, с его знаниями, точнее, их полным отсутствием нечего было даже мечтать о психологическом образовании. Пришлось заполнять пробелы, готовиться к поступлению, даже проучиться в течение года в коммерческом учебном заведении за свой счет — благо, чемпионские деньги еще не до конца растратил, хотя из осторожности приходилось постоянно себя урезать. Жить было трудно, жизнь была не блестящей. Но он жил! Он создал себе новые ценности взамен прежних и благодаря им сумел держаться на плаву. Кстати, если чем-то его спорт по-настоящему и наградил, то не известностью (чемпион мира в тройном прыжке никогда не достигал того уровня известности, какой пользуются футболисты, теннисисты и гимнасты) и не деньгами (они растворились без остатка), а именно вот этим фанатическим трудолюбием и умением добиваться поставленных целей.

— Только видите ли, какая штука, — доверительно произнес Малкин, наклоняясь к Денису через стол, — в психологии есть закон внимания: нельзя держать в фокусе одновременно и цель и средства. Когда человек хочет всеми правдами и неправдами выиграть — вот хотя бы выиграть деньги, — то он теряет контроль над средствами достижения. Это и произошло со многими русскими спортсменами.

— Это обвинение в адрес тех, кто принимает допинг, насколько я понимаю?

— Да нет, Денис Андреевич, кого и в чем здесь обвинять? Психолог — не прокурор. И неужели я, который преодолел, можно сказать, попытку самоубийства, рискну выступать как обвинитель? Речь сейчас не о том. Речь скорее о том, что, возвращаясь к высказыванию Пьера де Кубертена, можно считать спорт целым миром. При одном условии: этот малый, замкнутый мир не должен порывать связи с большим миром человеческих ценностей. В противном случае замкнутый мир спорта становится ужасен. В нем властвует один принцип: победа, победа любой ценой. В конечном счете, победа ценой человека, который таким образом оказывается мнимым победителем. Как вы понимаете, при такой цели годятся любые средства. Запрещенные — пожалуйста...

— Как вы интересно рассуждаете, — подивился Денис. — В вашем изображении психология спортсмена, который хочет добиться победы любой ценой, похожа на психологию преступника. Ведь преступник тоже не считается с общепринятыми моральными ценностями, тоже пользуется запрещенными средствами!

— Пожалуй, да. — Видимо, разговор был все-таки болезненным для психолога: он растерял всю свою защитную броню, растерянно потер лоб над стеклянной мисочкой, в которой растекалось мороженое. — Когда я вспоминаю годы борьбы за чемпионский титул, то прихожу к выводу, что, наверное, был отчасти похож на преступника. Пирата или солдата удачи. Засыпал и просыпался с одним императивом: «Добыть «золото» любой ценой!» Но будьте снисходительны, господин частный сыщик: все не совсем так, как вам показалось. Если преступник причиняет вред другим людям, то такой спортсмен, которого я вам описал, — только себе. Даже если он завоевывает «золото», в чем-то более важном он обязательно проигрывает.

Черпая ложечкой мороженое, которое на данной стадии растаивания скорее стоило бы пить, Малкин усмехнулся:

— Как психолог, я помогаю спортсменам, особенно бывшим спортсменам, преодолеть трудности и снова обрести себя. Им я даю четкие рекомендации, опробованные на десятках пациентов... Но если бы меня попросили дать рекомендации современному спорту в целом — честно говоря, только руками бы развел. Что тут предложишь? Ну что я предложил бы своему тренеру, если бы я, взрослый, советовал бы ему, как растить меня, ребенка? Формировать из маленьких спортсменов, когда их психика еще только развивается, гармонично развитых личностей, чтобы у них были другие интересы, помимо победы? Звучит красиво, но на практике, если не нацелить малявок фанатично на победу, они не смогут преодолевать все трудности и боли тренировок. В идеале, скорее всего, в спорт должны были бы приходить уже более или менее сложившиеся личности, но тогда резко упадет уровень рекордов, потому что чем раньше тренер захватывает растущий организм, тем лучше для спорта. Каков из этого выход? Не знаю, не знаю... Возможно, спорт достиг уже определенного... барьера, что ли. Барьера, который нужно перескочить, чтобы все стало по-новому...

Оставив на стеклянном дне мутную желтоватую лужицу мороженого, Анатолий взглянул на часы и резко поднялся:

— Извините, Денис, что-то заболтался я тут с вами. Боюсь, мне пора торопиться к клиенту.

Он исчез в сиянии дня, приближаясь к гипсовым статуям, — в своей черной рубашке с длинными рукавами, теперь заметно наклоненный вправо, довольно-таки трагичный. Денис как-то упустил из внимания, заплатил ли психолог за свой обед. Возможно, как постоянный посетитель кафе, он пользовался льготами? Или умением воздействовать на психику официанток?

26

Когда в кабинет Турецкого вошел Денис Грязнов, все такой же рыжий, как раньше, но несравненно более обеспокоенный, Александр Борисович почти не удивился. Отчасти он загрустил. И почти сразу же — обрадовался.

— Здравствуйте, дядя Саня. А я к вам по такому делу... Тут, в общем, такое дело загрузное, что в двух словах не расскажешь...

— Погоди, Дениска, ничего не говори. Если ты не можешь рассказать, то хочешь, я попробую выразить твое дело двумя словами?

— Вы что, дядя Саня, следили за мной?

— Нет, экстрасенсом заделался. Вот гляжу на тебя и стараюсь угадать: какая у тебя проблема... Стараюсь, стараюсь, концентрирую волю... Получилось! Ну как, говорить свои два слова?

Денис молча кивнул, поражаясь такому приступу веселости.

— Вот тебе два моих слова: анаболики и спорт.

— Дядя Са-аня! — Веснушчатое лицо Дениса вспыхнуло таким изумлением, что Александр Борисович не сумел удержаться от довольной ухмылки. — Вы что, и правда теперь всех насквозь видите?

— Да нет, Дениска, не пугайся, — успокоил его Турецкий, — я не рентгеновский аппарат и не колдун. Если в происходящем есть какая-то мистика, то я к ней не причастен. Что тут задействовано, мистика или статистика, не моего следовательского ума дело, но так уж сложилось, что в одно и то же время я и Юрий Петрович Гордеев, мой старый друг, который и тебе отлично знаком, стали заниматься делом об убийствах, которое вывело нас на распространение анаболиков среди спортсменов...

— Ну надо же! — подивился Денис. — А что вам удалось узнать по этому делу?

— Сначала, — весомо осадил его прыть Турецкий, — мне хотелось бы узнать, что известно тебе.

И Денис вкратце, но с живописными деталями изложил все, что составляло содержание последних недель его жизни, начиная от визита великолепной Аллы Лайнер и кончая сведениями, которые сыщики «Глории» получили попутно, не отвлекаясь от своего основного занятия.

— Если выражаться официальным языком, — посерьезнел Денис в конце своей речи, — то в процессе наблюдения за спортсменами, употребляющими запрещенные стимуляторы, а также за их тренерами, врачами, массажистами, администраторами и менеджерами, наши сотрудники обратили внимание на преступные контакты некоторых из этих лиц с дилерами, широко распространяющими анаболики. Эти дилеры как минимум в течение нескольких месяцев снабжают любительские гимнастические залы, а также и тренеров, врачей и профессиональных российских спортсменов, в том числе и олимпийцев, большим количеством запрещенных средств допинга. Формально эти дилеры представлялись сотрудниками официальной фирмы «Фармакология-1», которая якобы специализируется в области фармакологической поддержки бодибилдинга. Люди эти, дядя Саня, скорее всего, из международной банды, — снова снизил Денис свой деловой тон.

— У тебя есть какие-нибудь доказательства или это просто предположение? — уточнил Турецкий, выслушивавший грязновского племянника, как всегда, с большим интересом.

— Да нет, Сан Борисыч, не просто... Филипп Агеев, он у нас наблюдательный, заметил, что на документах, которые предъявил ему дилер из «Фармакологии-1», стояли грифы совместной фирмы, русскоамериканской.

— Ну и?..

— А что «ну и», дядя Саня? Я сделал все, что мог. Не знаю, как дальше повернуть и в какую сторону.

— Так вот что, парень, — Александр Борисович поотечески похлопал директора ЧОП «Глория» по плечу, для чего ему пришлось поднять руку — молодой Грязнов был выше ростом, — поработал ты на славу. Ты ведь уже проделал работу, о которой просила заказчица? Так на здоровье, можешь сдать ей сведения и получить окончательный расчет. То, что дальше, —

дело мое. И еще — сотрудников Федеральной службы по контролю за оборотом наркотиков...

— Что? — ужаснулся Денис. — Дядя Саня, только не эта служба! О ее продажности легенды ходят!

— Вот еще ерунда, — поморщился Турецкий. — Какие там легенды? Легенда — факт недостоверный, видно из названия. Среди сотрудников МВД тоже попадаются люди, нечистые на руку, но ты же не боишься с милицией контактировать, ведь так?

— Нет, — жестко сказал Денис.

— Ну вот видишь! Что и требовалось доказать. Я и так вижу, что не боишься...

— Да нет, я не об этой службе... С заказчицей я совершить окончательный расчет пока не могу. Я еще не побывал в лаборатории «Дельта».

27

Глубокая ночь — августовская, все еще жаркая ночь в Москве. Юрий Гордеев расхаживал взад-вперед по комнате... Не в гостиничном номере, а в собственной квартире, куда он свалил из «Вэрайети Плаза», выяснив все, что ему было нужно. По крайней мере, основное. Горничная Вера не располагала обширными познаниями, однако относительно молодого богатого брюнета с поврежденной левой рукой была информирована. Как и весь персонал отеля.

Его фамилия была Алоев... Точнее, единственное число сюда не подходило, так как в деле об убийствах Любимова — Чайкиной, согласно предположениям адвоката Юрия Гордеева, оказывались задействованы двое Алоевых. Первый — молодой кавказец без двух пальцев на левой руке, замеченный свидетелями, — носил имя Мансур. Однако существовал еще и другой

Алоев — Захар, отец Мансура. Миллионер, один из самых богатых людей в чеченской диаспоре — а это вам, между прочим, не шуточки. Владелец отеля «Вэрайети Плаза» и черт знает скольких еще гостиниц, заводов, газет, пароходов. Депутат, кстати, Государственной думы... Ну, последнее не обязательно свидетельствует о высоких моральных качествах старшего Алоева. Депутатской неприкосновенности ведь, помнится, президент не отменял?

Гордеев отдавал себе отчет в том, что он ввязывается в опасные игры. Анаболики, околоспортивные махинации, колоссальные деньги и чеченское участие — каждый из этих компонентов сам по себе ничего хорошего не сулил. А прибавьте сюда еще депутата Госдумы в качестве закадрового действующего лица — совсем скверный компот получается... В Гордееве задним числом проснулся инстинкт самосохранения, и он подумал, что напрасно так неосмотрительно подчинился охотничьему азарту и допустил прокол: оставил в гостинице подлинные данные паспорта. А еще с Верой контачил... Не лучше ли было сразу обратиться к следователю? Да нет, само собой, не к печально известному Дмитрию Горохову, у которого и так голова слабо варит, а если сообщить ему алоевские данные, он, чего доброго, от страха штаны обделает. И не к какому-нибудь новому, но неизвестному, способному оказаться причастным к уголовщине или падким на деньги... Но к Сашке Турецкому, спрашивается, почему он не мог сразу пойти?

Не мог, и все. Проводить беспалого до гостиницы было мало: Гордеев не мог его просто так, за здорово живешь, упустить, не разведав, где он и что он. Гордеев бы себе этого не простил! Он бы помер от любопытства!

Устав бродить по комнате и рассуждать, Гордеев прилег на диван напротив телевизора и нажал на кнопку третьей программы: там как раз должны были начаться новости. После новостей, в меру непримечательных, в меру недоговоренных (по крайней мере, таким они видятся осведомленным личностям), тотчас же, без рекламного перерыва, начался французский художественный фильм, и это оказалось кстати, потому что, если вспомнить, Гордеев сейчас отдыхал... Кстати говоря, ведь все полагают, что в данный момент он находится в Подмосковье? Очень хорошо, пусть так и считают. По крайней мере, он сможет в тишине и спокойствии разведать все, что можно, и о старшем Алоеве, и о младшем. Не откладывая дела в долгий ящик, надо съездить завтра с утра к старому другу, тоже юристу — Гордеев знает, к кому он может обратиться, чтобы получить дополнительные сведения о депутате Госдумы. И эти сведения он с легким сердцем передаст Саше Турецкому. Ведь это не в гордеевском характере — бросить дело, не доведя его до конца!

Всю ночь по подоконнику то размеренно стучал дождь, то погромыхивала гроза, а вот утро выдалось славное: освеженное озоном и наполненное солнцем. Солнце колебалось в луже, куда наступил Гордеев, подходя к своей машине. «Опель-корс» пережил ночь без малейших потерь.

— Эй, мужик, — услышал сзади Гордеев, — ты что себе воображаешь? Твоя сигнализация всю ночь завывала, весь двор перебудила на фиг!

Гордеев по инерции обернулся. Заготовленный ответ относительно того, что сигнализация у него дистанционная, а потому перебудить всю округу никак не могла, завывать могла бы исключительно в квартире, но никак не на весь двор, угас в его груди, когда его нос и рот зажала душная тряпица, пропитанная навевающей сны жидкостью. Но, сопротивляясь накрывающей его тьме, Гордеев успел увидеть искаженное, словно снятое объективом «рыбий глаз», небритое кавказское лицо с глазами-сливами и огромнейшим носом... И — отрубился.

Сознание возвращалось к Гордееву медленно, как бы толчками. С первым толчком отлетели прочь тяжелые сны, содержание которых он не мог запомнить, да и не пытался. Вторым толчком было мучительное возвращение в свое тело, отзывавшееся уймой мелких болей. Обнаружилось, что руки и ноги у него стянуты чем-то жестким — скотчем или веревками, до невозможности пошевелить ими, до онемения пальцев, а глаза прикрывает повязка, сквозь плотную ткань которой едва пробиваются искорки света... Что это с ним? Где это он? Что случилось? И тогда третий толчок вбросил Гордеева в прошлое. Нет, не в ближайшее: происшествие во дворе возле машины будто гигантским ластиком стерло из его памяти. Последнее, что он запомнил, был смутный рассвет и дождь за окном, словно враги проникли в его квартиру и захватили его сонного. Но кем, скорее всего, являлись эти враги и какие цели они преследовали, Гордеев моментально вспомнил — и не обрадовался тому, что пришел в себя.

— Очухался, голубчик, — донесся до него извне булькающий голос. То ли его обладатель страдал каким-то заболеванием дыхательных путей, то ли чувства Гордеева, в том числе и слух, неадекватно передавали действительность. — Стонет... Глаза ему открыть?

По всей видимости, булькающему уголовнику подали утвердительный знак, потому что прикрывавшую глаза Гордеева плотную ткань сдернули с его лица, рванув кожу и брови, энергично и больно, словно отрывали присохший к ране бинт. Должно быть, медицинское сравнение, мелькнувшее в еще не совсем здоровом гордеевском мозге, было порождено открывшимся ему зрелищем. Метрах в двух над ним нависал, горбясь, кирпичный свод, с которого свешивалась пыльная голая лампочка, точно в гнилом каземате. А еще ближе, чем свод — в опасной близости, — нависало лицо, прикрытое снизу зеленой повязкой-респиратором, а сверху — зеленой марлевой шапочкой. Фактически оставались на виду только густые брови и серые, пристальные, окруженные морщинами глаза. Выражение серых глаз Гордееву не понравилось. Еще менее ему понравился двадцатиграммовый шприц с внушительной иглой, который сжимала обтянутая резиновой перчаткой рука. На конце иглы дрожала капля лекарства, содержащего в себе непредсказуемые последствия.

Гордеев хотел бы сделать вид, что снова потерял сознание, но знал, что не сможет выглядеть достаточно убедительным в этой роли.

28

Дело явно склонилось в сторону запрещенных — или полузапрещенных — к употреблению лекарственных препаратов, и Турецкий по совету Меркулова обратился в Федеральную службу по контролю за оборотом наркотиков с просьбой выделить в его бригаду опытного знающего сотрудника. Следствием просьбы явилось то, что уже на следующее утро на пороге его кабинета появился жгучий брюнет с майорскими погонами, открывающий в улыбке желтые, но крепкие, как у грызуна, длинные зубы. Карие, с прищуром, глаза, обаятельный баритон, ухватистая походочка — не то популярный исполнитель одесских песен, не то революционный моряк-анархист. Доложил он о себе, впрочем, безо всякого анархизма, по всей форме:

— Майор Федеральной службы по контролю за оборотом наркотиков Тимофей Зайчик. — И тотчас, доверительно понизив голос, добавил: — Кстати о птичках, то бишь о зайчиках. Вчера наше телевидение показало здорово юмористический мультфильм — о фокуснике, который тянет за уши кролика из шляпы. Тянет-потянет — кролик не поддается. Сильнее тянет — кролик все равно не вылезает: зацепился, видать. Фокусник уже разозлился, рванул со всей силы — и оторвал кролику голову! Фонтан кровищи, публика в обмороке... В общем, смешной мультфильм.

— Гм... да, наверное, — вынужденно согласился Турецкий, который, откровенно признаться, не нашел, что еще сказать.

— Так это я, в общем, к тому, что многие хотели бы оторвать мне голову, но пока что никто этого не добился. На плечах у меня надежный компьютер, и база данных в нем приличная. Ваша проблема в распространителях запрещенных стимуляторов, так я понял?

В эту первую встречу обнаружилась примечательная черта Тимофея Зайчика, которая так сильно воздействовала на окружающих: его чувство юмора. Если соблюдать полную точность, его чувство черного юмора. По любому поводу и без повода майор с милой фамилией Зайчик атаковал сотрудников анекдотами, где фигурировали кровь, увечья и смерть. Когда анекдотов не хватало, шли в дело случаи из служебного опыта, а опыт у Зайчика был богатый и колоритный. Это свойство, в совокупности с полным отсутствием субординации, делали майора довольно-таки невыносимым субъектом. Но его профессионализм и любовь к своему делу вызывали уважение и заставляли считаться с ним. В конце концов, нет человека без недостатков...

Едва на экране компьютера возникли вызванные щелчком мышки фотографии, запечатлевшие распространителей стимуляторов и анаболиков, Зайчик лениво, как что-то, давно набившее оскомину и само собой разумеющееся, начал излагать:

— Это Внуков, бывший героинщик. Задерживался четыре года назад, но распространение ему вменить не удалось, количество обнаруженных у него наркотиков тянуло только на употребление. Волевая, видишь ты, личность, сумел слезть с иглы. Теперь других травит, н-да... Это — Сеня Метелкин, бо-ольшая знаменитость. Досье на него толще, чем «Анна Каренина». Самого Метелкина прижать к ногтю — великая честь... А это у нас кто-то новенький. Спортивный доктор, говорите? Познакомимся с доктором, непременно познакомимся, побеседуем за жизнь. Знакомиться с новыми людьми — это, понимаете ли, моя слабость, уж такой я уродился общительный...

— Проблема для нас не в том, — постарался разъяснить Турецкий, — чтобы взять исполнителей, а в том, чтобы установить, кто за ними стоит и откуда ползет вся эта зараза.

— Так это главное, что нам спать мешает! Отследить контакты — дело первой необходимости. Но что я вам скажу, Александр Борисович: брать исполнителей надо. Только брать надо умеючи, иначе от всего отопрутся. А уж если по-настоящему зацепить, расколоть мы их всегда сумеем! Кстати о птичках, не уверен я, что Внуков по-настоящему слез с иглы: если не героин, так что-нибудь другое обязательно употребляет. Спрыгнуть с одного наркотика, подсесть на другой — у этих дружбанов в порядке вещей, это не новость. А если употребляет, его особенно и раскалывать не придется: подержать в камере сутки без любимых лекарств, так он нам расскажет все, что знает, и даже больше того. Но только никакой самодеятельности! Я активизирую своих агентов, внедренных в эту среду, и только тогда мы решим все окончательно: когда и где брать.

Узнав, что этим делом занимается также и Департамент уголовного розыска МВД, молодым работникам которого, по всей видимости, и придется осуществлять захват распространителей анаболиков и запрещенных стимуляторов, неутомимый Зайчик рьяно направился на Петровку, чтобы там провести свой инструктаж.

Спустя день Турецкий, встречаясь со Славой Грязновым, решил уточнить:

— Ну и как, прискакал к вам Зайчик?

— Какой еще зайчик?

— Представитель Федеральной службы по контролю за оборотом наркотиков. Майор Зайчик.

— А, это тот, что ли, который анекдоты про расчлененку рассказывает? — живо отреагировал Слава. И насупился: — Маньяк он, а не майор.

— Ага, — с удовольствием сказал Турецкий, — судя по этой характеристике, вы уже познакомились. Так вот, Слава, что я тебе по-дружески скажу: зови его майором Зайчиком или маньяком Зайчиком, как хочешь, но ты его слушайся. Какие бы анекдоты он ни травил, но он специалист, и без него нам с этим делом не справиться.

Давыдов с глубоким недовольным вздохом, почти шипением, напоминавшим радиопомехи, откинулся на спинку кресла. Губы его досадливо вытянулись в хоботок, лоб наморщился. Усилием воли расслабив лицевые мышцы, доктор Давыдов принялся дышать излюбленным, предназначенным специально для успокоения способом: медленно, на счет «раз» — вдох, на счет «четыре» — выдох. Вдох — задержать дыхание — выдох, вдох — задержать дыхание — выдох... Как при нырянии. Погружаешься с головой, над тобою смыкается вода... Ну, вот все и пришло в норму. Что и требовалось доказать. Вода всегда его успокаивала, он любит плавать — зимой в бассейне, летом в речке. Так, не для рекордов, для себя. Он не спортсмен, он врач, специалист в своем деле. Доктор наук, заслуженный врач Российской Федерации. Несмотря на то что в спортивном руководстве практически все места занимают удалившиеся на покой титулованные спортсмены (которым, заметим как бы между прочим, удалось оттолкнуть от кормушки более титулованных, но менее пробивных), Тихон Давыдов, возглавляющий антидопинговую комиссию Олимпийского комитета, составлял приятное — или неприятное, это уж кому как — исключение. Он врач.

Что ж, он действительно отменный специалист, доктор наук, много лет и усилий посвятил фармакологии и биохимии. А вот спортом никогда не занимался. Нет, не занимался. Несмотря на то, что, прежде чем заняться исследованием допинга и того вреда, который он наносит человеческому организму, Тихон Давыдов преклонялся перед олимпийским движением. Это была его мечта. Его белокаменная мечта, видение давно отлетевшей античности в современном мире...

Откуда это пошло, когда зародилось? В странной, непостижимой для нынешнего восприятия, разделенной на отдельные крошечные царства и вследствие того раздираемой междоусобными войнами Древней Греции. Насколько он помнил древнюю историю, царь слабого государства Элида по имени Ифит поехал в Дельфы к оракулу, чтобы спросить совета, как ему и его царству выжить в окружении сильных соперников. Оракул, надо сказать, часто изрекал всякую чушь, что с медицинской точки зрения неудивительно: он вещал, сидя на треножнике над горной расщелиной, из которой выходил скопившийся в недрах земли опьяняющий газ. Находился, таким образом, под кайфом, выражаясь современным языком, а потому некоторые его изречения точь-в-точь напоминали продукты галлюцинаций. Но, по крайней мере, Ифиту оракул изрек вещь вполне здравую:

«Нужно, чтобы ты основал Игры, угодные богам!»

Или, может быть, Ифит, поразмыслив над советом, додумался до верного хода. Очевидно, это был мудрый государственный деятель. Договорившись с соседними царями, он добился, чтобы Элиду признали нейтральным государством. А уж Ифит, получив гарантии того, что воевать с ним никто не станет, в знак своего миролюбия учредил атлетические игры, которые должны были проходить каждые четыре года в местечке под названием Олимпия. Поэтому и стали называть эти Игры — Олимпийскими... Разумный политический ход? Чрезвычайно разумный. Это шоу, на которое стекались зрители и участники из всех соседних государств, упрочило репутацию Элиды как нейтральной территории. Однако современным понятием «шоу» или «зрелище» исчерпывается не все...

Да-а, Эллада, Эллада! Слитость с природой и устремление ввысь, рукотворные статуи богов и стремление уподобиться богам, которые представлялись в прекрасном человеческом облике, в сиянии одухотворенной плоти. Древние греки перестали бы быть древними греками, утеряли что-то в самих себе, если бы устроили из Олимпийских игр праздник красивого тела, где превозносится исключительно быстрота бега и сила мышц. Нет, это был праздник совершенного, возвышенного, чистого человека. Чистого в первую очередь ритуально: по тем временам к Играм не допускались варвары, то есть чужеземцы, не граждане греческих государств, а также те, кто был запятнан в преступлении, богохульстве и святотатстве. Кроме того, трудно сейчас поверить, но в программу древних Олимпийских игр входили соревнования музыкантов и поэтов. Не считал эти игры недостойными своего внимания философ и математик Пифагор, выступавший как кулачный боец... В некотором смысле это было соревнование, направленное на уподобление богам. Недаром победителям Игр воздвигались мраморные статуи, как Зевсу, Аполлону, Артемиде... Человек должен был проявить лучшие черты не только своего тела, но и разума, и способностей к творчеству!

Примерно такая идиллическая картина Эллады, украшенная зеленой, экологически чистой травой и белоколонными храмами, представлялась Тихону Давыдову до тех пор, пока он не принял в свои руки антидопинговую комиссию Олимпийского комитета. С этого несчастного момента идиллическая картина начала портиться, сперва из нее исчезли какие-то детали, точно из поврежденной мозаики, а потом она целиком превратилась в мешанину пестрых сомнительных пятен, где ничего нельзя толком разобрать. Вместо совершенного, гармонично развитого человека — атлета, музыканта, кулачного бойца, философа — в современном мире возник индивид, который с утра до ночи занимается только тем, что школит свое тело в избранном виде спорта; пролагать пути в науке или искусстве ему уже некогда, да он и просто не в состоянии. «Варваров-чужеземцев» — спортсменов из других стран, показавших наилучшие достижения — не только принимают в свои команды, но и переманивают, платят им огромные деньги. Все завязано на деньгах. Должно быть, у греков было не так... Полно, да не идеализировал ли Давыдов Олимпийские игры вообще, и древние в частности? Древние греки были большие мастера идеализировать сами себя, представлять свои не самые пристойные поступки и склонности в виде воли богов, вследствие чего они приобретали ложно-пафосное звучание. Что такое с современной точки зрения истории Эдипа или Ореста? Бытовуха, убийства на почве сложных семейных отношений, только и всего. Вот и игры в местечке Олимпия при ближайшем рассмотрении, возможно, вызвали бы у доктора Тихона Давыдова неприятие своей жестокостью: кулачный бой допускал применение того, что мы сейчас назвали бы кастетом, участники выходили с поля боя окровавленными и искалеченными, часто их выносили едва живых... На расстоянии не замечаются подробности: когда подносишь к глазам бинокль, все становится менее привлекательным, чем мерещилось издалека.

А может, все гораздо элементарнее? «По несчастью или к счастью, истина проста: никогда не возвращайся в прежние места». Ничего не надо возвращать, потому что ничего нельзя вернуть. И заблуждался милый идеалист Пьер де Кубертен, который в конце XIX — начале XX века на голубом глазу полагал, будто возрожденное олимпийское движение способно вдохнуть в человечество «дух свободы, мирного соревнования и физического совершенствования». Дух свободы? Скорее дух фанатизма оголтелых болельщиков, ищущих на стадионе выход разгоряченным эмоциям. Мирное соревнование? Борьба бульдогов под ковром, масса уловок, от сравнительно честных до уголовно наказуемых, которые предпринимаются ради того, чтобы дать выиграть своим и утопить чужих. Что касается физического совершенствования, тут Кубертен был истинным наследником Древней Греции и полагал, что возможности физического совершенства человека безграничны. Будучи врачом, Тихон Давыдов согласиться с ним не мог: наука свидетельствовала четко и однозначно, что как ни развивай мускулы и суставы, все же у их развития есть предел, который человеческий организм не может переступить. Если он, конечно, человек, а не супермен из фильма, напичканного компьютерными спецэффектами. И тогда на сцену выходит Его Мерзейшее Фармакологическое Величество — допинг.

В чем Давыдов видит основной недостаток современного спорта? В том, что он стремится сделать из спортсмена не олимпийское божество, спокойное и гармоничное, а... лошадь. Да, именно так! Сам по себе термин «допинг» пошел из мира скачек, особенно популярных в Англии, и берет начало в глаголе dope, что означает «заставить лошадь быстрее бежать на скачках». Очень скоро чума допинга перекинулась и на людей: так стали называть любые химические вещества или манипуляции, которые искусственно стимулируют физическую либо психическую работоспособность спортсмена. Против этого Тихон Давыдов боролся всеми доступными ему методами. Потому что это нечестно, вредно, неспортивно, в конце концов! Так полагал Давыдов — тоже, оказалось, по-своему идеалист. Потому что постоянно натыкался на глухое, но упорное сопротивление — тренеров, спортивного руководства, даже коллег-врачей, которые, казалось бы, по долгу службы должны были его поддерживать. Но нет, они тоже на первое место ставили не здоровье вверенных им спортсменов, а победу. Престиж нации! На самом деле, о каком престиже может идти речь, если на Олимпиаде при обнаружении в крови и моче следов стимулирующего вещества победитель обязан вернуть золотую медаль? Скорее, национальный позор. Можно потом долго оспаривать решение, утверждать, что стимулятор входил в состав обычной пищевой биодобавки и ни спортсмен, ни тренер не знали о его наличии там; можно с пеной у рта доказывать, что экспертиза была предвзятой — в любом случае пятно на репутации останется. В первую очередь пятно на репутации спортсмена. Ну так что же! Лес рубят — щепки летят. Мало у нас разве людей? Вместо одного, который не сумел перейти антидопинговое минное поле, возьмут другого. Прикрывать его будут получше, но стимулятор в тот или иной момент подсунут и ему. Ради нового мирового рекорда.

Скаковые лошади... Все чаще возникал этот образ в сознании доктора Тихона Давыдова. Взмыленные лошади, которые несутся бешеным галопом, перепрыгивая барьеры и рвы. Лошади, которые падают, не преодолев препятствия. Ломают хрупкие изящные ноги, отшибают внутренности, будучи обречены на верную смерть. Он видел перед собой плачущие глаза — лошадиные или человеческие? Тоска и жалость истекали из этих глаз...

Неудивительно, что Давыдов постепенно погружался в пучину чернейшего пессимизма. Он больше не хотел говорить с посторонними о спорте — хотя в начале карьеры давал направо и налево интервью, превознося идеалы олимпийского движения. Он не хотел говорить о борьбе с допингом, сознавая, что не совершил на своем посту и половины того, что задумал, — хотя продолжал делать все, что только возможно. Временами, в минуты отчаяния, он думал, что допинг становится неотъемлемой, хоть и не признаваемой официально, частью современного спорта и что он ничего не сможет с этим поделать. И никто не сможет. И, самое главное, никому это не нужно и не интересно.

Как вдруг объявились эти самопальные энтузиасты, члены «Клуба по борьбе с запрещенными стимуляторами» — в основном сами спортсмены и тренеры. Решили, так сказать, сбросить допинг с трона движением снизу. Приглашали Тихона Давыдова вступить в их клуб, чтобы придать ему легитимность. От вступления он отказался, но свое, так скажем, профессиональное благословение дал. С тем чтобы они не слишком-то усердствовали. Дело-то, в общем, благое, однако не все равно, каким способом его делать. А то, помнится, среди членов клуба были такие горячие головы, которые предлагали бороться с приемом допинга средствами, которые законными считаться не могут. Несмотря на то что, будь воля Давыдова, он бы с радостью все эти анаболики и стимуляторы психики искоренил, он считал — и продолжает считать! — что бороться нужно все-таки с допингом, а не с людьми, принимающими допинг. Тем более что большинство этих людей ни в чём не виноваты, а если виноваты, то своими страданиями уже с лихвой искупили вину.

Да, так что там получилось с этим клубом? Несколько раз его представители связывались с Давыдовым, но ни одной совместной акции так и не провели. Ну да, конечно, ему кое-что о них известно, но далеко не все. У него сложилось впечатление, что радикальное крыло клуба поссорилось с менее радикальным, или не поссорились, а просто не сошлись во мнениях, и с определенного момента они стали действовать раздельно... Ну да кто их разберет! Все самодеятельные образования, стремящиеся заменить собой официальные структуры, страдают неорганизованностью, из-за которой постепенно их деятельность сходит на нет — как правило, ко всеобщему облегчению.

Но у «Клуба по борьбе с запрещенными стимуляторами», очевидно, вышло по-другому... что-то там получилось нехорошее, иначе не стала бы беспокоиться по этому поводу Генпрокуратура. Тихону Давыдову надо как следует продумать, что отвечать в Генпрокуратуре. Если его попытаются завалить, он намерен упирать на то, что ни к чему не причастен, наоборот, удерживал членов клуба от необдуманных поступков. Что до него, он просто делает свое дело. И, как истинный профессионал, терпеть не может самодеятельности. Тем более когда она создает опасность.

Бедные, наивные создатели «Клуба по борьбе с запрещенными стимуляторами»! Не представляют они, в какое осиное гнездо лезут, какой огонь со стороны криминала способны вызвать на себя. Он, Тихон Давыдов, представляет. Он как раз сейчас раскапывает сложные связи, которые от непосредственных поставщиков допинга ведут на самый государственный верх, в Госдуму... Но тише! Без доказательств — это просто клевета, за которую его, если он вздумает заявить об этом во всеуслышание, сровняют с землей. Если ему удастся раздобыть доказательства этих связей, тогда он, и верно, до генпрокурора дойдет. Уж он этого так не оставит! Это будет сильный удар по допингу...

А до тех пор — извините, встречаться с представителями Генпрокуратуры по поводу «Клуба по борьбе с запрещенными стимуляторами» Тихону Давыдову не слишком хочется.

29

Операцию по проникновению в пределы наркологической клиники на Зеленом проспекте готовили в
спешке, но серьезно. Первым делом отыскали подсад-
ную утку, готовую обеспечить базис для желаемого
проникновения. «Уткой» оказался двоюродный племянник Севы Голованова, «отвязный перец» в пере-
ходном возрасте — от дикого к более или менее ста-
бильному, — который у него продолжался вот уже десять лет и заканчиваться не собирался. Выкуренные
«косяки», а также время от времени полоски «кокса»
не были новостью в его бурной жизни, на карьеру про-
граммиста факт пребывания в специализированной
клинике, даже если о том станет известно, повлиять
не мог, а потому Димка по прозвищу Шлем охотно согласился сделать перерыв в течении жизни, полном
бурь и терзаний, и залечь в клинику. Кстати, ему любопытно было ознакомиться с бытом подобных учреж-
дений: такого он еще не пробовал.

А навестить больного родственника — святое дело.
У кого могут быть возражения? Уж конечно, не у на-
чальства и вахтеров клиники. Сева Голованов отправился в качестве родственника, Денис Грязнов — в качестве друга. Терпеливо перенеся почти тюремный
обыск, в процессе которого наркотики не искали разве что в интимных местах, глориевцы вступили наконец в пределы мощностенного забора. Животрепещу-
щий вопрос, в каком корпусе скрывается лаборатория,
разрешился при посредстве схемы, служившей, вместе с плакатом «Здоровый образ жизни — наш приори-
тет», главным украшением зазаборных зеленых про-
странств.

— К Димону-то зайдем? — В Севе неожиданно взыграли родственные чувства, несмотря на то что раньше племянника он видел эпизодически, на самых крупных семейных торжествах. — Мы ж не зря ему апельсиновый сок купили...

Апельсиновый сок и две пачки печенья «Юбилейное», разместившиеся в Денисовом «дипломате», стали, в процессе обмозговывания предстоящей операции, не только данью заключенному в стенах наркоклиники Димону, но и конспиративной деталью, введенной для пущего правдоподобия: кто же в больницу к родственнику без гостинцев наведывается?

— Зайдем, — посулил Денис, — только сначала сходим в лабораторию.

Наиболее надежным средством остаться незамеченными в лаборатории были медицинские белые халаты, однако, если бы их обнаружили при досмотре, это вызвало бы основательные подозрения, и от халатов пришлось отказаться. На подходе к корпусу Денис с некоторым облегчением обнаружил, что они все равно не пригодились бы: работники лаборатории в этой клинике носили особые халаты — с завязочками на спине. Форма такая, наподобие хирургической. Понятно... В каждом доме свои порядки...

— А что мы хотим найти? — поинтересовался Голованов.

«Сам не знаю, — подумал Денис. — Что-нибудь сомнительное, что позволило бы эту самую «Дельту» прищучить к радости госпожи Аллы Лайнер». Но отвечать так подчиненному было бы несолидно: если начальник не знает, чего хочет, то кто же, спрашивается, должен это знать? Поэтому Денис Грязнов с должной долей уверенности и солидности заявил:

— Доказательства международного спортивного заговора против России.

— Ага. — Очевидно, Голованов удовлетворился этим шатким объяснением их миссии — по крайней мере, следующий вопрос был задан на другую тему: — Вдвоем пойдем или как?

— А чего нам стесняться, раз уж мы без халатов? Удостоверения у нас при себе. Войдем прямо и спросим «Дельту», чем это они тут занимаются и по какому праву.

Дверь лаборатории была распахнута настежь, потрясая мир шедевром излеченного алкоголика. В это впечатляющее полотно Денис буквально впился, не отрывая взора, на четверть минуты забыв, зачем он здесь:

— Ну и ну! Сева, только глянь на это!

— Пойдем, Денис, — потянул его за рукав Голованов, менее подверженный расслабляющему воздействию произведений искусства. — Нечего любоваться всякими гадостями. Вот полюбуйся лучше на этих милых девчат, которые нам сейчас поведают местные тайны мадридского двора.

«Милые девчата», вчетвером занимавшие комнату с алкоголическим полотном, дружно обернулись. Трое из них действительно относились к женскому полу, а что касается четвертой персоны — увы, оказалось, что самые красивые пышные белокурые волосы, гладко забранные под резинку в «конский хвост», принадлежат парнишке лет двадцати, плотноватому и такому же, как Денис, веснушчатому.

— Что вам нужно? — баском спросил он, видимо неся ответственность за остальных, как петух за свой курятник.

— Агентство «Глория», — дуэтом рыкнули Денис и Сева, помахивая удостоверениями.

К чести лабораторных тружеников, они ничего не скрывали — потому что особенно нечего было утаивать. Да, к ним привозят пробы крови, иногда мочи — они делают анализы, выявляя наличие анаболических стероидов или продуктов их распада. Работа нетрудная, платят более чем достаточно. Правда, болтать о ней запрещено, потому что им сказали, что спортсмены, чьи естественные жидкости подвергаются исследованию, способны и загубить результаты, чтобы избежать изобличения в приеме допинга, и даже убить. Возглавляют лабораторию иностранцы, фамилия главного из них — Шварц, а заместителя — Карполус. Они же нанимали лаборантов: девушек набрали в других больницах и поликлиниках, парня по имени Вадим взяли свеженького, после фельдшерского училища. Так что лаборанты о глобальной стратегии своей работы ничего не знают, а все обязаны знать Карполус и Шварц. Им и карты в руки. С ними поговорить бы — это полезнее... Жаль, здесь они редко бывают, все больше в Малаховке, где Институт физкультуры, а может, и в других местах. Трудно их застать.

Может быть, так оно обычно и было, но сегодня судьба улыбалась частным сыщикам. Правда, на лице массивного смуглокожего типа в очках, который вломился в помещение, потрясая кулачищами, улыбка не присутствовала. Скорее, у него было выражение человека, который обнаружил на своей чистой, вылизанной кухне с белым кафелем россыпь тараканов: смесь гнева и брезгливости.

— Кьто вас сьюда пустиль? — набросился он на Грязнова с Головановым.

Те отстранялись от его волосатых кулаков, всячески избегая, чтобы не дать случайно сдачи: а то еще выйдет международный конфликт.

— Никто нас сюда не пусти... не пускал, — попытался Денис оправдать лаборантов, на которых важный заграничный начальник мог сорвать свою прущую во все стороны злость. — Сами вошли. Господин Шварц... или Карполус? Господин Карполус, мы уполномочены поговорить о ваших методах... сбора проб у русских спортсменов... да хватит руками махать! Посмотрите, вот удостоверения, мы представляем частное охранное предприятие «Глория»... Ваши методы некорректны...

Но как бы они ни старались держаться в рамках, ничто не могло утихомирить расходившегося Карполуса. Из его визга, где по-русски звучала едва ли треть внятных слов, можно было извлечь только угрозы. Карполус грозил пожаловаться в Международный олимпийский комитет, в ООН, в посольство Греции и вдобавок торговому представителю США Дэвиду Гроссу. Вообразив, что пришельцы похитили что-то из лаборатории, Карполус принялся отбирать у Дениса его «дипломат». Денис не отдавал. «Дипломат» раскрылся, и по полу весело запрыгали пачки печенья «Юбилейное», а сверху плюхнулся литровый пакет сока. Лаборанты тихонько отползали под столы, заставленные пробирками: они были в восторге от такого яркого перерыва посреди рабочего дня...

— Ну и как, добились чего-нибудь? — спросил Димка, озадаченно принимая в подарок юбилейно-печеную труху в порванной упаковке. — Подрались, что ли?

— Нет, — на оба вопроса ответил одним словом Сева Голованов.

Денис не был столь категоричен. Кое-что, по его мнению, выяснить удалось. Во-первых, побывав в логове врага, чувствуешь законную гордость. Во-вторых, почему Карполус поминал отдельно Дэвида Гросса? Это что — его «крыша» в верхах?

...Вадим Глазков, юный фельдшер-лаборант, считал себя абсолютно счастливым человеком. Счастье его было сродни счастью Емели, обладателя замечательной волшебной щуки: Вадим считал, что все люди вокруг него что-то уж чересчур суетятся, наподобие Емелиных умных братьев, которые в конечном счете остались ни с чем — ну, может быть, только со своим запущенным бедноватым хозяйством и со своей развороченной худой избенкой, из которой Емеля изъял даже печь.

Если суетиться, обязательно что-нибудь не так сделаешь, и получится только хуже. А если не рыпаться, а медленно передвигаться в плавном потоке жизни, счастье само тебя найдет и преподнесет тебе больше, чем если бы ты упорно старался. Одним словом, как это формулировали древние китайцы: «Сядь на берегу реки и любуйся на воду, и рано или поздно ты увидишь, как по реке проплывет труп твоего врага...» Гм, нет, пожалуй, это не вполне подходящий пример: врагами Вадим не обзавелся благодаря своему пофигизму и добродушно-равнодушному отношению к окружающим. Скажем, лучше так: «Сядь на берегу реки и жди: рано или поздно по реке проплывет волшебная щука. Тогда тебе останется только поймать ее, и дело будет в шляпе».

Как ни покажется это удивительным, в нашей, далеко не сказочной действительности принцип Емели действовал, принося Вадиму спелые, сочные плоды. Ему удавалось жить как-то очень ровно, не получая душевных травм и избегая неприятностей. В школе он учился неплохо, но и не слишком хорошо, удобно обосновавшись как на парте в середине среднего ряда, так и в оценочном среднем диапазоне, перебиваясь с троечки на четверочку. Он бы и вовсе не учился, чтобы не затрачивать лишние усилия, но оказаться двоечником, которого прорабатывают на собраниях, из-за которого папа с мамой сходят с ума и устраивают постоянные скандалы, означало бы слишком хлопотную жинь. Вопреки увещеваниям родителей и учителей, находивших в этом середнячке отличную память и достаточно острый, хотя и несколько заплывший ленивым жиром ум, Вадим в отличники выбиться не стремился. Подумаешь! Зачем лишать себя лучшей, может быть, части жизни, которая проходит мимо зубрилок? Вадим любил гулять, особенно за городом, созерцая природу. Любил слушать музыку. Любил читать необременительную литературу, далекую от школьной программы, особенно фантастику. Любил бывать в компаниях друзей, которым не докучало его молчаливое присутствие, хотя никому не приходило в голову спросить: а чей, собственно, друг Вадим Глазков и по какому праву среди нас ошивается? Его никто не звал и никто не гнал, а он, со своей стороны, не старался предпринять что-то для того, чтобы стать нужным и желанным.

Окончив девять классов, он поступил в медицинское училище, единственно потому, что поступление в вуз требовало ожесточенной конкурентной борьбы... Почему именно медицинское? Вопреки расхожей схеме, согласно которой в медики идут либо отпетые альтруисты, либо люди, испытавшие на себе, что такое тяжелая болезнь, либо те, чьи близкие родственники тяжело болели или скончались в страшных мучениях, ничего подобного у Вадима не наблюдалось. Родственников, в том числе дедушек и бабушек, у него был полный комплект, и все для своего возраста здоровые. Сам он, кроме кори в глубоком детстве и сезонных гриппов, отродясь ничем не болел. В чем же заключалась причина? Она была вполне глазковской: медучилище располагалось прямо напротив его двора. Ворота в ворота.

Итак, медучилище тоже, по большому счету, Вадима не изменило. Специальность «фельдшер-лаборант» ему нравилась, но не до такой степени, чтобы жертвовать ради нее сложившимся образом жизни. Он учил то, что требовалось, — ровно настолько, чтобы стать хорошим фельдшером-лаборантом и получить хорошее место, позволяющее вести сложившийся образ жизни. Кое в чем Вадим стал еще ленивее. Например, свой белый халат он стирал, только посадив на него заметное пятно. А волосы, чтобы избежать частых походов в парикмахерскую, стал скреплять резинкой на затылке. Волосы у него, когда отросли, оказались красивые. И вообще, как выяснилось, студент Глазков способен нравиться женскому полу, особенно соученицам. Но на сверстниц, интимное общение с которыми грозило осложнениями в виде страстной, вплоть до гроба, любви, беременности, незапланированной свадьбы и т. п., Вадим как-то не обращал внимания, предпочитая особ постарше, которым, он стопроцентно был уверен, нужен от него голый секс. Если не был уверен, в отношения не вступал. Женщины постарше и поопытнее привлекали его еще и тем, что в сексе брали инициативу на себя. А ему только того и надо было.

Все студенты двенадцатой группы, где учился Вадим, были уверены, что рано или поздно полный пофигизм и отсутствие активных действий приведут Глазкова к печальному финалу: ему не удастся устроиться на хорошую работу и будет он коротать деньки в грязной, обтерханной лаборатории захолустной поликлиники, где с потолка сыплется штукатурка прямо в баночки с отходами человеческой жизнедеятельности, сданными на анализ.

Но тут-то и начал наконец действовать принцип Емели! Волшебная щука вынырнула... из баночки с мочой. Короче говоря, еще не отшумели в медучилище выпускные экзамены, а к Вадиму подошел важный иностранец и с акцентом сказал, в тоне располагающем и чуть-чуть снисходительном, что он ознакомился с оценками господина Глазкова и с его образом действий и решил, что господин Глазков — подходящая кандидатура для имеющейся у него вакансии...

Йес! Это сбылось! Пока двенадцатая группа мучилась сомнениями, подавала резюме, считала пределом мечтаний работу в какой-нибудь платной клинике, где заработок высокий, но за этот заработок нужно пахать так, что пар из ушей повалит, — Вадим уже отыскал себе теплое место. Причем — как он и хотел — без малейшего усилия. Иностранец — настоящий руководитель: стоит ему взглянуть на человека, он сразу видит, кто ему подходит, кто нет. Вот, значит, и Вадим Глазков может гордиться: если его выбрали, значит, увидели в нем перспективного специалиста. Место работы — что надо: далековато от дома, зато по прямой линии метро. Зарплата? Выше ожиданий. Дополнительные выходные дни? Часто. Ну, кто говорил, будто из Вадима Глазкова ничего путного не получится?

Правда, стоило ему прийти в новую лабораторию и познакомиться с коллективом, внутри него зазвенел сигнал, свидетельствующий о том, что здесь что-то не в порядке. Точнее, Вадимов ум, как бы независимо от него, начал анализировать, сопоставлять факты и, представив результаты логических усилий, заставил в конце концов своего владельца поверить в то, что глазковский профессионализм здесь ни при чем. При чем тут профессионализм, откуда ему взяться — без году неделя после медучилища! Но когда Вадим очутился среди тех, кто также был избран мистером Карполусом, он, к своему смутному недовольству, обнаружил сходство между ними... Стало быть, так получается, сходство с собой?

Вот, например, Лорина, грузинка. «Толстый лори», как ее сразу назвал Вадим, видевший этого экзотического зверька в передаче «Клуб путешественников». У Лорины, в точности как у этого лемура, круглая обаятельная мордочка с большими черными печальными глазами и толстый висячий розовый носик. И она такая же безмолвная. Двигается бесшумно, так, что ни одна пробирка не зазвенит. Просто как будто и нет ее.

Или Настя, белокурый цветочек. В отличие от статной, широкобедрой и полногрудой Лорины, Настя маленького роста, безгрудая и хрупкая, но такая же молчаливая и застенчивая. Голос у нее писклявый, довольно-таки громко отдающийся в стенах лаборатории, но подает она его редко.

А еще есть Рива, Ревекка Израилевна. Та постарше их всех, у нее самый большой опыт лабораторной работы, и иногда, во время перерывов, когда все пьют чай, она делится занятными случаями из практики. А вот о себе не рассказывает, словно заперла эту дверку на ключ. Есть ли у нее муж и дети, что заставило ее уйти с предыдущего места работы, каким образом завербовал ее Карполус — об этом она не сказала ни слова. На профессиональные темы поболтать — пожалуйста, личные — ни-ни, это область неприкосновенная.

В часы работы, когда, если бы не постоянный лабораторный фон шуршаний белых халатов, скребущего звука соприкасающихся стеклышек, легкого позвякивания пробирок, можно было бы вообразить, что здесь никого нет, Вадим прикидывал и соображал, что и его, пожалуй, Карполус выбрал среди всей двенадцатой группы (или даже всего медучилища!) единственно за необщительность. Не хочет он, чтобы о его лаборатории, которая в наркологической клинике, много трепались. Почему?

Несколько позже, получив скупое, но исчерпывающее объяснение, Вадим расслабился. Все очень просто, и конфиденциальность необходима для пользы самих же служащих. Подумаешь! Никаких особых секретов. Лаборатория наркологической клиники — это не лаборатория по уничтожению человечества, и Алекс Карполус — не доктор Франкенштейн. Все гораздо проще... И выгоднее для Вадима. В некотором смысле Вадим остался даже доволен. На протяжении всей сознательной жизни ему то и дело твердили, что нельзя быть таким, как он. А тут вдруг выяснилось, что очень полезно быть таким, как он.

Установив это, Вадим Глазков окончательно пошел на поводу у своей инертности и малообщительности. Купил себе дорогой MP3-плейер с наушниками и теперь уже постоянно — в транспорте, а иногда и на работе — отгораживался от остального мира стеной звуков. Навыки, требующиеся для работы, вошли в плоть и кровь, и больше не приходилось прилагать особенных усилий; даже данные нормы тех показателей, с которыми Вадим обычно работал, он запомнил наизусть. В парикмахерскую сходил лишь тогда, когда папа утром бросил насмешливо, что скоро его сына примут на главную роль в ремейке фильма «Варвара-краса, длинная коса».

— Что за парень у нас вырос? — брюзжал папа, когда был уверен, что сын не слышит его. — В кого он такой тюфяк? Вроде мы с тобой — нормальные люди, и в родне у меня никого похожего не было...

— Прекрати! — обрывала его мама, по привычке защищавшая дорогого ребенка. — Наш сын вырос, он не наркоман, не пьяница какой-нибудь. Что тебе еще от него надо? Ну, пусть тюфяк — не всем же быть президентами!

В президенты Вадим Глазков и не рвался. А зачем ему такая беспокойная должность? Вот если бы от дома до наркологической клиники передвигалась по ускоренному маршруту самоходная печь, такому подарку со стороны обслуживавшей его щуки Вадим, пожалуй, обрадовался бы.

30

Холостяцкая жизнь, к которой настолько прикипел Юрий Гордеев, что не желал никакой другой, имеет свои плюсы и минусы. Главный плюс заключается в том, что ты не обязан никому давать отчет, куда ты отправляешься и что намереваешься делать. Главный минус заключается в оборотной стороне плюса: никто не знает, где ты и чем занимаешься. Следовательно, если с тобой приключится несчастье, тебя долго никто не хватится... Возможно, фатально долго — в ситуации, где счет идет не на дни, а на часы, а то и на минуты.

Первыми спохватились сотрудники десятой юридической консультации на Таганке, когда Гордеев не вышел на работу в назначенный срок. Будучи в курсе, что он забронировал место в пансионате, они подумали, что он решил продлить отпуск: это, конечно, не совсем в его характере, но что только не случается летом с людьми! Эта непрекращающаяся жара всех сводит с ума... Одним словом, беспокойство по поводу исчезновения Юрия Петровича возникло, но умеренное. Градус паники взвинтила Аня Любимова, когда, отчаявшись найти Гордеева по мобильному телефону, позвонила ему на основное место работы и услышала, что на работу он не выходил.

— Как — не выходил? — закричала в трубку Аня, чувствуя, как внутри ее напряженного тела бродят, колются мелкие истерики. — Куда же он пропал?

— Девушка, а почему вы считаете, что он пропал?

— Он велел звонить ему по мобильному... А по мобильному оператор, ну, голос механический, отвечает, что абонент отключен или находится вне зоны действия!

Запаниковать Ане было вовсе не трудно. От природы спокойная, несколько даже равнодушная, она была потрясена до глубины своей уютной души совершившимся на ее глазах убийством мужа. Вот только что, казалось бы, рядом был самый надежный в мире человек, радовал своим присутствием — и вдруг исчез, растворился в небытии. Вот пришел другой человек, немолодой, но тоже надежный и сильный, который прилагал все старания для того, чтобы раскрыть загадку убийства Павла, — и он тоже пропал! Что же это за черная тайна, которая забирает, одного за другим, всех, кто осмелился к ней прикоснуться?

Накал испуга в Анином голосе впечатлил работников десятой юридической консультации. Подробностями дела, которым занимался Гордеев в последнее время и которое причиняло ему столько беспокойства, они не располагали; однако имели возможность предполагать, что гордеевское безмолвное исчезновение могло быть связано с ним. А так как Гордеев по ходу дела немало кооперировался со старшим помощником генерального прокурора, решено было поставить в известность Турецкого.

Александр Борисович отреагировал менее эмоционально и более жестко, нежели слабая женщина Анна Любимова, но и он тоже оказался встревожен. Гордеева он отлично изучил еще с тех полулегендарных времен, когда Турецкий возглавлял следственную бригаду, членом которой состоял Юра. Юрий Петрович — не такой человек, чтобы ни с того ни с сего улетучиться. Наверняка решил тряхнуть стариной, вспомнить будни следователя, и... А что, собственно, «и»?

Проведенное собственными силами миниатюрное расследование показало, что Юрий Петрович Гордеев в вожделенном пансионате под Наро-Фоминском так и не нарисовался. Что и следовало доказать. Более того, похоже, он и из Москвы-то не выезжал, судя по «опель-корсу», неприкрыто стоящему во дворе гордеевского дома. При этом моложавая соседка, вся в финтифлюшках и розочках, как приторный торт, постоянно следившая за квартирой Гордеева в глазок и строившая в отношении адвоката какие-то фантастические матримониальные планы, заявила, что да, уезжал. Она видела, как он выходил, неся спортивную синюю сумку. Дверь запер на все замки, что с ним случается, только когда отбывает в долгую отлучку.

Какая-то шарада получается! Человек бронирует место в пансионате, но в пансионат не попадает. Он выводит из гаража дорогую машину, но оставляет ее во дворе, а сам уезжает непонятно на каком транспорте неизвестно куда. Все это так причудливо и иррационально... Друзья знали, что Юра Гордеев — холерик, эмоции у него подчас бьют через край, но обрисованный образ действия даже для него казался чуть-чуть слишком диким.

31

Беда никогда не приходит одна! За исчезновением Юры Гордеева посыпались, точно из дырявого мешка, неудачи, неполадки и неурядицы большого и малого калибра. Наименьшей — но, возможно, самой неприятной из них — было то, что Александр Борисович ощутил першение в носоглотке. Как настоящий мужчина, он постарался усилием воли преодолеть начинающуюся хворь. Делать это надо было побыстрее: на завтра наконец-то была назначена встреча с Тихоном Давыдовым. Не хватало еще при таком важном разговоре кашлять и чихать! «Я здоров, — по-буддийски внушал себе Турецкий в перерывах между срочными и неотложными делами, — я совершенно здоров, мое горло не болит, не болит мое горло...» На склоне дня стало ясно, что мантры для работников Генпрокуратуры, очевидно, неэффективны и придется прибегнуть к помощи тривиальных аптечных средств.

— Господи, Саша! — всплеснула руками Ирина Генриховна, открыв мужу дверь. — У тебя что, насморк?

— Нет, это я так, шутки ради в нос говорю, — раздраженно пробубнил Турецкий. — Конечно, насморк, что, не видно, что ли? Почему женщины стремятся все события так дотошно и мелочно облекать в слова? Уж до чего противен насморк в августовскую жару, когда и без него дышать нечем, а если еще родная жена примется драматизировать это событие...

Ирина драматизировать событие не стала: совместная жизнь с Турецким приучила ее встречать грудью неприятности, из которых внезапный летний насморк был далеко не самой серьезной. Молча, обходясь минимумом жестов, она отправила драгоценного супруга в постель, укрыла его шерстяным одеялом, а сама устремилась на кухню, где через некоторое время забулькали всякие травяные отвары. Этой ведьминской фармакопеей вперемежку с купленными Турецким в аптеке таблетками она принялась пичкать больного через каждую, как ему казалось, минуту.

— Ира, отстань! — отплевывался Турецкий. — У меня обыкновенный насморк! Не черная оспа, не чахотка и не чума...

— Ча-хотка или чи-хотка, а лечиться ты у меня как миленький будешь, — .Ирина Генриховна оставалась неумолимой. — Ты обязан постоянно находиться в форме, а не пугать сослуживцев своими чихами.

То ли от общей усталости, то ли таково было побочное действие ведьминских отваров, но Александра Борисовича потянуло в сон. Ему еще успела явиться бредовая, но для сна совершенно логичная мысль, что его надежный, бронированный иммунитет подорвало дело, связанное с употреблением анаболиков, — раньше-то ему не случалось хворать среди лета! Как будто запрещенные лекарственные препараты испускают особенные флюиды с дальним прицелом, которые даже через свидетельские показания валят с ног... А дальше потек уже нормальный сон, в виде не мыслей, а картинок, словно кино Турецкому показывали, где он вместе с не виденным в реальности (а потому довольно-таки размытым) Тихоном Давыдовым стоит в центре тарелки огромного крытого стадиона, где с потолка свисают красные полотнища с серпами и молотами, а зрительские сиденья заняты причудливо искаженными разноцветными фигурами, словно сошедшими с полотен живописцев начала XX века. «А это спорткомплекс «Русский авангард», Александр Борисович, — объясняет Тихон Давыдов, обводя противоестественное пространство рукой. — У нас тут еще под Новый год устраиваются хороводы вокруг башни Татлина, крашенной в особый лабораторный цвет, но чтобы ее увидеть, надо принять побольше анаболиков. Хотите?» Турецкий совершенно точно знает, что сейчас никакой не Новый год, и не хочет принимать анаболики. Лучше насморк, чем анаболики! Но он догадывается, что в случае отказа чеченцы не выпустят его из спорткомплекса. А, как на грех, обороняться нечем: при входе у него отобрали даже простенькую «тэтэшку»...

— Саша! Саша, проснись же, тебе с работы звонят!

— А? Что? А, да. — Встрепанный, одним глазом задержавшийся во сне Турецкий прижал трубку к горячему уху. — Да, я. Ничего не понимаю. Тихон Давыдов? На стадионе? — Как будто все еще снится, но это не сон. — Что? Еду! Немедленно еду!

Меньше чем через час Турецкий был на рабочем месте. Потому что встреча с Давыдовым отодвигалась в область несбыточного...

В общем, судя по сведениям, предоставленным дежурным следователем и оперативниками, несчастье случилось перед отборочным матчем на первенство мира между сборными России и Латвии. На территории Лужников «ауди», в которой находились первый заместитель председателя Федерального агентства по физической культуре, спорту и туризму Михаил Глазырин и Тихон Давыдов, была обстреляна из автоматов неизвестными тремя преступниками, по внешнему виду кавказцами. Глазырин получил несколько пуль в брюшную полость и скончался, не приходя в сознание, уже в НИИ Скорой помощи имени Склифосовского, где на протяжении шести часов боролись за его жизнь. У его телохранителя Станислава Капустина пули превратили грудную клетку в кровоточащее решето, и он умер еще в машине «скорой помощи». Доктор, между прочим, медицинских наук Тихон Давыдов тяжело ранен и помещен в тот же Склиф, куда доставили всех троих пострадавших.

— Плохо дело, — словно себе, сказал Турецкий. — Очень плохо. Поговорить-то с Давыдовым можно? Или к нему не пускают никого?

Ему сдержанно доложили, что Давыдов находится в коме. Когда придет в себя, неясно. Если вообще из своей комы выберется.

— Его необходимо охранять. Вдруг убийцы попытаются довести дело до конца?

— Пост уже выставлен.

Много еще было неотложного... И когда Турецкий нашел время вспомнить о себе, то обнаружил, что никакого насморка у него нет. Помогла ли массированная фармакологическая атака Ирины Генриховны? Или в исчезновении насморка действительно было нечто буддийское? «Два трупа и один тяжело раненный» — вот мантра, которая неизбежно возвращает работника Генпрокуратуры в деятельное состояние. Обязана вернуть!

32

Мансур Алоев был человеком молодым, но не по годам прагматичным. Такой оголтелый, бесстыдный, высшей пробы прагматизм дается только недавним прощанием с иллюзиями. Были ведь и у него свои иллюзии, не говорите, что их не было! И Мансур молод — в свои двадцать лет; так давно и так недавно. Подумать только, ведь он воевал за свободу, за независимость Ичкерии, наслаждался мужским братством по оружию, тем, что вокруг столько друзей — многие из других стран, был даже Муса, негр из Америки.

И Мансур был равным среди них — стремительный, неуязвимый чеченский герой. А потом из разговоров по душам выяснилось, что окружавшие его герои, перед которыми он преклонялся, на которых смотрел как на полубогов, воюют не за идеологию, а за деньги. Что даже если поначалу преобладает идеология, то рано или поздно в качестве настоящей цели возобладают именно деньги. А чего, спрашивается, рядовым наемникам стесняться, если история независимой Ичкерии началась с того, что Джохару Дудаеву, советскому офицеру, захотелось отхватить крупный кусман имущества бывшего СССР, которое всеми растаскивалось почем зря? Открытие подкосило Мансура, он начал допускать ошибки. Результатом явился тот постыдный случай, когда он искалечил себе руку в результате неосторожного обращения с оружием... Впрочем, об этом он никому не докладывал, а те, кто случайно оказался поблизости, молчали. Разделяемая всеми версия гласила, что оружие, сразившее воина джихада, было вражеским. Из военно-полевого госпиталя Мансур вышел окончательно лишенным былых предрассудков — а также двух пальцев на левой руке.

Хотя... как гласит русская поговорка, нет худа без добра. Неизгладимое увечье окончательно закрепило его статус героя и позволило сблизиться с отцом.

Когда Мансур был ребенком, отец всегда ему мерещился человеком далеким и непонятным — кем-то вроде сильных и молчаливых персонажей вестернов, которые появляются на экране, чтобы уложить в одиночку десяток врагов, а после опять исчезнуть за кадром. Почтительное преклонение со стороны матери поднимало отца на недосягаемую высоту; впрочем, к Мансуру она также была почтительна, потому что мужчина стоит выше женщины, даже если он всего лишь мальчик... В жизни Мансура отец возникал редко, зато сын был осведомлен о битвах, которые отец ведет во имя семейного благополучия. То, что битвы относились к финансово-грязновато-деловой сфере, не лишало их напряженности, и Мансуру было известно, что в таких сражениях головы тоже летят будь здоров! Однако с подростковых времен ему перестало казаться, будто отец чем-то схож с героями вестернов. В его идеалистически-мальчишеских представлениях отец стал безнадежно скучен, а с некоторых точек зрения и отвратителен. Так отвратителен для странствующего рыцаря ростовщик, обладатель тугого кошелька. Мансур презирал отца за его связи с нечестным фармацевтическим бизнесом, за то, что он, вместо того чтобы отстаивать Ичкерию, предпочел пробиваться на вершину власти во враждебной Москве, ради чего подкорректировал свое гордое горское имя: из Джохара Захаром стал!

Отчасти из противоречия отцу Мансур пошел сражаться простым боевиком. Отец не отговаривал, считая это полезным. И он был прав! Когда выяснилось, что странствующие рыцари только и мечтают о том, чтобы поставить свои героические мечи на службу тугому кошельку, Мансур осознал, что и ему не зазорно сделать то же самое. Тем более что в этом не было никакого урона чести: ведь обладатель кошелька — Мансуров отец...

Вот Мансур стоит перед ним в его кабинете: не сидит, а стоит, как нижестоящий, но смотрит прямо в глаза — как равный равному. Если мужчина успел повоевать, это дает ему право не опускать глаз ни перед кем. Мансур не мальчик, он знает, что отец, не удовлетворенный скромной стыдливой матерью, завел себе любовницу и детей на стороне. Но, во-первых, те сыновья еще очень малы, а во-вторых, мать их — не чеченка. Законный Алоев — он один. Значит, со всех сторон у него преимущества. Не говоря уж об утраченных в бою (кто скажет иначе?) пальцах левой руки.

Мать говорит, что Мансур как две капли воды похож на отца в молодости. В это нелегко поверить: морщины, седина и раздавшаяся фигура Захара Алоева препятствуют обнаружению хотя бы приблизительного родственного сходства. Отец и сын похожи так, как могут быть похожи в глазах иноплеменников двое чеченцев: старый и молодой. Что ж, это уже немало.

«Вот что, сынок, — медленно, точно камни ворочает, говорит Алоев-старший, — я знаю, что ты высоко метишь. Это хорошо. Но сначала нужно потрудиться. Потрудиться, в сущности, на себя, потому что все мое рано или поздно будет твоим. Свою долю ты начнешь получать уже сейчас...»

«Что я должен делать?»

«Ничего особенного. Всего лишь то, к чему привык. Опыт ты на войне приобрел, и я в тебе усматриваю задатки настоящего командира. Так вот, надо сколотить надежную группу преданных людей, которые смогли бы убирать с дороги... то, что не дает нам пройти. Всякую шваль, мусор человеческий... Да нет, какие там они люди! Собаки, просто — шваль. Но оружием они тоже умеют владеть, так что будь осторожен».

Захар Алоев переводит взгляд на поврежденную руку отпрыска.

«Кстати, об осторожности. То, что у тебя не хватает двух пальцев...»

«Это не помешает. Рука левая, не рабочая».

«Я не о том, Мансур! — Захар недовольно повышает голос. — Твоя левая рука — особая примета. Постарайся не выставлять ее напоказ, когда идешь делать дело. Надевай перчатку, что ли... Обещаешь?»

«Обещаю», — сказал Мансур и не солгал: по его мнению, его руку видели только те, кому было предназначено через пару секунд стать покойниками.

«Я тебе порекомендую кой-кого из нашей молодежи».

«Не надо. Я сам справлюсь».

«Ну, давай. Только не зарывайся. Самостоятельность и самоуверенность — это разные вещи, постарайся не забывать».

Со стороны Алоева-младшего последовал кивок — но формальный, почти снисходительный. Мансур не нуждался в чужих поучениях — так же, как в чужих людях. Он знал других людей, которые после Чечни искали свое место в жизни — не какие-нибудь гуляки, золотая молодежь, и не те, которые вообразили, будто убивать — раз плюнуть, на это каждый дурак способен. Мансур Алоев сколотил команду из тех, в ком был уверен, с кем укрывался от гранатометного дождя, с кем вместе отрабатывал боевые навыки в настоящем бою, с кем ходил в огонь и воду. Он не сомневался, что за ним друзья тоже пойдут в огонь и воду — если им еще как следует заплатить. Тех, которые берегли и лелеяли остатки прежних иллюзий, Мансур не уставал уверять, что они здесь тоже служат свободной Ичкерии — причем, по его мнению, не врал. Разве усиление и возвышение таких чеченцев, как Алоев, не идет во вред враждебной России? О чем разговор! Разве свободной Ичкерии станет хуже, если чеченец Алоев приобретет новые богатства и зоны влияния? Конечно, не станет. Так что все правильно.

В сущности, Мансур Алоев намеренно создавал своим «коммандос» имидж чеченских сепаратистов, какими их представляют средства массовой информации. Это надежно затушевывало истинные мотивы убийств. Если убитым оказывался кавказец, дело списывалось на разборки между тейпами, раздел сфер влияния, а если русский — карты крыл испытанный козырь: «межнациональная рознь». Массовый гипноз, которому, увы, подвержены даже следователи, заставляет верить, что кавказский горец может убить просто так, ни с того ни с сего, исключительно по той причине, что умеет держать в руках оружие. Мансур Алоев знал, что это утверждение не соответствовало истине, однако оно ему нравилось: во-первых, потому, что в такой беспричинной жестокости он усматривал своеобразную доблесть, а во-вторых, потому, что оно было для него полезно. Значит, он сумел обставить свои дела как нельзя лучше.

Захар Алоев мог гордиться таким сыном. И он заслуженно гордился им. Что касается отцовской нежности, на Кавказе не принято открыто выражать чувства, но размеры суммы, ежемесячно выделяемой на содержание Мансура, говорили о чувствах Алоева-старшего сами за себя. Отдельной графой расходов значилась плата алоевским «коммандос» — их тоже не обделяли, хотя они и помыслить не могли о том, чтобы сравниться с Мансуром в материальной обеспеченности. Впрочем, Мансуру никто не завидовал. Завидовать можно тому, кто чуть-чуть обгоняет тебя, чьи исходные данные сопоставимы с твоими. Звезде в небе завидовать бессмысленно и бесперспективно.

А Мансур и был звездой! Его имя не фигурировало в таблоидах, но на небосклоне чеченской диаспоры в Москве он испускал достаточно яркое свечение. Его знали как плейбоя, легкомысленного прожигателя жизни, который предпочитает тратить отпущенный ему век в ночных клубах. О его деятельности в качестве киллера никто не подозревал; всем казалось само собой разумеющимся, что сын такого обеспеченного отца получает от него неограниченный кредит просто так, по праву ближайшего родственника.

Со своей стороны, Мансур старался, чтобы как можно меньше людей находилось в курсе его деловых отношений с отцом — того, что он выполняет роль киллера при Захаре Алоеве. В тонкости сложных комбинаций, крайним пунктом которых являлось убийство, Мансур даже своих «коммандос» не посвящал: с них было достаточно обстоятельств места и времени. Порой и ему казалось, что Алоев-папа темнит, недоговаривает, однако настаивать на полной ясности не собирался. В конце концов, знание — не всегда сила: бывают тонкости, которые исполнителю знать ни к чему. Он был уверен, что отец не утаит от него сведений, которые на самом деле важны и способны повлиять на исход дела. Ведь как-никак он ему отец... Мансур самокритично сознавал, что со своим малым опытом еще не в состоянии разобраться во всех хитросплетениях криминала, охватывающих Россию и ближнее зарубежье. Пока что он предоставлял отцу принимать решения.

Но в том, что касается последнего случая, Мансур принял решение сам! Когда Таня, отлично вышколенная горничная из отцовского отеля, которую он в недавнем прошлом не обходил своей благосклонностью, посмела вывести его из сладкой расслабленности, в которую Мансур погружался после постельных встреч с очередной подругой, он сперва осатанел от злости, а потом понял: стряслось что-то очень серьезное. Оставив временную подругу (то ли фотомоделька, то ли прикидывается таковой) возмущенно натягивать на раскосые, смотрящие в разные стороны темно-розовыми сосками груди гостиничную простыню, Мансур явился перед Таней, натурально выражаясь, в чем был: кого стесняться-то? Таня была дисциплинированной служащей. Демонстративно отводя взгляд от Мансуровых мужских прелестей, она коротко и сухо проинформировала его о том, что Мансуром кто-то здорово интересуется. Этот кто-то, прибывший на «опель-корсе», успел расколоть дуру Верку на то, что собой представляют Мансур и его отец. Ну, Верка много не рассказала, но Мансуру стоит побеспокоиться.

Мансур побеспокоился. Сам, не ставя в известность отца. По горячим следам найти владельца «опель-корса» оказалось нетрудно... То-то Мансур его еще у бензоколонки приметил! Бдительность никогда не бывает излишней. Короче говоря, марафон по обнаружению и поимке врага завершился в подмосковном доме в Перловке, принадлежащем Алоеву-старшему, но часто посещаемому Алоевым-младшим. Этот дом был замечателен своим подвалом, архитектурно предназначенным для хранения вина. Но даже Захар Алоев, любивший при случае воздать должное марочным винам, особенно в компании гостей, не сумел заполнить бутылками весь подвал. Большая часть внушительных сводчатых погребов простаивала и была готова к употреблению.

Отцу Мансур обо всем доложил, когда одурманенный враг уже валялся в подвале, не приходя в сознание. Доложил — и ждал: не получит ли в ответ начальственный рев и выговор за тупость? Такое уже имело место тотчас после убийства этой суки Чайкиной: Захар Алоев остался недоволен тем, что в ресторане слишком много служащих и посетителей имели возможность засечь приметы его отпрыска... Против ожидания, сегодня довольная усмешка прокралась в уголки отцовского рта.

— Ну что же, сынок, ты поступил правильно, что не стал его убивать. Он нам нужен живым. Пусть расскажет, кто его подослал, на кого работает, как на нас вышел. Надо от него добиться...

— Не беспокойся! — пылко вскрикнул Мансур, подскакивая со стула: за киллерские заслуги ему было разрешено сидеть в присутствии отца. — Мои люди умеют заставить говорить даже немых! Как дубинками отметелят...

— Зачем так грубо? — поморщился Захар. — Избивать пока никого не будем. Обезображенные трупы нам ни к чему. Есть другие, тонкие методы. Недаром наша фирма называется «Фармакология-1»...

33

Продолжая деловые контакты с майором Зайчиком, Турецкий, следуя директиве, согласно которой не знать чего-либо не стыдно, стыдно не ликвидировать пробелы в знаниях, спросил:

— А что это за лекарства такие — анаболики? Они запрещены вообще и всегда или разрешены к применению при каких-то условиях? И что за человеконенавистники их изобрели?

— Начну с конца, Сан Борисыч, — с ходу оседлал своего конька майор. — Изобрели их не человеконенавистники, а совсем даже наоборот, фармакологи и химики, которые старались помочь людям. Людям, причем самым что ни на есть жалостным: немощным, слабым, больным. Тем, которые страдают истощением, мышечными дистрофиями, патологическими переломами костей, приходят в себя после автокатастроф, тяжелых операций, лучевого лечения рака. Всем этим дистрофикам, хилякам и доходягам — все-таки Зайчик оставался Зайчиком! — крайне необходимо увеличивать массу тела, особенно мышечную, укреплять кости за счет отложения в них кальция. Ну, значит, а полезными этими эффектами, которые я тут перед вами перечислял, природа наделила мужские половые гормоны. Так вот, Сан Борисыч, анаболики, или, по-ученому, анаболические стероиды — это синтетическая замена мужских половых гормонов.

— А почему синтетическая? Разве нельзя сделать таблетки из натуральных гормонов?

— Можно-то можно, — подмигнул Зайчик, — и такие таблетки есть, только не всем и не везде они подходят. Женщинам, к примеру, не слишком подойдут. На фоне приема мужских половых гормонов у них грубеет голос, растут усы и борода. Поэтому фармакология ищет, как бы создать искусственные препараты, у которых мужское, — снова подмигнул, — действие было бы микроскопическим, а воздействие на мускулы и кости — основным. Ну и кое-что находят. Первые анаболические стероиды, которые сейчас самые дешевые, — так от них и усы у баб растут, и что хочешь. Те, что последнего поколения, — более совершенные в этом смысле, но и от них, бывает, без лишнего оволосения не обходится...

— Стоп, стоп! Про женщин — это я уяснил. А для мужчин чем анаболики вредны?

— А они для всех, Сан Борисыч, вредны. Даже доходягам-дистрофикам врачи их прописывают очень аккуратно и на очень ограниченные сроки, когда без лекарств этих страшноватеньких совсем козе смерть. А если принимать их в течение длительного времени, тем более здоровому человеку, последствия очень нехорошие. На печень нагрузка жутчайшая; если с печенью были прежде какие-то неполадки, хотя бы крошечные, жди цирроза. У мужчин увеличивается предстательная железа. Женщинам нельзя беременеть, кормить грудью. Повышается агрессивность. Короче говоря, не баран начхал. А особенно в молодом возрасте. Нет, я это нетерпение молодое у спортсменов отчасти понимаю: все бы им скорей-скорей, хочется на следующее утро проснуться силачом. А того не учитывают, что получится такое «скорей», после которого родная мать тебя не узнает. И пожалеет еще, что тебя, торопыгу эдакого, родила.

И, утомясь лекцией по фармакологии, Тимофей Зайчик позволил себе вставить — как он посчитал, к месту — один из своих излюбленных черных анекдотов:

— Крокодил Гена и Чебурашка сидят на балконе, на десятом этаже, и едят лепешки. Вдруг одна лепешка упала и полетела вниз. Чебурашка говорит: «Подожди, Гена, я сбегаю и принесу». И побежал. А крокодил думает: «Он долго бегать будет, дай-ка я лучше спрыгну и подберу лепешку». Ну и спрыгнул. Чебурашка спустился наконец по лестнице и кричит: «Ген, а Ген, какую брать: эту или зеленую?»

Турецкий через силу улыбнулся. Не веселили его что-то ни зайчиковские анекдоты, ни его фармакологические экскурсы. Ну, спасибо маньячистому майору хоть на том, что объяснил. И долгонько от анекдотов воздерживался.

— А напомни-ка мне, Сан Борисыч, — ни с того ни с сего потребовал Зайчик, — как называлось то блюдо, которое так и не попробовала Наталья Чайкина в свой последний ужин?

С обстоятельствами обоих убийств майор был в общих чертах ознакомлен.

215

— Салат какой-то, — натужливо извлек из памяти Турецкий. — А как же назывался он, вот ведь черт... «Завтрак для победителей»? «Завтрак для рекордсменов»? Ага, вот, вспомнил: «Завтрак для чемпионов». А что, это важно?

— Да нет, вряд ли. Просто примечательно. Именно так, «завтрак для чемпионов», называют между собой специалисты метандростенолон. Он же дианабол, неробол, метанабол, метандиенон. Анаболик популярнейший, препарат почти сорок лет функционирует на спортивном рынке.

— Ты что, Тимофей, считаешь, владелец ресторана подсыпал анаболики клиентам?

— Об этом я, честно говоря, и не подумал. А подумал я о том, насколько анаболики, оказывается, глубоко проникли в наш спорт, если владелец ресторана, или кто там у них составляет меню, позаимствовал для названия блюда словосочетание, которое наверняка не раз слышал. Не зная, что это такое, но усматривая в нем что-то позитивное.

— А я подумал о другом, — внес свою лепту Турецкий. — В определенном смысле «завтрак для чемпионов» и погубил Наталью Чайкину. Я имею в виду анаболики, а не салат.

34

Результаты расследования дела лаборатории «Дельта» директор ЧОП «Глория» непременно хотел передать из рук в руки высоким заказчикам, которые с самого начала маячили за костлявой спиной госпожи Лайнер. Алла Александровна, кажется, чуть-чуть обиделась, что Дениса Грязнова не приманило на очередную встречу ее сногсшибательное обаяние, но в результате переговоров объявила, что спортивное начальство считает личную встречу приемлемой. На самом деле обаяние Аллы Лайнер — или отсутствие такового — роли здесь не играло. Денису до смерти хотелось посмотреть на лица заказчиков в тот момент, когда он будет откровенно докладывать им о вещах малоприятных и даже оскорбительных — и персонально для них, и для российского спорта. Ну и просто — в лицо им хотелось заглянуть!

Совещание, на котором должен был выступить с докладом Денис Грязнов, проходило в заурядном кабинете — длинном, обитом желтыми панелями, с портретом президента как бы во главе длинного, насквозь канцелярского, стола. И лица, в которые так хотел взглянуть Денис, оказались не то чтобы очень выдающиеся. Президент Олимпийского комитета России Василий Титов напоминал эдакого крепкого работягу, благодаря упорству и трудоспособности поднявшегося на самый верх, а председатель Федерального агентства по физической культуре, спорту и туризму Андрей Красин, с его седеющими золотыми кудрями и синими, как васильки во ржи, глазами — постаревшего Иванушку, давно не вспоминающего о своем сказочном прошлом. Когда Денис воздвигся всей долговязой фигурой над столом, откинув назад вспотевшей ладонью рыжие волосы, спортивные боссы посмотрели на него с высокомерной, несколько брюзгливой бдительностью, как бы подозревая в этом частном сыщике вражеского агента. Но по мере доклада, в котором безо всяких эмоций излагались факты, только факты и ничего, кроме фактов, морщины подозрительности разглаживались, сощуренные глаза приобретали удовлетворенное выражение. Что ж, если заказчик доволен, значит, «Глория» заслужила запрошенный ею высокий гонорар. Но «Глория» окажется недостойна гонорара, если, рискуя испортить благоприятное впечатление, не выскажет устами своего директора кое-какие горькие истины.

— Значит, у вас получается, — погружаясь в расслабленное благодушие, уточнил Андрей Евгеньевич, — что главными виновниками всех бед является господин Гросс с американскими сотоварищами?

— К сожалению, не получается, — глубоко вздохнув, признался Денис, и его лицо вспыхнуло — не от стыда, просто непроизвольная реакция белой веснушчатой кожи.

— Как так?

— А как, спрашивается? Как можно было говорить о большом количестве медалей на прошедших олимпийских играх, не понимая, что творится в российском спорте? Эта обязаловка в тридцать — сорок медалей ложилась тяжелым ярмом на всю команду и на каждого спортсмена в отдельности. «Старая гвардия», великие олимпийские чемпионы уже фактически полностью амортизировались и износились. В них есть еще высокий дух, они думают, что все могут, но исполняющий аппарат — физиология, биохимия — не выполняет высокой чемпионской задачи. Перед Олимпиадой психологической подготовкой никто не занимается. С одной стороны, фактическая обязаловка, а с другой — великие посулы, своеобразный денежный допинг. Этот допинг искушает спортсмена использовать допинг медицинский! Все это закрепостило российских атлетов. Отсюда — многие прибегают к запрещенным стимуляторам.

Тщательно продумав свое выступление, сейчас, по мере того как произносились выверенные и заученные слова, Денис разочаровывался в них. Ему казалось, то, что он говорит, звучит слабо, неубедительно. Однако, судя по безмолвной тишине среди публики, его речь производила должное впечатление. Денис замолчал, и тишина сменилась беспокойными шорохами и перешептываниями.

— Но ведь этот, как вы называете, денежный допинг — примета профессионального спорта, — первым солидно высказался Титов. — Мы никого не искушаем золотом, мы платим человеку то, что он заслужил. Вы не согласны, господин... господин Грязнов?

В том, как он сочетал Денисову фамилию со словом «господин», прозвучала ирония, но Денис, игнорируя ее, ответил:

— В ходе этого дела я познакомился со спортсменами, для которых деньги — не главное. Коссинский, супруги Мурановы... Они никогда не принимали анаболики, потому что они их попросту не приемлют! Как ни банально, это люди, которые на самом деле любят спорт. И они старались сделать все, чтобы очистить российский спорт от того, что ему вредит. Я знаю, их выставляют негодяями, врагами какими-то, но они действовали из благих побуждений. Они же не догадывались, что их подставляют... что они — пешки в чьей-то непорядочной игре...

Теперь Денис говорил от себя, незаученно и не задумывался о том, как это звучит. Перед глазами стояла Валерия Ильина... точнее, две Валерии: одна — стройная, красивая, на пьедестале почета, и другая — раздутая неправильным действием гормонов, в неприбранной, слишком большой для нее квартире. Ему казалось, что если бы Софье Мурановой или глориевцам удалось заставить Титова и Красина заглянуть в гости к списанной со всех счетов чемпионке, живое сострадание нашло бы доступ в их сердца, помогло бы понять слова

Дениса, побудило бы к действию. Может быть. А может быть, и нет. Как-то так обычно получается, что слишком велик разрыв между замыслом и осуществлением, между высокими целями — и средствами, которые неизбежно отражаются на судьбах людей.

— Спасибо, Денис... Андреевич? Денис Андреевич, вы проделали огромную и очень сложную работу. Российский олимпийский комитет МОК на базе материалов «Глории» будет ходатайствовать о запрещении действия лаборатории «Дельта» в России. «Нельзя делать благородное дело грязными руками», — согласны с формулировкой? Примерно так будет сказано в ходатайстве российского комитета... Кроме того, вы заставили нас задуматься над недостатками в области российского спорта. Будем размышлять, как исправить ситуацию. Еще раз спасибо.

Очень официально и очень корректно. Ставя на место зарвавшегося человека со стороны, который возомнил, что имеет право вмешиваться в чужую епархию. Впрочем, а вдруг действительно Денис заставил спортивных боссов задуматься? Может быть. А может быть, и нет. И образ Валерии Ильиной не поможет: при чем здесь отдельная Валерия, когда речь идет о международном престиже, о чести страны, о колоссальных суммах...

— Рад, что смог быть полезен, — так же корректно и сдержанно ответил Денис.

35

Накопив достаточно сведений о распространителях анаболиков, учитывая сведения из базы данных майора Зайчика, показания Лунина и Бабчука, решили: исполнителей надо брать. Арестовывали их точечно, быстро и аккуратно, так, чтобы пикнуть не успели, чтобы не поднялся всеобщий шухер, способный спутать планы следствия. И как можно скорее допрашивали, стремясь установить имя того, кто отдавал им приказы, кто платил деньги, словом — главного.

Среди арестованных (чаще всего на месте преступления) попадались более и менее стойкие. Однако все без исключения предпочитали говорить о чем угодно, лишь бы не отвечать на предлагаемые им вопросы. Оперативники и следователи наслушались потрясающих исповедей о тяжелой жизни, о материальных бедствиях, о болезнях и смертях родных и близких, после чего арестованный, надо полагать, свернул с пути истинного и пошел по кривой криминальной дорожке. Особенно блеснул красноречием спортивный врач Борис Алексеевич Савин, более известный как доктор Боб. Стараясь осветить мотивы, побудившие его назначать спортсменам прием анаболиков, он толкнул основательную речь, доказывающую, что виноват не он лично, а состояние современного спорта.

— Н-ну поймите, — вещал он трубным голосом, полный и внушительный, — современный спорт — это спорт рекордов. Восхищение красотой человеческого тела, удовольствие от физических упражнений — это все для любителя, это ведущей роли не играет. Профессионалу нужно другое: один бегун обскакал другого на миллиметр — рекорд. Один метатель ядра метнул его на сантиметр дальше, чем другой, — рекорд. Один штангист поднял на несколько граммов больше, чем другой, — рекорд. Н-ну, во имя этого приносятся жертвы. Спортсмену сейчас совершенно невозможно жить нормальной жизнью: н-ну, он развивает одни свои мышцы и органы в ущерб другим. Если раньше считалось, что спорт приносит здоровье, то сейчас спорт штампует больных. С виду человек — настоящий здоровяк, а на самом деле организм его проеден патологиями, которые скажутся рано или поздно. И с этим мирится Международный олимпийский комитет, как будто это так и надо! Н-ну, а я, что же я такого сделал? — ловко воззвал он к аудитории, состоявшей из Турецкого, Зайчика и пары оперов. — Говорят, будто я, н-ну, из здоровых людей делал больных, не лечил, а калечил. Так ведь это не я! Это спорт! Я своими таблетками только помогал спортсменам добиться рекордов. Но того же хочет от них и наш олимпийский комитет, и вся страна! Тогда не меня судите, спорт судите!

— Нарушать закон не надо, Савин, — хмуро произнес Зайчик рецензию на этот страстный монолог.

Савин хмуро махнул рукой.

Уж он-то, казалось бы, что потерял в этих джунглях запрещенных веществ? Боря Савин — хотя трудно этому поверить, глядя на его толстую фигуру, обтекаемую, точно у поставленного на хвост моржа, — когда-то занимался не плаванием и не поднятием штанги, а фехтованием на саблях. Фехтование же, по статистике, входит в число видов спорта, где применение допинга практически ничего не дает и крайне редко встречается. Вот Боря с допингом и не соприкасался.

И долго не соприкасался. В медицинском институте, куда он поступил не с горя от того, что не удалось подняться к олимпийским вершинам, а потому, что всегда мечтал лечить людей, фармакологию учил по необходимости. Увлекался больше анатомией и хирургией: связки, мышцы, переломы, вывихи... Твердо преследовал цель: стать спортивным врачом. И стал им. Очень хорошим врачом, чутким и квалифицированным. И место занял что надо: тому поспособствовал непосредственный начальник, старый Борин друг. Словом, все у Савина было на мази, на много лет славной обеспеченной жизни. Когда объявился этот премерзостный юрист...

Юрист он на самом деле или нет, Борис сказать не может: в диплом ему не заглядывал, да и много ли, по нынешним временам, стоит вузовский диплом? Купи в любом переходе и удивляй незнакомых... Представился нотариусом, Ахметом Ахметовым. Сказал, что представляет фирму поддержки бодибилдинга «Фармакология-1». Когда Савин вник, что предлагает ему Ахметов, сотрудничать с его фирмой отказался наотрез.

— А я все-таки рассчитываю на ваше участие в нашем общем деле, — не обиделся Ахметов. — Тем более что у нас с вами есть общие знакомые. Лиза Кирносова, вы ее не забыли?

Если чем-то они могли вывести Бориса из равновесия, то только этим именем. Лиза Кирносова, его сокурсница, которой он из чистого человеколюбия, по ее настойчивым мольбам — кретин! — согласился помочь избавиться от ребенка, появления на свет которого Лиза не желала. И пропорол стенку матки, и вызвал перитонит, от которого она умерла. Бориса тогда не вычислили, но, видимо, ничто не исчезает бесследно. Кстати, беременна Лиза была от этого самого нынешнего Борисова начальника. Ее фотографию он хранит на рабочем столе под стеклом...

Савин согласился. А вы бы не согласились? Постепенно привык. Втянулся. Сочинил себе самооправдательную речь, которую по возможности чаще произносил перед зеркалом. А потом и произносить не потребовалось: так он поверил в то, что распространение запрещенных лекарственных средств — вещь самая нормальная, что все поступают так. И что возмездие никогда не наступит...

Все-таки кое-чего от исполнителей смогли добиться. Наступило время навестить нотариальную контору Ахмеда Ахмедова...

36

— Ну как, дорогой, — обратился к Гордееву обладатель серых глаз и огромного шприца, — будем говорить или укольчик сделать?

— Луш-ше пого... ворить, — с трудом ворочая отвычным от движения языком в пересохшем рту, сделал выбор адвокат.

Обращение «дорогой», нараспев прозвучавшее как «да-ра-гой», и нарочитая гортанность произношения его не обманули: человек, скрывавшийся под врачебной амуницией, кавказцем не был. Однако это само по себе еще ничего не означало: на Алоевых наверняка работали и русские. Настоящую проблему представляло то, что ему можно говорить, а что нельзя. Что-то сказать надо, иначе применят суровые, возможно членовредительские, методы воздействия. Всей правды говорить нельзя: добившись желаемого, бандиты его просто уберут. В любом случае Гордеев оказывался смертником. Н-да, ситуация патовая...

— Кто ты такой? — не давая ему погрязнуть в болоте мрачных размышлений, спросил тот, кого Гордеев мысленно уже обозвал, не без черной иронии, добрым доктором Айболитом.

— Дох-ху... менты... в кармане... пиджака...

— Ты мне дурочку не валяй! — сердито прикрикнул Айболит, из чьей речи окончательно изгладился вымученный кавказский акцент. Кричать и злиться он мог сколько угодно, но Гордеев с чувством облегчения — увы, непрочным — воспринял то, что неведомый доктор, который вряд ли обладал дипломом медика, перевел шприц из боевой готовности в позицию ожидания. — Говори, чем занимаешься? На кого работаешь? Все, как есть, говори!

Гордеев пожевал губами и слегка закатил глаза, изображая мучительное припоминание. Чтобы выиграть время и дать себе успокоиться, он принялся в деталях изучать окружающую обстановку — по крайней мере, ее доступные части. Доктор Айболит отодвинулся, уйдя из поля гордеевского зрения, больше не заслоняя своей нависающей персоной кирпичные своды потолка. Судя по непорочной чистоте сводов, лишенных напластований грязи, копоти, паутины и прочих неаппетитных добавок, дом был новый, недавно выстроенный. Повернуть голову Гордеев как следует не мог из-за связанных рук, но плечами и нижней частью спины чувствовал, что лежит на какой-то подстилке, наподобие комковатого плоского матраса. Это его поначалу обрадовало, но в следующий момент удручило. Если похитители проявили любезность, создав ему хотя бы минимальные удобства, значит, не собираются убивать немедленно. Но, с другой стороны, если он настолько для них важен, скорее всего, ему не выйти отсюда живым.

— Я адвокат, — решил наконец поделиться информацией Гордеев. В конце концов, располагая его документами, бандиты пришли бы к тому же самому выводу. — Гонораров не хватает, иногда приходится подрабатывать частным сыском. Мой клиент — приличный бизнесмен, его предприятие поставляет продукцию за рубеж...

— Фамилия бизнесмена?

Гордеев не в состоянии был придумать никакой правдоподобной фамилии. Шея, затекшая, должно быть, при транспортировке его бесчувственного тела в этот подвал, нестерпимо ныла, и противная боль переползала в голову. В голове крутилось неизвестно как там застрявшее название географического пункта: «Алтуфьевское шоссе».

— Ал... Алферов, — наконец выдал он.

— Проверим. Ну и что ему надо, твоему Алферову?

— Он влюблен, — неожиданно для себя самого родил Гордеев.

Доктор Айболит тоже изрядно удивился:

— В кого?

— Скажу в кого, только развяжите руки. Я их уже не чувствую. Еще чуть-чуть, и ампутировать придется.

Кажется, Айболиту так и просилось на язык, что руки Гордееву больше не понадобятся. Но ответить так он не посмел: это значило бы, что говори не говори, участь для пленника предназначена одна и та же. Вместо этого Айболит позвал своих подельников, плечистых, угрожающего вида. Двое из них перевернули Гордеева на живот, один раскромсал скреплявшие запястья путы, потом перевернули обратно, в положение «на спине», и все трое застыли в мрачном ожидании, готовые наброситься, если что. Все манипуляции они проделали в абсолютном безмолвии, поэтому установить, имеется ли у них кавказский акцент и настоящий ли он или наигранный, не представлялось возможным.

В первые несколько секунд освобождения Гордеев не почувствовал вообще ничего: его руки отказывались проявлять чувствительность. Сохранялось впечатление, будто они по-прежнему связаны. И вдруг, без предупреждения, к пальцам и вышележащим отделам прихлынула дикая боль, словно их опустили в кипяток или, наоборот, в ледяную, жгуче-ледяную воду. Гордеев мотал головой в беспомощном страдании, хаотически жестикулировал, из углов зажмуренных глаз текли струйки слез и устремлялись к ушам. Он плакал и от боли, и от облегчения, и от сознания, что его мука мученическая в этом подвале еще не кончена. Это была одна из самых солнечных и самых мучительных минут в его жизни.

— Ну так как же, кто в кого влюблен? — нетерпеливо вопрошал доктор Айболит.

Кажется, он раскатал губу, ожидая услышать от захваченного адвоката порнографическую поэму о любви крупного бизнесмена с нетрадиционной, политкорректно выражаясь, ориентацией к случайно встреченному молодому кавказцу с изувеченной левой рукой. Увы, Гордеев ему такого удовольствия не доставил.

— Алферов влюблен в одну красивую девушку, — оседлав внезапно прорвавшееся вдохновение, скомпоновал версию адвокат. — У нее белые волосы, крашеные. А губы и ногти она красит в черный цвет. Она покинула Алферова, ушла к другому. К кому, не призналась. Зовут ее Ольга, Ольга Васюнина. — Вот когда пригодилось имя, подслушанное в холле «Вэрайети Плаза», и особенности цепкой профессиональной памяти адвоката! — Я нашел ее и стал следить, чтобы разузнать и доложить моему клиенту, с кем она теперь, а дальше пусть сам разбирается.

Гордеев, по правде говоря, не рассчитывал, что его похитители проглотят эту байку, однако надеялся, что она их хотя бы на какое-то время займет. А за это время... может быть, и удастся найти какой-нибудь выход.

Руки у него, в буквальном и переносном смысле, развязаны.

— Данные на Ольгу и на Алферова находятся в моем домашнем компьютере, — присочинил адвокат. — Хотите, привезите меня туда, и я вам все покажу.

Уловка не удалась: никто его никуда не повез. Трое амбалов остались охранять Гордеева, а доктор Айболит пошел наверх, очевидно, докладывать о результатах. Возвратился доктор, который с самого-то начала не был особенно добрым, в изрядно свирепом настроении. Повязка-респиратор съехала, держась на завязочках только с одной стороны. Поначалу у Гордеева мелькнула догадка, что если этот человек скрывает от него лицо, значит, может оказаться знакомым, но теперь эта догадка развеялась, зато возникла другая: Айболит не любит светить своей физиомордией потому, что, мягко выражаясь, не красавец. Свернутый вправо в результате давнего перелома нос, грубая, изрытая какими-то синеватыми вдавлинами кожа, на почве которой бурая щетина росла пучками, сикось-накось. В сравнении с его открывшейся внешностью Гордеев предпочел бы лицезреть респиратор.

— Ах, так ты нам мозги крутишь, дерьмо ты юридическое! Ну ты еще не представляешь, что тебя ждет, если не скажешь правду. Заслужил — получи!

Игла шприца, так и валявшегося наготове, вонзилась в бедро прямо через не слишком чистые гордеевские брюки: о гигиене в этом подвале мало заботились. Слегка застонав от ощущения рвущихся под иглой тканей, Гордеев закрыл глаза и принялся ждать последствий.

37

Брать Ахмета Ахметова, так называемого представителя фирмы «Фармакология-1» отправились Галя Романова и Володя Яковлев, а также примкнувший к ним майор Тимофей Зайчик. Всю дорогу от Петровки до проспекта Мира мрачный весельчак не оставлял молодых оперов в покое, травя их вперемежку историями о расправах в наркодилерской среде и анекдотами с трупным душком, так что к концу поездки Гале и Володе начало мерещиться, что в нотариальной конторе они застанут груду мертвых спортсменов, которые пострадали от употребления запрещенных стимуляторов.

— Два студента в анатомичке вскрывали труп, — интимно наклоняясь к Гале, завел свежую хохму Зайчик, — а они были голодные...

— По-моему, мы уже приехали! — чуть более эмоционально, чем хотел, прервал красноречие майора Володя Яковлев.

Ахметовская контора выглядела ничуть не криминально. Она делила третий этаж напичканного офисами здания с редакцией журнала «Спортивное рыболовство», и если часть этажа, занятого рыболовами, являла признаки хронической послеремонтной разрухи, то на нотариальной стороне все было цивилизованным и чистеньким. Светло-розовые, не отягощающие глаз стены. Белые двери с позолоченными ручками. Табличка, осведомляющая о местонахождении Ахмета Ахметова, тоже блистала позолотой. Не испытывая никакого почтения перед этой офисной роскошью, даже не вытирая ног, блюстители правопорядка вломились в кабинет, вызвав возмущенные вопли со стороны очереди, ожидающей приема у нотариуса.

— Спокойно, спокойно, граждане, — увещевал майор Зайчик. Замыкая шествие, он успел предъявить потенциальным клиентам Ахметова служебное удостоверение, после чего очередь затихла и мгновенно поредела.

Ахметов возмущенно поднялся из-за письменного стола навстречу непрошеным гостям, меча молнии из черных узковатых глаз. Росточка он был умеренного, скорее даже низенького, но полнота придавала ему солидность. Коричневый пиджак его из-за жары увенчивал собою спинку стула: нотариус красовался перед посетителями в полосатой рубашке, по которой из-под мышек расплывались пятна пота. Слабый аромат дезодоранта смешивался с ядреным запахом несвежего мужского тела, создавая неописуемую парфюмерную композицию. Галя брезгливо подумала, что, должно быть, Ахметов считается очень квалифицированным в своей области специалистом, если не боится отпугнуть клиентов такой неаккуратностью.

— Чем могу помочь? — преодолевая гнев, спросил Ахметов.

Постановление на обыск он прочел внимательно, надев очки и так перебирая губами, точно пробовал каждую букву на вкус.

— Это наглость, — наконец распробовав документ, отрубил нотариус. — Я сам юрист, я знаю свои права.

— По-вашему, мы вам тут фальшивку пытаемся всучить? — с напускной кротостью осведомился Зайчик.

— Если это не наглость, то недоразумение, — сбавил тон нотариус. — Меня пытаются подставить враги. Вы сами в этом убедитесь. Ищите! Что найдете, все ваше! Что вам показать: сейфы? Подшивки документов? Бачки туалетные?

— Отдохните, — посоветовал Зайчик. — Сами все осмотрим.

Оставив Яковлева караулить все еще изрыгающего туманные угрозы нотариуса, Зайчик с Галей Романовой в четыре руки принялись обшаривать офисные помещения. Зайчик проявлял незаурядный профессионализм относительно поиска мест, где могут скрываться запрещенные препараты; Галя, не будучи натаскана в этой специфической области, тоже не отставала, проверяя, перетряхивая и перестукивая все, что попадалось на ее пути. Поставив нотариальную контору вверх дном и не обнаружив ничего, хоть сколько-нибудь напоминающего таблетки, ампулы или флаконы с порошками, они готовы были поверить, что произошло недоразумение. Нотариус тоже как будто бы приободрился и имел торжествующий вид.

— Ну так что же, — поинтересовался он, — принесете свои извинения?

— Обязательно принесем, — бодро пообещал Зайчик, — вот только сначала подвал осмотрим. Так, для зачистки совести, как выражался мой прежний начальник, генерал Боденко. Есть у вас тут подвал?

Полосатая рубашка залилась потом вся, целиком. Вспотели грудь, спина, живот; на рубашке проступили крупные капли, которые собирались в вонючие ручейки. Гале еще не доводилось видеть такого мгновенного и отвратительного действия страха на физиологию.

— Я к подвалу не имею... никакого... никакого отношения не имею, — посыпалась торопливая скороговорка.

— Только не надо прикидываться валенком, гражданин Ахметов! Прежде чем ехать к вам, с документами на владение мы ознакомились. Все здание юридически принадлежит вам, и подвальное помещение в том числе.

— Пожалуйста. — Судя по выражению лица, Ахметов вновь сумел овладеть собой, вот только справиться с потовыми железами было не в его власти. — Только вот я не знаю, где ключи. Понимаете ли, мы давно ничего не держим в подвале.

— Не беспокойтесь, почтеннейший гражданин Ахметов, — осклабился Зайчик. — Если найти ключи не удастся, я вызову бригаду с автогеном, которой любая дверь на один чох. Автоген — штука надежная: это я усвоил в девяносто первом году, когда увидел труп — если это можно назвать трупом — наркодилера, который толкал некачественный героин. Клиенты распилили его этим замечательным орудием на сорок мелких частей, которые спрятали в разных местах Москвы. Некоторые из этих сорока частей мы нашли и предали погребению, другие, увы, исчезли безвозвратно — вы помните, что в начале девяностых страна испытывала трудности с продуктами питания. Особенно ощущался недостаток мяса... Да, так о чем это я? Извините, отвлекся... Ах да, об автогене! Таким образом, с помощью бригады доступ в подвал снова будет для вас свободен. Чем сможем, тем поможем. Не стоит благодарностей.

Автоген все же не потребовался: ключи от подвала обнаружились у секретарши нотариуса, благовоспитанной и, судя по поведению, очень законопослушной девушки, которой Ахметов напрасно строил жуткие рожи. Спустившись по лестнице и открыв пресловутыми ключами уйму замков, оснащавших подвальную дверь, Галя и Зайчик в сопровождении двух понятых (ими оказались представители редакции рыболовного журнала) не сразу отыскали выключатель. В темноте

Галя наступила на что-то хрусткое и шуршащее. Зато когда вспыхнул свет, майор Зайчик со свистом втянул в себя воздух, чтобы восхищенно выдохнуть:

— Клондайк!

Подвал сверкал, как пещера Аладдина. Сверканием он был обязан отчасти свеженькому целлофану, обволакивавшему целые упаковки пластмассовых и картонных коробок, отчасти блеску флаконов, которые высыпались из одной такой вскрытой коробки вблизи входа — и попались Гале под ноги.

— Метандростенолон... ретаболил... — сквозь целлофан разбирал до боли знакомые ему названия Зайчик. — Тестостерона пропионат... нандолона деканоат... Галочка, ты топчешься в долларах... Станоцолол... метадиенон...

Когда они поднялись наверх, Яковлев доложил, что нотариус пытался сбежать через окно мужского туалета.

— Как я его понимаю, — весело прокомментировал майор Зайчик.

38

«Что они мне ввели?» Терзаясь этим вопросом в ожидании действия снадобья, щедро впрыснутого злым доктором Айболитом, Гордеев не имел в виду химическую формулу или даже название: в фармакологии он безнадежно плавал. Его бы вполне устроило, если бы похитители хоть намекнули, какого эффекта они ожидают от этого крайне болезненного и небрежно сделанного укола. О существовании «наркотика правды» Гордеев был осведомлен, как и все добропорядочные обыватели, судящие о мире шпионских интриг по боевикам, но не имел информации относительно того, насколько этот наркотик распространен. «Нет, вряд ли такое законспирированное вещество попало в руки отморозкам, — утешал он себя. — Если бы они и впрямь располагали «наркотиком правды», чего проще: ввести его мне сразу, едва я попал к ним в руки, узнать все, что надо, а потом пристрелить...» Боль в бедре становилась жарче, лекарство распространялось волнами по всему телу из этого пылающего очага. В голове, пальцах рук и ног возникло неистовое жжение, они начали пульсировать, разбухать, будто презервативы, в которые вливают воду, непрерывно вливают и вливают, добиваясь, чтобы они лопнули. По сравнению с этими чрезмерно раздавшимися конечностями туловище съежилось, точно гнилой усохший плод. Садисты! Сволочи! Если в их арсенале присутствуют анаболики, способные превратить женщину в мужчину, а заурядного мужчину — в раздутого буграми мускулов качка, почему не быть средствам, которые нормального человека могут превратить в достойного жалости уродца? За считаные минуты...

«Очнись, Юра! — скомандовал сам себе Гордеев. — За считаные минуты ничего произойти не может. Живой организм — не картинка на экране компьютера, которую легко растянуть и сжать. Такие изменения способен произвести только нож хирурга, и то, наверное, не меньше чем за год, потому что если сразу, человек бы умер. Это все тебе мерещится. Ну же, приди в себя! Мерещится, мерещится, мерещится...»

Голос разума подсказывал истину, но становился все тоньше, отодвигался на периферию, в то время как сознание Гордеева заполнялось нестерпимой болью происходящих с ним превращений, а происходили они наяву, вещно, зримо для других или только в его мозгу, значения не имело. Слово «мерещится» истончалось, извивалось, трансформировалось, пока не превратилось в «мерещицу» — тварь, похожую на щуку, но с жалом насекомого. Все становится кошмаром для помещенного в кошмар. Что это? Кто это? Адвокат Гордеев не узнавал своего привычного тела, он перетёк в какого-то моллюска, выковырянного из раковины, в розовое склизкое приплюснутое создание, на которое вот-вот наступит рифленая подошва чьего-то вездехода-сапога. При этом голова разрасталась, ей становилось тесно под кирпичными сводами, она не выдерживала давления, распиравшего ее изнутри. Память подсказала, что похожие чувства Юра переживал в глубоком детстве, когда болел ветрянкой. Но тогда это был всего лишь горячечный бред, сквозь который пробивалась действительность — чашкой воды, рукой матери, прохладой градусника. Теперь же... все было... наяву!

Гордеев не имел представления, сколько времени протекло в этих судорогах, пока явь не прояснилась и не стала тем, чем была прежде: подвалом, жестким полом, комковатой подстилкой. Не слишком хорошо, но по сравнению с недавними пытками — тихая, умиротворяющая благодать. Судя по тому, что над гордеевским телом склонялся в прежней позиции доктор Айболит, окруженный тремя мордоворотами, прошло каких-нибудь пятнадцать минут, но, с другой стороны, пока Гордеев не пришел в себя, Айболит имел возможность отлучиться, попить чайку, даже поспать, оставив пациента на попечение охраны. В поисках утраченного времени Гордеев прислушался, стараясь услышать тиканье часов или позывные радиостанции, но его слуха достиг только монотонный звук, похожий на завывание. Ему потребовалось сосредоточиться, чтобы понять, что это воет он сам. Потрясенный неприятным открытием, Гордеев придушил на выходе из горла этот вой, но он не желал прекращаться, прорываясь в тяжелом дыхании сипением прохудившейся велосипедной камеры.

— Ну как, Юрий Петрович, — жизнерадостно предложил доктор Айболит, — будете говорить начистоту или продолжим наши игры? Отвечайте: зачем следили за Алоевым?

Способность Гордеева трезво мыслить, как оказалось, не подверглась разрушению. Юрий Петрович отдавал себе отчет, что он относительно невредим, что с телом его не произошло непоправимых изменений, что отвратительная галлюцинация — результат воздействия, скорей всего, наркотиков. Но это не меняло общей картины: если он и сейчас попробует задурить мозги своим похитителям очередной байкой, новая доза того же галлюциногенного вещества способна отправить его на тот свет. Пожалуй, бегство на тот свет — единственный пока что стопроцентно надежный способ выбраться из подвала, но прежде, чем им воспользоваться, надо перепробовать все остальные. А для этого требуется сказать алоевской шайке то, что они хотят.

И Юрий Петрович рассказал... Рассказал, конечно, не все и не в полном объеме, оставляя в стороне работу, проделанную Турецким и глориевцами, не давая бандитам зацепок, которые могли бы пустить эту работу насмарку. Рассказал, что является адвокатом вдовы убитого Павла Любимова, но, чтобы он смог представлять ее на суде, нужно, чтобы убийца был найден, а найти его так до сих пор и не удавалось. Случайно, отправляясь на отдых, Гордеев увидел на заправочной станции человека, соответствующего описанию, данному свидетелями убийства Любимова...

Айболит недоверчиво скривил на сторону рот, словно камбала, сделав свою малопривлекательную физиономию еще более отталкивающей:

— Случайно, говоришь? Я к тебе по-хорошему, а ты все ваньку валяешь?

Гордеев попал в затруднительное положение. В своей адвокатской практике он не раз сталкивался с тем, что голая, неподдельная правда — самая неправдоподобная штука на земле.

— Случайно, — настаивал он на своем. — Хоть на детекторе лжи меня испытайте, повторю то же самое. Сам удивляюсь, как это вышло. Знаете, как в поговорке: на ловца и зверь бежит...

— Это ты, стало быть, думал, что ловец — ты, зверь — Алоев. А получилось наоборот. Хе-хе... — Айболит смягчился, расположение духа его улучшилось. — А детектора лжи у нас нет. Без надобности. Ты на себе проверил, что нам и без детектора всю правду говорят.

— А я думал, есть, — поддержал шутливую атмосферу Гордеев, несмотря на то что ему было не до смеха. — Я-то думал, у вас тут технически оснащенная контора...

Тут же адвокат догадался, что по части шуток он перехватил — нечаянно угодил в точку, дотронулся до больного места. Лицо Айболита напряглось, сломанный нос точно окаменел.

— Какая контора?

— Ну, шайка ваша алоевская, — Гордеев чистосердечно гнул свою линию. — Организованное преступное сообщество иногда конторой называют. Слышали, наверное, песню: «Но как-то раз менты на хвост насели и всю контору разом замели»?

— Я много чего слышал. Я не вчера на свет родился. Что ты знаешь об Алоеве?

— О каком, сыне или отце? И о том, и о другом — мало. Отец — депутат Госдумы. Сын воевал, потерял пальцы на войне. Ну и относительно Павла Любимова...

— Кому-нибудь про Алоевых уже накапал?

— Никому! Откуда? Я бы и не успел...

— Он дэло гаварыт, слушай, — неожиданно один из охранников-мордоворотов принял сторону пленника. — Откуда бы он успэл?

Айболит запальчиво показал смелому охраннику мосластый волосатый кулак, и тот заткнулся. Неизвестно, какое место занимал тот, кого Гордеев произвольно окрестил Айболитом, в иерархии алоевской преступной группировки, но явно не одно из самых нижних.

— Для этого много времени не требуется. Звонок по мобиле — и крандец. Точно никому не сообщал?

Заверяя в своей искренности, Гордеев принужденно приложил руку к сердцу, на восточный манер. Этот жест стоил ему новых мучений: так долго остававшиеся связанными руки по-прежнему отчаянно болели и плохо слушались.

— А о «Фармакологии-1» кому сообщал?

— Никому. — Запасы театрализованной искренности иссякли, поэтому это «никому» прозвучало вяло и удрученно. — Впервые слышу. Никогда не подозревал, что на свете есть какая-то «Фармакология-1». И о фармакологиях с другими номерами тоже никогда не слыхал.

Вот теперь как будто бы все. Они добились от него, чего желали. Каков будет следующий шаг? Немедленно пустят в расход или оставят в живых, чтобы постараться извлечь из него дополнительные сведения? Гордеев ожидал, как решится его участь.

39

После того как тайны подвала оказались вскрыты, нотариус Ахметов больше не проявлял поползновений к побегу или самоубийству. По инерции он продолжал протестовать, обвинять продажное правосудие, подбрасывающее улики честным людям, требовать генпрокурора — но все это вяло, без прежнего огонька. Так же вяло, с потухшими, ставшими вмиг точно покрытые пеплом угольки, глазами он перенес тот факт, что генпрокурора ему не предъявили, а вместо этого водворили в камеру знаменитого Бутырского СИЗО, где, кроме него, парились еще примерно тридцать собратьев по ситуации. Слово «парились» не было изыском стиля: все они имели на себе минимум одежды, наподобие египетских рабов, так как жара, досаждавшая людям за стенами тюрьмы, здесь сгущалась, будто в сауне. На нижних нарах сидели, тесно примкнув друг к другу боками, точно в переполненном вагоне метро, на верхних спали, остальные занимали стоячие места. Располагавшиеся внизу предавались разным занятиям: одни разговаривали (от голосов в камере носился гул), другие ели, третьи точно обмерли, тупо уставясь в пространство; трое играли в карты, каким-то хитрым способом расположив их на коленях почти на весу, а один, ближайший к выходу, задрав голову и чуть закатив глаза с видом одновременно трагическим и придурковатым, о чем-то мечтал, созерцая пятнистый потолок. Возможно, в очертаниях пятен он искал ассоциации с чем-то знакомым и дорогим, навеки утраченным? Потолок, пострадавший, вероятно, от протечек сверху, не радовал своим видом, но стены были еще хуже: крашенные в несколько слоев тоскливой зеленой краской и в изобилии несущие следы жизнедеятельности прежних сидельцев. На этих стенах выцарапывали трогательные жалобы и крепчайшие ругательства. По ним художественно размазывали вытащенные из носа козявки. На них били мух, чьи усохшие трупики так и оставались висеть здесь в качестве охотничьих трофеев. Интерьер довершали примерно десяток черных носков, сушившихся на протянутой между нар веревочке, и груда бутылок из-под лимонада «Колокольчик», в основном пустых, придававших камере вид привала туристов.

Ахметов вовремя пригнул голову, чтобы не уронить носки на вымощенный красной плиткой пол. Его появление в камере энтузиазма не вызвало: едва скользнув по новичку взглядами, картежники продолжили поединок, потолочный мечтатель ни на минуту не дал отвлечь себя от грез, самые дальние и вовсе не поняли, что случилось, почему открылась и тут же закрылась дверь камеры. Ахметов остался стоять со склоненной головой, топчась на одном и том же месте, на стыке плиток, красных, как густая кровь. Его уголовная биография, богатая и разветвленная, до сих пор ни разу не приводила его в тюрьму. Все пугало его в этом незнакомом месте, а сильнее всего пугало представление о тюрьме, взращенное на рассказах тех, кто там побывал, и окольных сведениях, почерпнутых из газет и популярных журналов. Ахметов жалел, что слишком невнимательно относился к этому материалу в недалеком прошлом, уверенный, что уж кого-кого, а такого ловкого и оснащенного связями мужчину, как он, посадить не могут. Идиот! Однако, несмотря на эту безумную уверенность, он запомнил, что, впервые войдя в камеру, важно себя правильно поставить. Иначе тебя опустят... не в переносном смысле, как на воле говорят, а в буквальном... отпидорасят, и привет родителям. От этой мысли Ахметова заколотил озноб. Обычно считается, что от страха прошибает холодный пот, с ним произошло по-другому: потоотделение, заставлявшее его истекать влагой из всех пор, внезапно прекратилось, точно где-то внутри завернули кран. Все силы организма были брошены на поиски в памяти ответа на главный вопрос: как поставить себя правильно, чтоб не опустили? И пока ответ не был найден, Ахметов не смел тронуться с места...

— Ты чего там пляшешь, — обернулся к Ахметову один из картежников, смуглый атлет в возрасте от тридцати до сорока, тугой и гибкий, как конская плеть, — танцы танцевать сюда, что ли, приперся? — Обратился он к новичку весело, но лицо у него было неулыбчивое, и Ахметов не знал, чему верить: голосу или лицу?

— Да ладно тебе, чего сразу наезжать? — примирительно откликнулся кто-то с нижних левых нар, от стены, как будто бы добрый, с круглым как полная луна лицом. — А ты, новенький, иди на мое место.

— А сам куда? — Мясистый мужик, очевидно сам претендовавший на сидячее место у стены, выразил неудовольствие.

— А сейчас моя очередь спать. Эй, Федятый, слезай! Пусти, говорю, щаз-з моя очередь! Щаз-з за ногу сдерну! Шевелись ты, сонная тетеря! А ты иди, новенький, иди. Быстро, говорю, иди, а то займут, ни с чем останешься!

Ахметов, несмотря на лишний вес, не посмел ослушаться и в рекордные сроки, пыхтя, втиснулся на пышущее жаром предыдущего тела место между стеной и костлявым стариком, колючим, как груда металлолома. В бок упирался старческий локоть, грудная клетка была стиснута, что мешало дышать, снизу раздражающе давил какой-то выступ комковатого матраса — и тем не менее, усевшись на нарах, он почувствовал себя в относительной безопасности, в грязной, но теплой норе, куда его загнали свирепые легавые псы. Пришло время поразмыслить о своей горькой судьбе. Чтобы хоть чуть-чуть отрешиться от гнусной обстановки камеры, Ахметов повернулся к стене, но вид ее вблизи вызвал такое отвращение, что нотариус слегка отпрянул и, вдыхая удручающие запахи человеческой скученности, предался молчаливому отчаянию.

Кто бы мог подумать, что превратность судьбы может постигнуть так молниеносно! Казалось, только сейчас в его жизни царило ясное летнее утро, когда он, Ахмет Ахметов, пробудившись рядом с рыжеволосой ласточкой, искусной и дорогостоящей, вот уже неделю скрашивавшей его будни, ругнул жару и недовольно выпутался из кокона шелковых простыней. Матрас он предпочитал водный — для тела приятнее... На завтрак, поданный домработницей, старой и уродливой, но отменной кулинаркой, скушал со вниманием к пищеварению овсяную кашу, яичницу с ветчиной и апельсиновый сок. Этот завтрак Ахметов, презирающий все русское, но благоговеющий перед заграницей, полагал типично английским. Умеют жить англичане! Чехи тоже парни не промах — по крайней мере, те из них, кто причастен к «Фармакологии-1». Буквально на днях Ахметов получил из Праги переправленную по давним налаженным каналам партию товара. Вот была работка! Все проверить лично, проследить, чтобы нижестоящие не заныкали под шумок коробку-другую. Миновали те времена, когда свежевылупившаяся «Фармакология-1» только еще росла и развивалась, а нанятый самим Алоевым Ахмет Ахметов из кожи вон лез, делая все сразу и собственноручно.

Трудные времена миновали, Ахметов, с восточным пристрастием к построению властных структур, оснастился целым штатом сотрудников, готовых выполнять любую грязную и неблагодарную работу, а в придачу к тому шестерить у бая... то есть у босса. Многие готовы были дополнительно, так сказать на десерт, и обувь ахметовскую языком почистить — это те, которые за дозу... Фармакология — она ведь такая хитрая наука, что не только анаболиками, но и наркотиками ведает. Преданности — полные штаны! Но Ахметов не был бы Ахметовым, если бы отказался от постоянного надзора за подчиненными. Никакого головокружения от успехов! Контроль и только контроль! В этом пункте он оставался добросовестным, как полагается типичному нотариусу.

А он и вправду нотариус! Кто скажет, что это не так? У него на это все права имеются. Проверяйте, если хотите: Ахмет Ахметов окончил юридический вуз одной из бывших союзных республик. Правда, как часто он посещал занятия, и сколько раз пропускал сессию якобы по болезни или другим уважительным причинам, и каким образом в конце концов оказался в его кармане диплом, — разговор особый. Ахметовские родители были людьми небедными... Но, если разобраться, много ли толку вышло из однокашников Ахметова, усердных зубрил? Может быть, у него уже тогда мозги работали получше, и он не желал грызть гранит социалистической юриспруденции, который сейчас обратился в прах? А что касается современной юридической практики, то ее Ахметов освоил досконально. Не всегда со стороны правосудия, но это представляет тем большую ценность. Во всяком случае, своим клиентам он всегда мог дать полезный совет.

С Алоевым они до поры до времени действовали в разных сферах, хотя имели между собой немало общего: оба запятнаны по уши в криминале, оба — обладатели внешне безупречной репутации. Ахметов был наслышан об Алоеве; побаивался его как представителя чеченской мафии, но и симпатию некоторую питал: все же мусульманин... Алоев, впрочем, взлетел так высоко, что Ахметову об этаких горных вершинах подумать страшно было бы. Получив от него предложение о сотрудничестве, нимало не колебался. Тогда еще «Фармакология-1» и в проекте не стояла. Но когда возникла она на горизонте, пригодились старые связи Ахметова с наркодилерами. Что анаболики, что наркотики — отрава схожая. И способы ее распространения, если отбросить внешнюю шелуху, идентичны. Заинтересовать, привлечь, убедить простофилю, что ему не обойтись без этого снадобья. Некоторое время снабжать по низким ценам, почти бесплатно. Когда подсядет как следует — вот тут-то уже все просто и можно не беспокоиться о получении максимальной прибыли. Доить простофилю, и все тут. Пока его денежного вымени хватит, до тех пор и доить. Правда, у Алоева как будто бы какие-то свои соображения из загашника выпирают, но в это Ахметов никогда не вмешивался и не собирается. Это — политика, это не его область.

Что касается моральной стороны дела, о ней никогда не вспоминалось. Все эти вещества употребляют глупые люди, Ахметов же никогда не считал себя дураком. Он не искал ни спортивной славы, ни запретных удовольствий. Удовольствия у него были простые, как у его предков: женщины, жирная обильная еда, пресмыкания тех, над кем он властен... Вот еще неплохо было бы съездить за границу. В ту же, к примеру, Англию. Посмотреть, какие в этой цивилизованной стране изобретены жизненные удобства, и привнести их в свой быт.

Губы Ахметова растянулись, глаза сузились в совершеннейшие щелочки. Он не желал смотреть на тюремный быт, который — возможно, на десятилетия — подменит для него английскую сказку, так и оставшуюся сказкой. Английский завтрак съеден, и невозможно ощутить его вкус дважды: любая еда закономерно перерабатывается кишками в дерьмо. Жрать дерьмо среди облепленных дохлыми мухами стен — неужели такова отныне его участь?

Заталкивая внутрь своего существа зарождающийся в нем утробный протестующий вопль, Ахметов дал себе слово ни в чем не признаваться. Пусть делают что хотят, он к подвалу под нотариальной конторой отношения не имеет. Так и занесите в протокол!

40

Юрий Петрович Гордеев ждал немедленной смерти, однако старуха с железной косой отложила свой визит. К превеликому удивлению пленника, условия его пребывания на алоевской территории даже улучшились — по крайней мере, в том, что касается материальной базы. Из подвала его перенесли в комнату, куда по утрам заглядывало солнце, вместо набитой скомканным поролоном подстилки, брошенной на пол, предоставили нормальную кровать, кормили исправно — дважды в день. Правда, при этом вкус пищи отдавал нескрываемой медициной, а относительно вида из окна Гордеев пребывал в полнейшем неведении, потому что не в состоянии был подняться с кровати. Судя по всему, его держали на каких-то сильных препаратах. В первый же день постподвального бытия Гордеев попробовал отказаться от пищи, содержащей поганые снадобья, но мордоворот из охраны пригрозил снова связать ему руки и кормить насильно, так что пришлось смириться.

Тот охранник, что вступился за Гордеева, уверявший, что никому не успел рассказать об Алоевых, чаще других дежурил возле пленного. Звали охранника Пулат. Был он по национальности узбеком, по характеру, в общем, не злой и изредка, под хорошее настроение, позволял себе отвечать на вопросы Гордеева. Вроде такого:

— Почему меня не убили? Держат в заложниках?

— Рэшают, что с табой дэлать, — лениво отозвался Пулат. — Благадары Аллаха, что ты адвокат: бил бы слэдак, тебе би уже застрэлили.

И так выразительно положил руку на свой «калаш», точно давал понять: добродушие добродушием, а следователя он пристрелил бы со всем удовольствием, невзирая на личное знакомство.

Большой информации такие ответы не несли, да и Гордеев чаще всего не выказывал способности к заданию вопросов. Медикаментозное забытье баюкало его на своих ватных волнах, душило и обволакивало. Сквозь сон, сдавливающий, точно кокон, Юрий Петрович следил за игрой света и теней на потолке. Судя по колыханию одной повторяющейся тени, под окном плескало листьями какое-то растение... Что это, дерево или крупный кустарник? Если кустарник, тогда до земли близко, если дерево, то очень высоко. Гордеев строил планы побега, он обезоруживал Пулата ударом сзади по голове, добывал веревку, привязывал ее к спинке кровати, спускался из окна — и просыпался с тяжелым ощущением, что его пребывание в доме Ало-ева — тоже очередной, очень реальный сон. Эти вооб-ражаемые побеги настолько его измочалили, что он был бы рад переключиться на что-нибудь другое. Он ста-рался вызвать перед собой лица друзей, лица всех жен-щин, которые когда-либо украшали его жизнь, однако страх и тревога на свой манер кроили сонное бытие, не оставляя Гордееву ни грамма утешительной иллю-зии. Только побег, оружие, кровь...

Но вот однажды сонная одурь рассеялась. Гордеев осознал, что видит комнату и охранника, прикорнув-шего на стуле, с предельно трезвой отчетливостью. Постфактум ему вспоминалось, будто недавняя пор-ция еды не имела ставшего привычным медикамен-тозного вкуса... Что это значит? Неужели кто-то ему помогает? Может быть, пищу подменили его друзья? На всякий случай Гордеев притворился, будто он одур-манен, как всегда. Он закатил под сомкнутыми века-ми глаза, время от времени принимаясь подергивать ими, точно видит сновидения.

В комнату заглянул один из мордоворотов и оклик-нул того, который скучал возле Гордеева. Между ними завязался короткий разговор на языке, которого Гор-деев не знал, но приблизительно восстанавливал со-держание по результату диалога:

«Пошли покурим!»

«Не имею права, я на посту».

«Э, да ладно, брось, мы тут, напротив. Дверку оста-вим приоткрытой, если боишься, что твой лежачий пес сбежит».

Так они и поступили: оставили полуоткрытой дверь, через которую к Гордееву пополз сигаретный дым и какие-то уж совсем непонятные иноязычные переговоры. Среди множества восточных слов здесь затесалось одно немецкое — «гросс» — повторяемое с настойчивой периодичностью. Не принадлежа к любителям сравнительного языкознания, Гордеев — скорее всего, чтобы занять чем-либо пробудившийся и бунтующий от вынужденного бездействия мозг — задумался, что может означать это слово по-чеченски или по-узбекски. По-немецки, если он не ошибался, оно значило «большой», а еще как будто бы «толстый»... Правда, те, кто сторожил его, могли объясняться на смеси языков, почему бы не затесаться туда и примеси немецкого? Это предположение показалось Гордееву таким сумасшедшим, что, вопреки необходимости притворяться спящим, он едва не расхохотался и с трудом успел подавить смех.

Смех все-таки прорвался наружу тонким писком, и охранники при желании могли его услышать. Но не услышали, увлеченные куревом. Сегодня все шло как-то не так, не по обычному распорядку: гудел пылесос, гулко доносились отзвуки командного голоса, который кого-то за что-то распекал. Сопоставив данные, Гордеев, в тишине и темноте под опущенными веками, пришел к выводу, что в алоевском хозяйстве назревает грандиозный бенц. Скорее всего, приятель Пулата улизнул в зону охраны пленного Гордеева потому, что это было единственное относительно спокойное место в доме, где еще разрешалось отдохнуть и покурить.

Есть ли связь между отсутствием новой порции лекарства в еде и всеобщим авралом? Возможно двоякое толкование. Первое: неведомые друзья, воспользовавшись неразберихой, подменили пищу. Второе, лишающее надежды: из-за той же самой неразберихи пленного, в котором уже видели смертника, просто-напросто забыли накормить очередной дозой одурманивающего снадобья. Следовательно, никто не пришел ему на помощь, а значит, остается только сдаться перед лицом превосходящих сил противника...

Нет уж, извините, он сдаваться не собирался! Надежда, как говорится, умирает последней. Даже если верна вторая версия событий, нет причин впадать в тоску: стечение обстоятельств играет в его пользу. Он отлежится здесь в темноте под сомкнутыми веками... да, он отлежится, выжидая благоприятный момент. Если в доме творится черт-те что, вполне вероятно, что его горе-караульщик ослабит бдительность. А тогда — не зевать, Юра!

В ожидании благоприятного момента Гордеев начал тренироваться в умении смотреть сквозь ресницы, чтобы следить за Пулатом и его приятелем. Из художественной литературы Юрий Петрович знал, что умение это существует, однако свойственно в основном женскому полу с его очами, оснащенными длинными ресницами: по крайней мере, адвокат, пытаясь выглядывать в тоненькую, между едва раздвинутыми веками, щель, видел что-то мутное, сероватое, размытое. Раздвинуть веки пошире Гордеев не решался: подозревал, что его неумелые потуги походить на красоток-интриганок из романов позапрошлого века будут тотчас замечены и разоблачены. Напрасные опасения! Пулата и того, другого, по имени Муса, совершенно не занимало, чем там занимается пленник. Главное, чтобы не вскакивал с кровати. Занимало их только курево, в котором, судя по сладковатому душному запаху, содержался не только никотин...

«Да-а, дурмана у Алоевых хватает, — посетила Юрия Петровича мысль — непростая, с намеком на метафорический охват. — Одних Алоевы удерживают при себе анаболиками, других — наркотиками, третьих — чем-нибудь еще... чем, для них не важно, главное, загрести побольше бабок в свой и без того непомерно раздутый кошелек. Это ошибка думать, будто власть таких вот Алоевых зиждется на одном голом насилии: запуганный раб — плохой работник. Нет, Алоевы умеют быть привлекательны, они дают человеку то, чего он хочет, — по крайней мере, он сам уверен, что хочет именно этого; а когда он все-таки впадает в рабство, то делает это так постепенно и мягко, что не сразу понимает, что с ним произошло...»

Должно быть, какая-то из прежних доз обычного сонного средства вступила в действие, а может быть, гордеевский мозг, привыкший грезить, отключился сам по себе, только ему привиделся сон наяву. Он видел раздутый алоевский кошелек, о котором только что размышлял, в облике огромной жабы, волочившей по песку свое неуклюжее тело: она так раздулась, что не могла больше прыгать и медленно, натужно ползла. Жаба была красновато-коричневая, с черными прожилками, цвета кожи, из которой шьются бумажники и портмоне, что могло бы придать ей некоторое благородство, которое, однако, сводилось на нет покрывавшими ее бугристую спину бородавками. Часть бородавок лопалась с тихими хлопками, из них сочился, дымясь, зеленоватый то ли гной, то ли яд. «Нельзя прикасаться, — сказал себе Гордеев, сжимая в руке неизвестно откуда взявшийся кухонный нож, — если яд попадет в твой человеческий организм, уснешь навеки. Или станешь ей служить, а что может быть хуже для человека, чем служить жабам?» Он располагал всего одним шансом: если вспороть жабе брюхо, от желеобразного трясущегося складчатого горла до промежутка между жирных желтоватых ляжек, ее удастся убить. Золотые монеты высыплются из ее туго набитых кишок, а в деньгах заключается вся ее непобедимость.

Мешало то, что жаба такая толстая: чтобы добраться до ее брюха, надо было перевернуть ее на спину, а сделать это, не запачкавшись дымящейся зелено-гнусной гущиной, не получалось. Гордеев вертелся вокруг да около, изыскивал сложные инженерные решения, а жаба ползла прямо на него, и в ее металлически-золотых гляделках стыла неживотная ненависть и злоба...

Вздрогнув (ничего себе сны!), Гордеев вернулся в действительность — как раз в тот момент, когда Пулат, вдоволь накурившись и наобщавшись, захлопнул дверь и склонился над кроватью, где был распростерт пленник.

— А? Что? — Гордееву не пришлось изображать внезапное пробуждение: он действительно перед этим спал и действительно был внезапно разбужен.

— Зачэм проснулся? — несердито укорил Пулат. — Дальше спи!

— Что-то случилось? — продолжал допрашивать тюремщика Гордеев. — Кто-то приехал?

— Приэхал, приэхал... Друг. Партнер из-за рубеж. Тэбэ нэ надо, ты спи.

Но заснул Гордеев не тотчас, позже. Полутора часами позже, когда тишину, сплетенную из шелеста травы и ветвей под окном и далеких, необременительных выкриков, прорезал звук подъезжающего автомобиля. Следом за тем Гордеев услышал, как по садовой дорожке, каменной или зацементированной, прозвучали неторопливые шаги двоих мужчин. Двое солидных людей шли по направлению к дому, солидно беседуя. «Мистер Гросс, — один из собеседников пытался говорить по-английски, но поминутно сбивался на русский, — айм вери... рад видеть у себя...» Для второго, судя по акценту, с которым он говорил по-русски, английский язык был родным.

Знакомый предмет возник перед самым носом Гордеева: это была алюминиевая миска, наполненная кашей. Ноздри втянули прежний медикаментозный запах. Один раз те, кто держал его в плену, ошиблись, но решили не повторять своих оплошностей.

Гордеев глухо вздохнул, провожая день, наполненный несбывшимися надеждами, и принялся есть.

41

— Ну так что, гражданин нотариус Ахметов, — подмигнул, припав на стол, майор Зайчик, — будешь дальше дурочку ломать или поделишься наконец своим внутренним содержанием? Соглашайся, цветик-семицветик. Мы о тебе столько знаем, что ничем новеньким ты нас не потрясешь.

Гражданин нотариус Ахметов попытался изобразить надменную усмешку, но желтые зубы жалко блеснули на покрытом красно-синими пятнами лице. Нет, кулаками из него признаний не выколачивали: просто в камере накануне вечером один подследственный распылил некачественное, как видно, средство от комаров, которое вызвало у Ахметова могучее отравление. Так что обращение «цветик-семицветик» не было совсем лишено оснований.

От условий содержания в бутырской общей камере мог устать и не такой изнеженный человек, как Ахметов. Но и следователи от него устали, добиваясь показаний. До этого Галя Романова надрывалась, опрашивая взятых с помощью Зайчика распространителей, которых набралось около пятидесяти. При «расколе» все они упоминали фамилию «Ахметов». Именно этот человек был диспетчером криминальной группы и распределял обязанности и функции своих людей. Говорил, где брать стимулятор, в каких количествах, куда его доставлять, кому доставлять, сколько брать денег за препараты, куда эти суммы отвозить. При этом сам Ахметов был и распределителем кредитов, именно он выдавал зарплату своим людям.

Такие ясные, несомненные свидетельства! А обнаруженные в подвале медикаменты, этикетки на упаковках которых не содержали предписанных правилами предупреждений об опасности веществ, максимально допустимой дозировке и побочных действиях, говорили сами за себя. Но Ахметов, не поддаваясь ни напору очевидности, ни напору своих бывших сослуживцев на очных ставках, оставался нем и непрошибаем, как гранитное надгробие.

Тогда майор Зайчик напросился побеседовать со стойким распространителем анаболиков. Тот его, очевидно, с первой встречи невзлюбил, но это и к лучшему. Это могло сыграть на руку следствию. Ненависть, любовь, неприязнь, склонность, отвращение — все что угодно, чтобы его расшевелить. Положительных эмоций следствие Ахметову предоставить не могло, оставалось уповать на отрицательные. Галя Романова охотно согласилась поприсутствовать при беседе, но держалась в стороне.

Тимофей Зайчик был на удивление мил и даже приглушил на время свое пристрастие к брутальному юмору. Юморил, но не по-черному, уговаривал, даже льстил:

— Ты же юрист, Ахметов, ты же опытный нотариус. Ну кого ты из себя строишь? Ты же в курсе, что на дворе не тридцать седьмой год, а признание подозреваемого не является в наше время царицей доказательств. Точно так же, как его отсутствие при наличии всех улик не свидетельствует о невиновности. Дошло, цветочек наш кактусный?

— Почему кактусный? — проявил подобие общительности Ахметов.

— Потому, что кактусы очень редко цветут. Сто лет надо ждать, чтобы полюбоваться цветением этой колючей заразы. Вот и от тебя пока дождешься чего-нибудь, поседеешь. — Зайчик отвел назад ладонью свои черные, блестящие, словно гуталином намазанные, волосы. — Мы ведь, Ахметов, обижать тебя не собираемся, нам ни к чему. Улик против тебя накопилось выше крыши, не спасет никакое алиби. Ты лучше вот что скажи: боишься его?

— Кого это?

— Чеченца своего. — Используя данные допроса Лунина и Бабчука, а также интуицию, майор Зайчик продвигался вперед, как танк по бездорожью. — Я так полагаю, князь ты мой прекрасный, что давно бы ты все нам рассказал, и записали бы тебе помощь следствию, и суд учел бы твое добровольное признание, поменьше срок впаял — и отправился бы ты спокойно на зону, а там, между прочим, легче, чем в Бутырке, не сравнить! Чистота, сутолоки никакой, порядки строгие, но справедливые... Проклятый чечен тебя держит, так, что ли? Боишься, что он отдаст приказ, тебя на зоне зар-рэжут? А ты не беспокойся, твой крупный чечен у нас на крючке. Мы его, считай, разоблачили, знаем, кто причина всему. Тебе-то что за смысл идти главным по делу? Сдай чечена и не отдувайся за чужие грехи. Его возьмут — и тебе бояться нечего.

Ахметов на протяжении прочувствованного монолога щурил опухшие глаза и покусывал отросшие у него за время заключения тощие монгольские усы. Вот-вот, казалось Гале, проникнется доводами разума, вот-вот заговорит от души, выкладывая всю подноготную... Чуда не произошло. В том же молчании, ставшем уже привычным, нотариус был отправлен в камеру.

— Не сработало, — признал Зайчик. — Ничего, главное, не терять здорового оптимизма. Не сработало сейчас, так завтра сработает.

— А почему вы решили, что главный в деле — чеченец? — прицепилась Галя. — Мы ведь уже выяснили, что лабораторию «Дельта» возглавляют иностранцы — немец и грек. Может быть, чеченцы были при них всего лишь наемными убийцами?

— А потому, Галочка, я так решил, что мой дед был казак с самого Терека.

— А при чем тут...

— А ты дослушай. В чеченах он лучше, чем в русских, разбирался. Чечен — гордый человек, абы кому подчиняться не станет: для него главная власть — старший из его же тейпа. Сейчас, ясный перец, время такое, когда все перемешалось, международный терроризм и все прочее, но нутром чую: ни один иностранец для чечена не авторитет. Не пойдет он ради него убивать. Значит, есть в деле самый главный чечен, которого мы пока не изловили. Обязан быть!

Предвидения потомственного терского казака оправдались уже минут через пятнадцать, когда Галя Романова, завершив свои дела в Бутырке, собиралась отбыть на Петровку. Ей доложили, что Ахметов срочно хочет добавить что-то очень важное к своим показаниям. Выяснилось даже, что надзиратель уверял Ахметова, что старший лейтенант Романова уже ушла, а он все сможет превосходно сказать в следующий раз, но Ахметов не слушал, бросался на дверь, и во избежание неприятностей, если он действительно что-то ценное припомнил, решено было остановить Галю чуть ли не у самого выхода.

Досадно возвращаться с полдороги. Но для Гали все искупило первое же слово — точнее, фамилия, услышанная от Ахметова.

— Алоев, — сказал он.

42

В то же самое время, когда сотрудники МВД в Бутырке при помощи Зайчика старательно раскалывали тот крепкий орешек, которым являлся фармакологический нотариус Ахмет Ахметов, Турецкому позвонили и сообщили, что глава антидопинговой комиссии Олимпийского комитета нашей страны пришел в себя и хочет немедленно дать показания. Еще не дослушав до этого самого «немедленно», Турецкий вскочил из-за письменного стола в своем кабинете, а через минуту после того, как трубка служебного телефона опустилась на рычаг, Александр Борисович скатывался по лестнице, стремительно, точно удирающий от завуча школьник. Зная из опыта, что в это время дня Садовое кольцо представляет собой сплошную пробку, Турецкий решил добраться до института Склифосовского как белый человек, на метро — и не прогадал. Летя на крыльях нетерпения, избавленный от необходимости препираться с гаишниками и договариваться о въезде на территорию института со старичком, дремлющим в будке возле шлагбаума, Саша не растратил на эти мелочи энергию, необходимую для допроса...

Впрочем, о допросе вряд ли могла идти речь. Во-первых, Тихон Давыдов ни в чем не был виноват, во-вторых, он жаждал поделиться всем, что было ему известно.

У входа в палату несли вахту двое в защитной форме, в угадывающихся под формой бронежилетах. Документы у Турецкого они проверяли въедливо, придирчиво, один даже позвонил в Генпрокуратуру. Турецкий ничуть не обиделся на эти меры предосторожности, наоборот, похвалил парней, которые так досконально исполняют свои обязанности. Не исключено, что те, кто едва не убил Давыдова, попытаются довести дело до конца, и тогда въедливость и придирчивость охранников очень пригодятся.

Обладатель редкого в современной России имени — Тихон — произвел на Турецкого впечатление человека и в самом деле тихого. Правда, скорее всего, эта иллюзия создавалась за счет его бледности и приглушенного голоса. Тут уж ничего не попишешь, трудно сохранять здоровый цвет лица и говорить громким голосом, если ты покоишься на больничной койке в неудобной, но, должно быть, необходимой для выздоровления позе, с прозрачными трубочками, торчащими из тела там и сям. Чуть-чуть потеснив капельницу, Турецкий придвинул стул вплотную к койке и разместил возле подушки диктофон.

— На все про все вам отводится двадцать минут, — строго предупредил лечащий врач Давыдова, стриженный ежиком матерый краснолицый блондин, похожий на прибалта.

— Полчаса! — взмолился Давыдов. — Я не успею за двадцать минут.

Лицо больного отразило такое страдание, что врач пошел на попятный.

— Так и быть, добавлю десять минут. Только не переутомляться! Горло не напрягайте! Предупрежу медсестру, пусть заглядывает к вам периодически.

Как только врач унес свое массивное, обтянутое зеленой хирургической униформой тело за дверь, Турецкого едва не смыло потоком давыдовского красноречия. В медицине существует термин «ретроградная амнезия» — выпадение из памяти травмированного событий, предшествующих травме... Так вот, ретроградной амнезией Тихон Давыдов как раз и не страдал. Все, что предшествовало ранению, стояло у него перед глазами с полнейшей отчетливостью.

Был яркий, слепящий глаза солнечный день, когда зампред Глазырин и он, Тихон Давыдов, посетили административное помещение в Лужниках, где размещалась одна из лабораторий комитета. При выходе на площадь он обратил внимание на высокого, модно одетого молодого человека, скорее всего, кавказца. Он рассматривал огромный, в две стены, стенд, облепленный афишами, которые сообщали о ближайших гастролях зарубежных танцевальных групп. К нему подошли еще двое горбоносых брюнетов, слегка похожих на первого — очевидно, тоже любители искусства танца, — и тоже уперлись взглядами в афиши. Откровенно говоря, Давыдов не уделил этому событию большого внимания. Он, Глазырин, его телохранитель и шофер, тоже телохранитель, как раз садились в машину. Как только они стали выезжать с территории Лужников — машина еще не развила достаточной скорости, — раздались выстрелы. Меркнущим на фоне стремительной потери крови сознанием Тихон Давыдов успел понять, что стреляют молодые люди, которые от такого мирного занятия, каковым является разглядывание афиш, перешли к наступательному и агрессивному действию.

— Вы запомнили их лица? — уточнил Турецкий.

Давыдов кивнул, насколько это позволяла сделать сеть опутывающих его трубочек.

— Постарайтесь вспомнить, не было ли у кого-нибудь из них сходства вот с этим изображением.

Фоторобот убийцы Любимова и Чайкиной дождался своего звездного часа: уверенно выбрав его среди ряда приблизительно похожих лиц кавказского типа, Тихон Давыдов признал:

— Да, это тот самый, что подошел первым.

Но на том сюрпризы не кончились. Сглотнув слюну, Давыдов продолжил:

— И кажется, я могу вам сказать, кто это такой. Раньше я видел этого молодого человека только на фотографиях, а вам не надо объяснять различия между лицом на фото и в жизни... К тому же он, по-моему, нефотогеничен...

— Так кто же это, по-вашему?

Тихон Давыдов внезапно замолчал — не потому, что боялся высказать то, в чем был, по-видимому, уверен. А потому, что слабость — естественное следствие ранения и предпринятой по этой причине тяжелой операции — сковала его, перехватила дыхание, заставила, со свистом вдохнув воздух, посинеть. Испугавшись, что Давыдов сейчас потеряет сознание и не успеет поделиться сведениями, от которых зависела судьба многих людей, в том числе бесследно пропавшего Гордеева, Турецкий потянулся к располагавшейся над койкой кнопке вызова медсестры, однако больной перехватил его руку своими влажными, холодными, но достаточно сильными пальцами.

— Нет... не... надо... медсестры... Мне не разрешат... я смогу... это Алоев...

— Кто? — Если даже Турецкому показалось, что он не расслышал, звуки произнесенного имени с точностью запечатлел чувствительный диктофон.

— Сын депутата... Госдумы... Захара Алоева...

Тихон Давыдов прикрыл глаза бледными веками, не прекращая говорить. Голос его был едва слышен, но дикция отчетливая...

Оказывается, зампред федерального агентства Глазырин собрал достаточно большой материал о банде распространителей наркотиков среди спортсменов Москвы и России в целом. Располагая списком как распространителей, так и дилеров, Глазырин особенно интересовался их высокими покровителями, неоднократно помогавшими этим негодяям выходить сухими из воды. Среди преступников были лица, занимающие видное положение как в Госдуме, так и в Министерстве здравоохранения и социальных проблем: замминистра здравоохранения Степанов, генерал-лейтенант милиции Размахов и другие. Пристальное внимание вызывал со стороны Глазырина депутат Захар Алоев, против которого накопилось огромное число улик — к сожалению, косвенных, поскольку было практически невозможно заставить кого-то открыто свидетельствовать против него. Алоев — мастер внушать страх! Давыдов никогда не встречался с этим странным депутатом, но неоднократно видел его на фотографиях, в том числе и тех, где он был запечатлен рядом с сыном и наследником, Мансуром Алоевым, которому предстояло стать одним из самых богатых людей московской чеченской диаспоры. Компроматом на Мансура Алоева Глазырин и Давыдов не располагали, поэтому особенно к нему не присматривались. Однако сейчас глава антидопинговой комиссии Олимпийского комитета уверен практически на сто процентов, что Мансур Алоев возглавлял тех, кто ранил его и убил Глазырина.

Раскрыв подоплеку покушения, Давыдов как будто бы успокоился. Губы его, минуту назад синие, начали розоветь, дыхание медленно возвращалось к норме.

— Что вам известно об убийствах гендиректора комплекса «Авангард» Натальи Чайкиной и экс-чемпиона мира по плаванию Павла Любимова? — задал следующий вопрос Турецкий, кинув взгляд на свои наручные часы. Время поджимало: вот-вот ворвется врач или медсестра с криком: «Прекращайте беседу, больному противопоказано напрягаться!»

— Известно... да... я слышал... Любимов, Чайкина и другие были членами «Клуба по борьбе с запрещенными стимуляторами» и оказывали нам посильную помощь. Не всегда удачно: иногда их предположения не оправдывались, оказывались бездоказательными. Я знаю, что Любимова убили. Ведь это произошло давно, еще в январе? Почему же нас подстрелили только сейчас?

— Любимов собирался поделиться с вами какой-то важной информацией?

— Любимов? Да... и Чайкина... Они что-то такое обещали, но не говорили ничего конкретного. Может быть, это было серьезнее, чем я думал. По крайней мере, как я теперь понимаю, убийцы придавали этому большее значение, чем мы с Глазыриным.

— Очень жаль, что вы не поделились этими сведениями со следствием по делу об убийстве Любимова, какими бы несерьезными они вам не казались. — Турецкий понимал, что негуманно укорять и без того пострадавшего человека, но искренне не мог удержаться. — Возможно, если бы вы так поступили, покушение удалось бы предотвратить.

Давыдов молчаливо вздохнул, признавая свою вину. Как раз на этом патетическом месте в палату ворвалась медсестра, которая слегка запоздала, но тем более рьяно бросилась исполнять свои обязанности:

— Что, вы до сих пор беседуете? Как вы себя чувствуете? Вам не хуже? Давайте измерим давление...

Турецкий догадался, что пора прощаться: даже если состояние Давыдова будет признано удовлетворительным, спокойно договорить с глазу на глаз им не дадут. Кроме того, миссия его была, в общем, окончена: Давыдов поведал все, что собирался. Александр Борисович покидал палату, провожаемый жалобным причитанием Давыдова, обращенным скорее к себе, чем к старшему помощнику генерального прокурора:

— Почему же нас подстрелили сейчас, а не в январе?

У Турецкого появится еще достаточно данных для ответа на этот столь терзающий Давыдова вопрос. А пока следовало заняться Алоевыми. Настоятельно следовало.

43

Дэвид Гросс терпеть не мог восточного гостеприимства, чреватого бешбармаком, люля-кебабом, рахат-лукумом и прочими экзотическими угощениями, в которых он не разбирался и заранее знал о них только то, что они обременяют желудок, безумно калорийны и напичканы пропастью холестерина. И еще то, что от них нельзя отказываться, иначе обидишь щедрого хозяина. По правде говоря, мистер Гросс вообще не любил ничего экзотического, особенно восточного: он был человеком типично западным и ничуть этого не стыдился. Некоторые его восторженные коллеги, разведав, что Дэвид в ближайшем будущем получит должность торгового представителя США в России, принялись вздыхать, закатывая мечтательные глаза: «Ах, таинственное наследие Византии! Золотые купола! Единение Европы и Азии!» Дэвида Гросса подобные восторги не обуревали ни минуты. Из русских, с которыми он встречался, ему больше всего понравились те, которые сумели отбросить свою евразийскую аутентичность и стать нормальными деловыми европейцами. Кстати, он замечает, что с каждым годом таких становится в России все больше и больше: страна, которая была на такой долгий срок посажена в морозильную камеру социализма, постепенно оттаивает и цивилизуется. Какая жалость, что приходится делать ставку не на русских, а на чеченцев! Чеченцы — мусульмане, а мусульманину никогда не стать западным человеком: под пиджаком модного покроя он продолжает прятать кривой кинжал. Однако мистер Гросс — бизнесмен, а значит, обязан делать свое дело, невзирая на личные симпатии и антипатии.

Откровенно говоря, он представлял свое дело по-другому. Он вообще привык быть откровенным. «В деловых вопросах будь всегда честен, только тогда тебе будут доверять», — это у Дэвида в крови, это вдолблено ему поколениями протестантских предков. Несмотря на то что иногда эта максима вступала в противоречие с финансовыми выгодами, Дэвид Гросс в целом разделял теорию Вебера о связи между протестантским духом и капитализмом. С одной оговоркой: капитализм должен ставить на первое место порядочность. Честность и деловую порядочность. Честность...

— Заранее предупреждаю, я не шпион, — заявил он, получая назначение в Россию. Несмотря на то что годы, протекшие после развала Советского Союза, нанесли российской военной и интеллектуальной мощи чувствительный удар, наследники коммунистов по-прежнему располагали кое-какими важными секретами. А торговый представитель вполне может быть причастен к техническому шпионажу — Дэвид не ребенок, чтобы это не понимать.

— Конечно, вы никакой не шпион, — заверили его ласково, точно неразумного школьника, едва не похлопывая по плечу. — Наше ведомство никогда не занималось шпионажем, о чем вы? Вместо этого вам придется заниматься связями с общественностью, с российскими депутатами. Если возникнут проблемы, вам дадут полезный совет люди, которые, не теряя духовного контакта с Западом, отважно несут свою вахту в Москве. Это Стефан Шварц и Алекс Карполус. Координаты не записывайте, их легко запомнить...

Дэвид Гросс все понял правильно. Как и требовалось от него.

Знакомство состоялось в подмосковной Малаховке, куда Гросс добрался электричкой с Казанского вокзала, как обычный смертный. Знакомство состоялось на природе, на фоне куста белой сирени, а потому, казалось бы, не могло вызвать медицинских ассоциаций. Но вызвало! Почему-то этих двоих Гросс немедленно вообразил в белых халатах и впоследствии никак иначе не представлял. «Почему?» — подспудно задавал он себе вопрос, выслушивая трескотню худого, высоченного, с желтыми морщинами Шварца, в то время как смуглый, с выступающим брюхом и короткими толстыми ногами, Карполус значительно отмалчивался, периодически поправляя круглые очки. Некоторое время спустя Гросс догадался: если эту гротескную парочку слегка окарикатурить, они могли бы стать персонажами комиксов. Вместе или по отдельности. Каждый из них способен был сойти за безумного ученого, желающего облагодетельствовать человечество и в итоге выпускающего на свободу Зло. Доктора, которые ставят генетические эксперименты или изобретают новейшие лекарства, превращая людей в чудовищ.

У Дэвида, никогда не считавшего себя излишне впечатлительным, волосы дыбом встали, когда он узнал из независимых источников, продвижению каких лекарств на российский черный рынок он должен способствовать. Эти лекарства рекламировались как абсолютно безвредные, помогающие спортсменам восстанавливаться после больших физических нагрузок. Данные врачебного обследования показали, что у молодых людей, принимавших препараты с названиями, любезно сообщенными Карполусом, обнаружено выпадение волос, неестественный рост грудных желез и патологические изменения простаты. Юноши, пользовавшиеся анаболическими стероидами, ненормально агрессивны и нуждаются в психотерапевтической помощи.

В душе Гросса восстала его протестантская честность. Правда, только правда и ничего, кроме правды. Как на суде. Если он влезет в эти грязные махинации, рано или поздно дело дойдет до суда. Разговаривая со Шварцем уже не в Малаховке, а в другом укромном подмосковном месте, Дэвид Гросс кипятился и брызгал слюной, чувствуя, насколько он при этом смешон со своей обычно приглаженной, как у англиканского священника, внешностью — тусклые волосы мышиного цвета растрепались, впалые щеки раскраснелись, от приглаженности, сметенной бурными эмоциями, не осталось и следа. Людям с внешностью Гросса вообще не идут сильные чувства: они предназначены для размеренного функционирования.

— Успокойтесь, Дэвид! — Стефан Шварц излучал оптимизм. — Русских спортсменов никто не заставляет принимать наши препараты: они делают это по собственной инициативе. А сказать вам, почему? Потому, что они ни на что не способны без анаболиков. Настоящие спортсмены — я имею в виду представителей белой расы — исключительно американцы и норвежцы: их предки как минимум в трех поколениях имели мясо к столу каждый день. В генетике русских сказывается хроническая усталость и недокорм. Этой нации лень даже размножаться, не говоря уже о спорте.

— Но я-то тут при чем? Мне какое дело до этого?

— Вы — торговец, Дэвид. Вам есть дело до денег. По крайней мере, должно быть. Товар, который вы обязаны продать, — необычный, зато сулит большую выгоду.

И, отбросив шутливый тон, Шварц осветил перед Гроссом подоплеку происходящего. Существует своеобразный заговор против участия России в олимпийских играх. В этом заинтересованы ведущие страны мира, в том числе США, Великобритания, Франция, Китай. Для того, чтобы не допустить Россию к Олимпиаде в 2012 году, и была создана лаборатория «Дельта». Нет, ну, разумеется, анаболики — всего лишь один, не самый главный параметр из числа тех, которые могут повлиять на решение, проводить или не проводить олимпийские игры в той или иной стране. Надо полагать, что Москве — самой опасной столице мира, исключая Иерусалим, где террористы хозяйничают еще активнее, — и без работы «Дельты» не видать статуса олимпийской столицы. Однако имидж — это серьезно, и анаболики изрядно подмочат имидж российского спорта. Для лучшего усовершенствования плана необходимо ввести контроль над употреблением анаболиков, причем — оцените гениальность Карполуса, который придумал эту деталь, — контроль проводить при помощи лучших российских спортсменов, ушедших на покой. Никто же не догадается, что одной рукой можно раздавать лекарство, другой — карать за его употребление.

— Вы называете это лекарством? — уточнил Дэвид. Внутри него что-то ныло, как больной зуб, нервы которого пронизывали все тело и забирались в душу. — Я предпочитаю называть это отравой.

— Называйте как хотите, — благодушно позволил Шварц. — Вы, Дэвид, возьмете на себя депутата Алоева, а он — человек без предрассудков. Ислам при нем только ругать нельзя, а все остальное — ругайте, пожалуйста. Поверьте, он будет только рад.

Первая же личная встреча с Захаром Алоевым убедила Дэвида в правоте Шварца. Алоев произвел на него впечатление человека не только без предрассудков, но и вовсе без принципов. Алоев в грош не ставил Америку, он в грош не ставил современную Россию, благоговея, однако же, перед утраченной жестокой силой Советского Союза, он даже о единокровных чеченцах отзывался без особенной любви, понося на чем свет стоит их недисциплинированность и бессмысленную лихость в бою. Он производил впечатление доморощенного ницшеанца, который воспринимает мир только через его отражение в грязных лужах. Единственным, что казалось Захару Алоеву достойным внимания, был доход, который он будет получать от «Фармакологии-1» — так они вдвоем заранее окрестили фирму по распространению анаболиков. Доход гарантировался огромнейший. Поэтому Гросс сумел выполнить свою миссию, перетянув Алоева на сторону «Дельты».

Надо признать, Алоев зарекомендовал себя надежным исполнителем: поставленные перед ним задачи исполнил со скрупулезной западной точностью и с восточным размахом. Перекупив ряд врачей и тренеров, создал околоспортивную мафию, которая пропагандировала анаболики среди доверившихся им спортсменов, создавала представление, что без анаболиков в большом спорте делать нечего и вся трудность заключается в том, как обойти устаревшие строгие правила соревнований, установленные тогда, когда это благодеяние от фармакологии еще не было изобретено. Обычная реклама: выпятить положительные стороны сбываемого продукта, не заикаться об отрицательных. В клиентах «Фармакология-1» недостатка не испытывала, торговля двигалась успешно. Ахмет Ахметов, доверенное лицо Алоева еще со стародавних, доанаболических времен, когда они вместе проворачивали аферы с фальшивыми авизо, сбивался с ног, чтобы удовлетворить растущие потребности тех, кому — он знал — спустя год-два потребуются совсем другие лекарства, да и те вряд ли помогут вернуть здоровье... Это лежало вне сферы компетенции Ахметова, да и Алоева тоже. Над этим лила крокодиловы слезы лаборатория «Дельта», скорбя о разгуле в российском спорте анаболиков, которые превращают в инвалидов здоровых и сильных людей.

Откуда брались анаболики, оседающие на складе в подвале нотариальной конторы Ахметова? Тут разворачивалось истинное поле деятельности Дэвида Гросса. Существовала база в Праге — золотая Чехия, единственная по-настоящему свободная страна Европы! — откуда, минуя таможенные препоны, стремился медикаментозный поток. Как его распределить — это уже было делом Ахмета Ахметова и нижестоящих алоевских дилеров. Одним словом, каждый занят, каждый на своем месте...

Ко всему можно привыкнуть. То, что вызывает ужас и отвращение, когда соприкоснешься с ним впервые, постепенно входит в норму бытия. Когда-то ты считал себя порядочным человеком, который ни за что не подсыплет яда в рюмку своему врагу; теперь ты подсыпаешь чужими руками яд — даже не врагам, а совершенно посторонним, незнакомым тебе людям — и продолжаешь считать себя порядочным. Парадокс! «Мир полон парадоксов», — мысленно провозгласил Дэвид Гросс и утешился. На свете существует множество профессий, которые предполагают определенное нарушение правил порядочности и приличия: дипломату разрешается лгать, солдату — убивать, актеру — раздеваться догола перед кинокамерой, если того требует роль. Роль торгового представителя США в России включает в себя распространение анаболиков. Скажи себе: «Это всего лишь роль, это не я», — и останься честным. В конце концов, это довольно-таки легко.

Трудным для Гросса не перестало быть другое: личные контакты с Захаром Алоевым. Ушлый депутат, по-видимому, лелеял в отношении делового партнера какие-то дальние намерения, а потому всячески втирался к нему в знакомство. Гросс вежливо, но непреклонно пресекал эти поползновения, но пресекать становилось все труднее и труднее, и настал день, когда сделать это оказалось просто невозможно. А вдруг отказ от приглашения в гости оскорбит чеченца? Загадочная восточная душа...

Таким образом и получилось, что Дэвид Гросс, собственноручно ведя машину (чем меньше людей знают о визитах торгового представителя к депутату Алоеву, тем лучше), очутился в окрестностях подмосковной Перловки и с кислой миной позволил гостеприимному хозяину проводить гостя в чрезмерно пышный, причудливой архитектуры особняк.

О пленнике, которого насильно держат в этом очаровательном особнячке и обрабатывают психотропными средствами, Гросс никаких сообщений не получал. К счастью. Иначе это открыло бы новый виток моральных терзаний для него.

44

Дом — или, лучше сказать, «замок», — принадлежащий Захару Алоеву, отыскать в Перловке не составило особенного труда: вдвое превосходя окружающий забор, который и сам по себе не был низеньким, несуразная кирпичная гора бросала тень на всю округу. При виде этого сооружения, широченного в основании, постепенно сужающегося кверху и завершающегося тремя острыми башнями (так и тянет сказать «вершинами»), приходила в голову мысль, что депутат Алоев возомнил себя перловским феодалом — или что детство, проведенное в каком-нибудь горном ауле, наградило его подсознательной тягой к высоте. Так и рисовалась в уме картинка: депутат, стоя на башне, с кавказской буркой на плечах, орлиным взором озирает округу — начиная с близрасположенных участков местных богачей, которые вовремя обзавелись гаражами и бассейнами, переходя постепенно к дачным кооперативам восьмидесятых годов, состоящим преимущественно из убогих разноцветных сараев, и далее, туда, где свет пристанционных фонарей выхватывает из темноты переплетение рельсов внизу и паутину проводов наверху, которые издали образуют единую волшебную серебряную вязь...

То, что картинка вообразилась Турецкому в ночном, почти что лунном освещении, было нелогично, но закономерно: когда он, получив от Тихона Давыдова сведения об Алоевых, затребовал группу захвата, день шел на убыль, а когда вместе с группой захвата прибыл в Перловку, землю укутывали долгие, синие и печальные подмосковные сумерки. Конечно, можно было бы отложить захват Алоевых на завтра, но речь шла о жизни похищенного Юры Гордеева. Как знать, а вдруг промедление и впрямь будет смерти подобно? В самом тривиальном, прямом, неизысканном смысле — приведет к смерти... Об этом думать не хотелось. Как и о том, что будет, если Гордеева на алоевской вилле не окажется.

Сумерки скрадывали приметы местности, но выбивавшийся поверх забора алоевской виллы белый электрический свет позволял разглядеть, что Турецкий и его помощники добрались куда надо. «Теперь бы только на охрану не нарваться», — подумал Александр Борисович и, можно сказать, накаркал: огибая забор с другой стороны, на них двигалась другая группа, ничуть не меньше и тоже вооруженная до зубов, насколько позволяло рассмотреть освещение.

— Руки вверх, — спокойно, даже как-то лениво прозвучало из центра противоборствующей группы, оттуда, где сквозь сноп ослепительного света, исходящего из ручного фонарика, не просматривалось никакого лица. Люди Турецкого привели оружие в боевую готовность.

— Сами «руки вверх», — так же спокойно, с видимым безразличием отреагировал Александр Борисович. — Мы из Генпрокуратуры.

— А мы из Департамента уголовного розыска МВД... Тьфу ты, черт! Санек, ты, что ли?

271

Обниматься, точно встретившись после долгой разлуки, Саня Турецкий и Слава Грязнов не стали: обстановка не располагала. Но то, что, во-первых, предполагаемые враги оказались союзниками, а во-вторых, союзники не успели со всей дури покрошить тех, в ком с огромным опозданием распознали бы друзей, повысило настроение собравшихся. Что ни говори, операция начиналась удачно.

— Слав, ты как здесь? — успел коротко, шепотом спросить Турецкий.

— Ахметова допросил. А ты?

— А я — Давыдова.

Дальнейшие вопросы отпали. Оставалась одна серьезная проблема: что ждет их за забором? Судя по отголоскам шумной кавказской музыки (слух депутата услаждал не магнитофон, а настоящий и, кажется, немалый национальный оркестр), на вилле происходило празднество... нет, народное гулянье. Вино льется рекой, возносятся бастионы шашлыков и острых закусок, мужчины поднимают тосты, женщины с прикрытыми чадрой лицами прислуживают за столом... Хорошо, если так. В праздничной суматохе шансы тайно проникнуть на алоевскую территорию повышаются. Проникать туда явно — последнее дело: что, если, заметая следы, негласный глава «Фармакологии-1» отдаст приказ убить Гордеева?

45

Наркотический препарат, содержавшийся в пище, снова начал оказывать свое действие, ввергая Юрия Гордеева в заторможенность и сон. Однако на этот раз дурманящей вытяжке из плода химических раздумий каких-нибудь врачей-убийц противостояла сила воли, которую неожиданно воскресила в Гордееве неудовлетворенная надежда на спасение. Да, он окружен врагами; друзья далеко, они пока еще не нашли его, а может быть, и не найдут — и что из того? Неужели ему только и остается, что пассивно плыть по сонным волнам, погружаясь все глубже, и, скорее всего, пойти ко дну? Нет, простите, Юрка Гордеев вам не из таковских! Он еще себя покажет! Каким образом он себя покажет, оставалось скрыто туманом неизвестности, но подготовка должна была начаться сейчас, сию минуту. Главное — не спать, не поддаваться затягивающим сновидениям. Как им противостоять? Считать до тысячи, до миллиона? Нет, не подходит: наоборот, счет овец — испытанное средство от бессонницы... Вспоминать стихотворения, которые учил в школе? «Однажды, в студеную зимнюю пору, сижу за решеткой в темнице сырой. Гляжу, поднимается медленно в гору вскормленный в неволе орел молодой...» Совмещение двух шедевров русской классики, и впрямь памятное со школьных лет, развеселило и помогло слегка воспрянуть духом. Однако и сонные волны не бездействовали: они плескались уже возле ножек гордеевской кровати, готовые затянуть в привычный омут. Волнам наркотического сознания способствовала доносящаяся снизу дикарская музыка — какие-то, шут их знает, тамтамы и зурны, которые поначалу отвлекали, царапая слух, но потом своим равномерным ритмом стали вводить в трансовое состояние. Во всех этих народных штучках есть нечто наркотическое, ибо недаром поклонники этнической музыки усиливают на концертах ее действие таблетками и «промокашками».

Тут же моментально привиделся Юре концерт, на сцене выступает группа, косящая под древнеегипетских богов, и даже лица артисты скрывают под звериными масками, а он отирается в гуще публики, где полно колоритных личностей, от японцев в индейских головных уборах из перьев — до негров, одетых как гуцулы... Стой, погоди, это не по-настоящему! Только не спать, только не спать! Бред шел в наступление, Гордеев отбивал атаку за атакой, с холодным трезвым страхом понимая, что вот-вот сдаст позиции. Нет, не сдаст! Он еще нужен на этом свете, не спящий и в полном разуме. Его непременно спасут, и тогда он расскажет, что к Алоеву приезжал в гости какой-то иностранец по фамилии... а как же его фамилия? Глок? Глан? Нет, непохоже, фамилия вроде как немецкая. Гримм? Или английская? Грин? До чего же дырявые стали мозги от этого сонного лежания: вот как будто только что услышал фамилию, бац — уже забыл. Идиот! Кретин! Гордеев нагнетал в себе злость на свой неповоротливый ум, поддавшийся алоевскому фармакологическому дурману.

«На что ты будешь годен, — укорял он себя, — если пустяковой коротенькой фамилии вспомнить не в состоянии? А еще адвокат! Давно ли, спрашивается, подробности десяти дел одновременно в памяти держал — и ничего не путал? Адвокат опупелый! Компьютер ржавый! Покрышка продырявленная!» Он поносил себя все нелепее и нелепее, все смешнее и смешнее, и умственные усилия, которые он к этому прилагал, вступали в такое скрежещущее противоречие с действием наркотика, что все вместе причиняло ему почти физическое страдание. Он чувствовал себя так, словно в его голове вращалось, раздирая мозг на части, часовое, с острыми зубчиками, колесо... Да нет, тьфу, какое колесо? Шестеренка, это называется шестеренка. Или как-то по-другому? Большая шестеренка, очень большая. Толстая... то есть массивная. Кажется, это называется...

— Гросс!

Гордееву показалось, что он выкрикнул пресловутую, наконец-то обретенную фамилию во все горло; что сейчас сюда сбегутся все алоевские подручные, чтобы прикончить пленника, который, как выяснилось, слишком много знает, а потому опасно оставлять его в живых. Но когда он обвел комнату еще не совсем прояснившимся, но уже способным различать действительность взглядом, то обнаружил, что его конвоир преспокойно сидит на стуле, ничуть не потревоженный никакими громкими звуками. Очевидно, крик Гордеева был безмолвным, обращенным, так сказать, внутрь его существа. Там, внутри, этот крик прозвучал болезненно-оглушительно — до такой степени, что, казалось, мог оборвать жизнь, которая и так держалась на волоске в организме, отравленном всевозможными несочетаемыми препаратами. Но в итоге выяснилось, что жизнь он возвратил. И жизнь, и память, и надежду. Наркотические волны отхлынули, не осмеливаясь больше претендовать на жертву, которая оказала им такой решительный отпор.

«Гросс, — повторял про себя Гордеев в такт биению сердца. — Гросс. Гросс. Гросс...»

Он знал, что никогда не забудет эту короткую фамилию. Он пронесет ее через новые дозы и беспамятство. Он донесет ее до тех людей, которые старательно положат ее в фундамент обвинительного заключения...

Вот только когда это произойдет? И где они, эти люди? Может, позабыли уже о нем, в естественную убыль зачислили? Отряд не заметил потери бойца? Не хотелось думать так о друзьях, но голос рассудка подсказывал, что за время исчезновения адвоката Гордеева вполне могли счесть умершим...

Народное празднество оказало растлевающее, можно сказать, анархизирующее действие на охрану алоевских феодальных владений. После того как в сумерках, почти не прибегая к помощи фонариков, специально обученные ребята из группы, которую привел Турецкий, обесточили проходящую по периметру забора сигнализацию, стало возможным заглянуть внутрь территории и убедиться, что прославленные кавказские богатыри несут вахту из рук вон плохо. Один, бдительно торчащий возле запертых ворот, украдкой то и дело прикладывался к бутылке марочного вина, утащенной, надо полагать, из праздничных запасов, — и даже пророк Мохаммед, строго запретивший спиртное, не смог бы ему сейчас воспрепятствовать. Другой, его напарник, выглядел стойким и свирепым, но стоило в глаза ему случайно попасть лучу света со стороны виллы, они тупо и отсутствующе взблеснули, выдавая то, что обладатель таких расширенных зрачков недавно крепко обкурился или ширнулся. Остальные представляли собой беспорядочную орду в камуфляже, при других обстоятельствах, возможно, сильную и организованную, сейчас — начисто лишенную ориентиров. Эти гаврики так лениво делали вид, что они якобы чего-то здесь охраняют, и так небрежно обращались со вверенным им оружием, что в них не стоило даже стрелять — оглушить их, и дело с концом. Так грязновские ребята и поступили с подвернувшимися под руку — и правильно сделали, потому что выстрелы могли бы вызвать нездоровый ажиотаж и отвлечь хозяина от празднования, наведя его на нежелательные мысли. К счастью, хозяину пока что было не до того.

Проникновение на территорию постороннего элемента прошло незамеченным. Точнее, участники группы захвата вскоре поняли, что могут перемещаться по феодальному участку беспрепятственно: одеты они были в точности так же, как охранники, в стандартную камуфляжную форму, а вступившая наконец-то в свои права ночь позволяла ошибиться относительно лиц. К тому же у пришельцев создалось впечатление, что здешние охранники не слишком хорошо знакомы друг с другом. Или, возможно, к местным охранникам присоединились какие-то еще?

«Да у Алоева гости!» — вспыхнула в уме Турецкого логичная, увязывающая факты догадка. Ну конечно, вряд ли даже восточный человек Алоев закатывает пиры подобного уровня только для себя и семьи: наверняка к нему присоединились еще какие-то равные по рангу личности. Сразу вздохнулось свободнее, напряжение трансформировалось в здоровый азарт. Ах, драгоценный гражданин Алоев, значит, вы любите праздники? Так мы вам устроим праздник, не сомневайтесь!

46

Захар Алоев видел в себе воплощение истинно свободного человека. Свободного не в западном, либеральном смысле: цивилизованный западный человек — раб порядка, государства, налоговой инспекции, мелких условностей, которые постоянно опутывают его с головы до пят. Нет, истинная свобода — это свобода дикого кочевника. Точно вихрь, проносится кочевник по территориям, ни одну из которых не должен он называть родной землей. Никому не кланяется, не принимает ничьих законов; если закон встает поперек дороги, его нужно разрушить или обойти. Кочевник берет силой все, что ему вздумается, но ничего не создает, потому что создавать — значит привязываться сердцем к тому, что сотворили руки. К построенному дому, засеянному полю, какой-нибудь еще ерунде, которой прежде не было и которая благодаря тебе вдруг получила право быть... К своим детям даже привязываться нельзя, потому что велика ли связь между отцом и сыном? Залп извергнутого вовне наслаждения, и вот уже образовалось новое существо, чуждое тебе, поскольку все люди чужды один другому по духу и не найти меж ними общего. Из сына может вырасти законопослушный цивилизованный гражданин — ну ладно, так тому и быть, значит, остается признать его отрезанным ломтем. Из сына может вырасти такой же кочевник — что ж, надо его подчинить, использовать, не позволяя сыну занять место отца прежде отцовской смерти. Что касается дочерей, они не в счет: женщины никогда не бывают истинно свободными. Своей физиологической природой, родящим лоном женщина определена в стан творящих, создающих, а следовательно, рабов.

Несмотря на свою доктрину, предполагающую неподчинение любым законам, Захар Алоев позволял себя сковывать по рукам и ногам приличиями и установлениями, привнесенными в московскую жизнь из родо-племенного горского быта. Это другое, это не мешает свободе. Это базовая поддержка, без которой не обойтись. Связанные родо-племенными отношениями чеченцы на глазах Алоева одержали победу над атомизированным цивилизованным русским обществом и наглядно показали, сколь недорого стоит закон.

Первые ростки завязывались где-то в начале восьмидесятых. Захар тогда был еще молод, фактически он только начинал свое восхождение. Восходил он на криминальных, но ничуть не героических дрожжах: как это называлось, «кидал на машинах». Каким образом? Не так просто, но и не так уж сложно. При советской власти если человек хотел продать машину, он должен был провести ее через комиссионный магазин и заплатить определенный процент государству. Вот, скажем, покупатель договаривается с продавцом: в комиссионке скажем, что автомобиль покупается за сто рублей, процент государству заплатим маленький, а остальные деньги, кроме той сотни, я тебе потом отдам в руки лично. По рукам? По рукам! Появляются в комиссионке; покупатель получает машину за сто рублей. Остальную часть суммы вроде бы как неудобно вручать тут же, в государственном, можно сказать, учреждении, и счастливый нынешний обладатель подержанного автомобиля предлагает тому, кто автомобиль продал, выйти на улицу... На улице, однако ж, он, напрасно раскатав губу, никаких денег не увидит. Твердомускульные громадины, неожиданно возникшие рядом с покупателем, выкидывают беднягу из машины, так недавно ему принадлежавшей, и, довольные собой, уезжают... На законных основаниях? Да, на законных основаниях!

Алоев вместе со своими шуринами, дядьями, братьями родными, двоюродными и троюродными провернул не одно такое дельце, а в результате они овладели рынком подержанных автомашин. А за кинутых ими никто не вступился: ни закон, ни родственники. Так же, как потом, в конце восьмидесятых — начале девяностых, когда чеченская мафия вышла на иной уровень контроля событий, никто не вступился за русских бизнесменов, которых обирали чеченские рэкетиры, за русских девушек, которых насиловали и делали проститутками чеченские сутенеры. За тех, кого Алоев — тогда уже не лично — сажал на иглу ради процветания своего набирающего силы бизнеса.

Преступления в отношении обитателей покорных земель, по которым проносится победоносный кочевник, — это не преступления. Чужих надо доить и стричь. Помогать нужно только своим. И чтить свои традиции. В этом тоже есть свобода: человек, который в состоянии носиться повсюду, как перекати-поле, свободно признает, что у него есть корни. И что от этих корней ему не уйти...

Сколько ни размышляй о соединении свободы и традиции, даже на этом фоне поступок Захара Алоева, совершенный тотчас после того, как ему донесли о присутствии посторонних в зоне алоевских владений, выглядел по всем параметрам экстремально. Первым делом он отозвал сына в сторону и, чтобы не слышали и не встревожились остальные, предупредил:

— Мансур, к нам забрались федералы. Разберись с ними.

Мансур, который, при всех заграничных костюмах и автомобилях, оставался исполнительным кавказским сыном, не задавал вопросов, а пошел мобилизовывать своих людей. Отправив Мансура, Захар Алоев что-то быстро сказал мистеру Гроссу, в результате чего тот побледнел и растерянно взмахнул руками. Но Алоев-старший уже отдавал приказание своим телохранителям, которые обязаны были незаметно вывести гостя с территории алоевской виллы.

Кто-то, наверное, предположит, что Захар Алоев стремился избежать международного скандала или отягощения собственной участи. Нет. Он действовал как горец, готовый пожертвовать сыном ради спасения гостя. Если Мансур погибнет в вооруженной стычке —

будет его жаль, но позора не будет. Если Дэвид Гросс — плохо: позор на репутации хозяина.

Захар Алоев поступил единственно верным способом. Причем не нарушив принципов своей жизненной философии.

Мансур был послушным сыном. Наслушавшись отцовских наставлений, особенно в пьяном тумане (Мохаммед запретил алкоголь, но если ночью пить, то ничего: Аллах спит и не видит), молодой Алоев также мнил себя кочевником. Правда, до того, как попирать законы, надо приобрести вес в обществе, а это он мог получить только от отца. Значит, ничего не поделаешь, придется отрываться от богатого стола, уставленного яствами и питиями ради ублажения заграничного гостя, и идти разбираться с теми, кого он по старой памяти называл федералами — представителями войск Российской Федерации, в отличие от тех, кто воюет на стороне свободной Ичкерии.

Одет для боя Мансур был неподходяще: на нем был один из лучших его белых костюмов. Отправляясь на дело, Алоев-сын неизменно облачался в черное, делавшее его типичным кавказцем из вечернего выпуска криминальной хроники. «Черножопыми нас называете? Вот я и буду черножопым», — острил он про себя, натягивая спортивные брюки мрачнейшего цвета. А для обычной жизни предпочитал Мансур светлые тона, бежевые и кремовые — особенно любил белое. Непрактично, марко, но он может себе позволить менять костюм, как только испачкается. Точнее, деньги позволяют...

Если бы не отцовские деньги, которые со временем должны принадлежать ему, Мансур выслал бы своих парней на захват, а сам пошел бы переодеться, не стал бы превращать себя в живую мишень. Но мысль, что он подведет отца, а тем самым уронит себя в его глазах, заставила действовать стремительно, на грани безрассудства. Тем более что верный «стечкин» всегда при нем? Машины и костюмы Алоев-младший предпочитал иностранного производства, а вот оружие — отечественного... Невзирая даже на то, что Россию своим отечеством он не считал.

— Иса! — окликнул Мансур своего ближайшего подчиненного.

Иса мигом оказался тут как тут — раскрасневшийся, попахивающий вином.

— Вот ты, Иса, пьешь, — укорил его Мансур, впрочем, не слишком рьяно — Иса был человек независимый, гордый и мог обидеться, — а федералы по нашей земле бегают.

— Где бегают? Кто?

— Собирай людей! К заложнику, мигом!

Мансур подумал, что первым делом нападающие постараются отбить адвоката Гордеева...

...И Мансур не ошибся. Прижав автоматом первого попавшегося алоевского прислужника, команде блюстителей правосудия легко удалось выудить сведения, где держат пленного. В доме депутата Алоева было несколько входов, а потому удалось проникнуть в него, не причинив — пока! — ни малейшего беспокойства хозяевам. Действия по захвату переносились с пленэра в интерьер жилища — до такой степени странного, что, не будь ситуация столь напряженной, Турецкий с удовольствием побродил бы здесь, как в музее. Итальянская мебель соседствовала здесь с арабскими молитвенными ковриками, на которых недостаток образов растительного и животного мира компенсировался прихотливостью изысканного орнамента; гобелены и старинное холодное оружие — с оскаленными головами кабанов, медведей и рысей, созданными искусством мастера изготовления чучел. Трофеи былых горских охот Алоева или дань традиции? Было в этом что-то от патриархальной кавказской старины и вместе с тем от советских представлений о роскоши, подобающей домам партработников высшего звена. Александр Борисович, привыкший предаваться анализу человеческой натуры, сказал бы, что в подобной обстановке способен комфортно существовать разве что человек, превративший себя в микроскопического Сталина. Так и представляется Захар Алоев, который, попыхивая неспешной трубкой, бродит по этим залам в мягких чувяках и воображает, что вместо голов кабаньих, медвежьих и рысьих из настенных медальонов смотрят на него застывшими стеклянными глазами мумифицированные головы побежденных врагов...

У Турецкого еще будет время заняться изучением таинственной души Захара Алоева. Сейчас перед ним, Славой Грязновым и их боевиками стояла насущная задача... точнее, сразу две задачи. Первая несла караул у двери комнаты, где содержался пленный Гордеев, вторая, под предводительством молодого смазливого брюнета в белом костюме, заполняла лестницу снизу. Обе задачи были отменно вооружены.

Но и Департамент уголовного розыска МВД с Генпрокуратурой не выходят на задание безоружными! Автомат Калашникова — серьезное, испытанное оружие. Однако, помимо автоматов, по-прежнему актуален обычный ПМ — пистолет Макарова.

Точно в замедленной съемке, Турецкий видел, как брюнет в белом костюме поднимает свой «стечкин»...

— Не стрелять! — крикнул Турецкий.

Крикнул он это не из гуманизма, не из-за того, что пожалел едва начинающуюся жизнь Алоева-младшего. Да, Мансур Алоев был молод и по-своему красив, но, представляя, сколько народу он отправил на тот свет, Турецкий не испытывал ни малейшей жалости к этой скотине. Когда Мансур пошатнулся, подрезанный пулей, выпущенной одним из Славиных бойцов, Александр Борисович чуть не закричал: «Наконец-то!» А вместо этого закричал вдруг: «Не стрелять!» Потому что добивать киллера сейчас было бы неосмотрительно. Он должен дать показания.

Турецкий видел, что Мансур Алоев тяжело ранен. «Стечкин» выпал из его правой руки, и Мансур не сделал попытки поднять оружие. Тело его повалилось ничком, левая, искалеченная, рука скребла по полу — сейчас особенно бросалось в глаза ее уродство. Кровь стремительно окрашивала белый костюм. Так же ли расплывалась кровь по снегу, когда Павел Любимов умирал от ножа Мансура? Об этом мог сказать один Мансур, и, возможно, сейчас он вспоминал ту, чужую смерть — в преддверии собственной... А возможно, не стоит приписывать такие психологические сложности наемному убийце.

Ранение главаря привело мансуровских бандитов в растерянность. Они расценили приказ «Не стрелять!» как обращенный к ним: мол, еще один выстрел с вашей стороны — и мы прикончим вашего главного. А что сделает с ними Алоев-старший за гибель сына? Мансуровские подопечные не сомневались относительно того, что Захар Алоев не только платит им за каждую удачную операцию, но и держит в руках нити их жизней. Кто страшней, Алоев или федералы? По всему предыдущему знакомству Алоев выходил страшней. Тогда уж лучше сдаться, не защищать Алоева. Тем более, если пришли за ним федералы, все равно, не сегодня так завтра ему выходил кирдык. Побросав автоматы, «коммандос» нестройно, но активно подняли руки.

— Молодцы, — поощрил Турецкий их рвение. — Вот что, — это уже к своим, — четверо человек из нашей группы караулят комнату пленника. Чтоб не впускать ни одной живой души! А остальные идут с нами к Алоеву.

Такая важная персона, как депутат Госдумы Захар Алоев, заслуживала того, чтобы Слава Грязнов и Саша Турецкий явились к нему лично. Турецкий готовился к тому, что вокруг Захара разыграется схватка почище той, что устроил им Мансур. Как-никак, старый матерый зверь стоит больше молодого хищника и рассчитывает, должно быть, подороже продать свою жизнь! Отчасти поэтому его так ошеломило то, что произошло на самом деле... впрочем, это кого угодно ошеломило бы.

Захар Алоев сквозь звуки восточной музыки (дорогого американского гостя проводили, но пир продолжался) прекрасно слышал выстрелы, но не трогался с места и пристальным взглядом возвращал на место тех, кому припала охота вскочить из-за стола. Все равно те, кто здесь пировал, не в состоянии были помочь тем, кто там сражался. Это был настоящий его праздник, быть может, последний праздник, и он желал использовать каждую его минуту, насладиться каждым живительным глотком. Если Мансур вернется, значит, у них будет еще много праздников. Ну а если нет, значит, эти минуты были использованы не напрасно. По крайней мере, у Захара Алоева есть время подготовиться. И допить вино.

Минуты были использованы не напрасно. В этом убедился Турецкий, когда, оторопев, обнаружил Алоева, который продолжал есть и пить, невзирая на их появление пред своими орлиными очами. Делал он это без веселья, но с надменностью. А вокруг все траурно замерли — при том, что на столе разноцветно подмигивали фрукты и мясные блюда, соусы и бутылки редкостного выдержанного вина. Будто венецианский карнавал: и пышно, и пестро, и мрачно, и страшновато.

Турецкому и Грязнову пришлось представиться и предъявить удостоверения. Это, в общем, оказалось лишним: Алоев успел морально подготовиться к тому, что его пришли брать, и для него оказалось бы постыдным, если бы его пришла брать какая-то служби́стская мелочь. Кажется, звания и должности объявившихся противников доставили ему горькое удовлетворение. Он не был вооружен и не проявлял стремления к самоубийству. Он продолжал оставаться надменным и невозмутимым.

Захара Алоева арестовали. К Мансуру Алоеву, кое-как оказав ему первую помощь, вызвали «скорую». Но не кончены были еще дела в этом доме. С врагами разобрались, предстояло освободить друга.

То, что должно было оказаться трогательной встречей друзей, явилось самым тяжелым фрагментом этого насыщенного событиями вечера. Когда Саша Турецкий и Слава Грязнов пришли освобождать Юрия Гордеева... Точнее, когда они ворвались в комнату, служившую для адвоката тюрьмой, Юрия Гордеева они там не увидели. Увидели голые стены и единственную кровать, на которую было небрежно брошено скомканное бурое шерстяное одеяло. У Турецкого мелькнуло соображение, что пленника перевели куда-то в другое место. О том, что совсем недавно он содержался здесь, свидетельствовал запах — затхлый густой запах немытого тела, естественных отправлений организма, невкусной еды, застарелой неволи. Покинутый зверинец, опустелая клетка! Где же искать Гордеева? Пока весь этот спектр мыслей отрывочными фейерверками вспыхивал в его мозгу, одеяло зашевелилось. Прежде чем Турецкий вынудил себя признать очевидную истину, Слава Грязнов подскочил к кровати и сбросил одеяло на пол. У присутствующих вырвался общий вздох, соответствующий коллективному потрясению: на кровати скорчился Гордеев...

Точнее, Грязнов и Турецкий узнали в этом существе Гордеева главным образом потому, что они знали: в данной комнате алоевского дома обязан находиться Гордеев. Но как трудно было поверить, что господин адвокат — пусть немолодой, но сильный, элегантный, по-прежнему удостаивающийся женского внимания — способен превратиться в этого сморщенного гнома! Беспомощный старичок, кожа да кости, настолько плоский, что рельеф его тела почти не выдавался над матрасом, испачканным кашей и испражнениями. Огромные на усохшем лице, замутненные недавним сном глаза беспокойно задвигались.

— Саша... Слава... — Голос Гордеева изменился меньше, чем можно было бы предположить по его общему состоянию, но стал прерывистым и хриплым. — Это правда вы... или снова галлю...цинации?

— Мы это, Юра. — Сердобольный Слава Грязнов едва не прослезился, склоняясь над телом... то есть, тьфу, какие глупости лезут в голову!.. просто-напрос-

то над пострадавшим другом. — Ты, пожалуйста, н[е]
разговаривай, если тебе трудно говорить.

— Что... очень... плохо?

— Ничего, Юра, — вступил Турецкий. — Пустяки[,]
ничего страшного. У тебя обыкновенное обезвожива[-]
ние. — Кажется, у него действительно обезвоживание[.]
Хотя и трудно себе вообразить, что можно увидеть та[-]
кую степень обезвоживания не в пустыне Сахара, а [в]
подмосковной Перловке! Что же с ним тут делали[?]
Каким образом до этого довели? В спертом духе ком[-]
наты различался въедливый медикаментозный запах[,]
должно быть, какая-то отрава из арсенала «Фармако[-]
логии-1» совершила над Гордеевым это страшное пре[-]
вращение. — Врачи тобой займутся и быстренько вер[-]
нут тебя в норму.

— Заберите... меня... отсюда...

— Заберем, заберем, — успокаивающе погладил ег[о]
Слава по тощей потемнелой руке. — Куда мы денемся[?]
Неужели здесь бросим?

Турецкий беспомощно огляделся: нет ли в комнат[е]
чего-нибудь, что могло бы послужить носилками[?]
Страшно было трогать Юру Гордеева с места, но и ос[-]
тавлять его на этой кровати из кошмаров до прибыти[я]
«скорой помощи», которой придется забрать не одно[-]
го, а двух пациентов, он не хотел. Как его перенести
на матрасе? Вместе с кроватью? Наиболее подходящи[й]
вариант — одеяло: следовало надеяться, достаточн[о]
прочное, чтобы выдержать уменьшившийся вес тел[а]
адвоката. И таким образом, Гордеева поместили в цент[р]
расстеленного одеяла, которое, держа за края, шесте[-]
ро сильных мужчин вынесли за пределы этой комнат[ы]
пыток.

Так выносят с поля боя раненых.

47

Едва опустившись в кресло самолета, Дэвид Гросс немедленно извлек из сеточки спальный набор: плед, темные очки на широкой резинке и надувную подушку-полукольцо. Самолет, предназначенный для американских дипломатических работников, сулил много радостей для временно пребывающих в полете. Можно было заказать блюда по выбору, пролистать свежую прессу на двух языках, посмотреть телевизор. Удобные кресла позволяли также работать с бумагами или ноутбуком без малейших помех. Тем не менее Дэвид Гросс еще до того, как шасси самолета оторвалось от взлетной полосы, поспешил нацепить на себя спальную амуницию. Нет, он не страдал от чрезмерной усталости, и время было вовсе не позднее. Дэвид Гросс попросту хотел отгородиться пледом и непроницаемыми очками от всего мира. Там, в темноте, он чувствовал себя относительно защищенным. По крайней мере, темные очки гарантируют: никто не станет заглядывать ему в глаза. Необходимость смотреть людям в глаза прежним прямым, честным и непреклонным взглядом, составлявшим немалую часть его слегка тяжеловесного обаяния, в течение последних суток нервировала Гросса.

Позор, позор! Мысль его постоянно возвращалась к одному и тому же эпизоду: праздник на вилле депутата Алоева. Как торжественно его там принимали — и как поспешно выпроваживали! Потайными тропами... Он выбирался между шершавыми заборами, то деревянными, то каменными, топча и ломая заросли вольных сорняков, которых не касалась рука рачительного садовника. Раздавленные сорняки благоухали первобытной, примитивной природой, и Дэвид Гросс, несмотря на панику, вдруг остро припомнил, что равный по пряной дикости запах он обонял только в возрасте двенадцати лет, на ферме у дяди, после того как взошла самая крупная в его жизни луна.

Лунный свет, обычно сопутствующий беглецам, не желал скрашивать одиночество Дэвида Гросса, и он спотыкался в темноте. Порвал правую брючину, рассадил икру о завиток толстой медной проволоки, торчащей из земли, наступил во что-то скользкое — во что именно, принюхиваться он на сей раз не пожелал. Обтрепанный, слегка окровавленный, не сказать чтобы невредимый, но, в общем, более или менее целый, Гросс выбрался к станции — как раз в тот момент, когда к платформе подползала, будя перловский мрак огнями, электричка. Последние три метра забега превратились в потрясающий финал, потребовавший сверхчеловеческого напряжения, и Гросс отметил с холодным, как бы не имеющим к нему отношения юмором, что в данный момент от анаболиков не отказался бы даже он. В вагоне, рухнув на обитое жесткой кожей сиденье, Дэвид первым делом схватился за пульс. Пульса не было.

«Ну точно, — заполняя той же холодной юмористической отстраненностью мучительные секунды, подумал Дэвид Гросс, — я же умер. Такая чепуха не имеет права происходить со мной, это предсмертный бред. Или... как звучит это русское религиозное слово?.. муты... мыта... мытурства? Загробные странствия души...»

Пульс появился не сразу, но все-таки появился. В течение двух-трех минут сердце колотилось о грудную клетку так, словно хотело разбить изнутри свою костную тюрьму. По истечении этого срока Гросс оказался снова способен контактировать с внешней средой и немедленно выяснил, что поезд едет не в Москву, а, наоборот, от нее удаляется. Как назло, у торгпреда США совершенно не было при себе русских денег! Ни на покупку билета, ни на выплату штрафа — на его счастье или несчастье, контролеры в такое позднее время обычно по вагонам не шастают, а пьют себе чай в семейном тепле и уюте. За окнами разворачивалась вдоль и вширь однообразная, таинственная, страшная Россия-во-мгле, кое-где разжиженная пристанционным голубоватым люминесцирующим сиянием и разноцветными огоньками городков Подмосковья. Почему только дипломатам не дают уроков поездки на туземном транспорте?

Удрученный Гросс сошел на первой же крупной станции (ею закономерно оказались Мытищи), чтобы под заинтересованными взглядами группки местных парней и девушек, увешанных серебряными цепями, крестами и медальонами, одетых сплошь в черное и с черными же, явно крашеными, поставленными дыбом волосами, упросить первого попавшегося таксиста доставить его в столицу. На бумажку в пятьсот долларов таксист, похожий на цыгана, покосил продолговатым глазом, словно норовистый конь, и молча распахнул переднюю дверцу своего средства передвижения. Последнее, что Гросс успел увидеть на привокзальной площади, — лица образчиков мытищинской молодежи, то ли разочарованные, то ли полные неудовлетворенного любопытства... а далее водитель с места в карьер заложил такой крутой вираж, что нижние зубы торгпреда едва не впечатались навечно в его же верхнюю челюсть. До следующего поворота Гросс успел накинуть ремень безопасности. Убедившись, что клиент не расположен к общению, цыганистый таксист включил радио. Одна из станций FM тут же заполнила салон автомобиля незамысловатеньким диско середины восьмидесятых. Асфальтовая, кое-где покореженная превратностями русского климата дорога, расстилавшаяся впереди при свете фар, не вызывала эмоций и не отвлекала от размышлений.

А поразмышлять было над чем! Только теперь Дэвид Гросс смог как следует оценить ситуацию. Ситуация выглядела невесело. Он слишком хорошо представлял, что на виллу к Алоеву нагрянули представители органов власти. Кто бы мог подумать! Да, как видно, человек в депутатской должности больше не является священной коровой: за противозаконные поступки придется отвечать даже и ему. Страшно вообразить, что было бы, если бы у него застали Гросса! Но опасность не миновала: Алоев способен выдать иностранного сообщника. А если не он, так кто-нибудь из его подчиненных... «Фармакологии-1» пришел конец, в этом нет сомнения. Сколько еще причастных к ней лиц утянет за собой эта организация? «Иисусе, помоги мне!» — взмолился отпрыск своих честных предков Дэвид Гросс...

— А с какой стати ему помогать? — рявкнуло вдруг радио.

Случайная реплика в ахинее, которую нес диктор, заполняя паузу между музыкальными номерами, обрушилась на Гросса, как топор. Все, происходившее с ним после поспешного выдворения из дома Алоева, было мистично. Слишком даже мистично.

«Иисусе, — еще раз, безнадежно, обратился в высшие инстанции Гросс, — я виноват, сознаюсь... Не надо было соглашаться на эту должность. Пусть бы лучше другие, я не в состоянии хладнокровно превращать здоровых людей в больных, добряков — в агрессивных хулиганов. Это грех, это грех... Но я делал это для своей страны. Я не имею права отвечать перед местным правосудием. Пожалуйста, избавь меня от этих неприятностей. А я обещаю уехать из России. О'кей?»

Не в состоянии понять, договорился он с Богом или нет, Гросс выудил из кармана пиджака мобильник, вызвал номер Шварца. Шварц не брал трубку. Со стоном Гросс вложил мобильник обратно, откинулся в кресле, упершись затылком в подголовник, впитавший, наверное, частицы кожного сала не одного клиента. Ныла и дергала, схватываясь свежим рубцом, царапина на икре.

— А в Москве куда вас везти? — заранее уточнил таксист.

— Смоленская площадь, — почему-то вздохнул Дэвид Гросс.

Исполнить данное Иисусу обещание оказалось легче, чем Гросс предполагал: посол самолично предложил торговому представителю отбыть из Москвы в течение 24 часов. Посол был раздосадован. Он ни о каких грязных околоспортивно-фармакологических махинациях (конечно же!) не знал и не желал знать в дальнейшем. Если Гросс чем-либо подобным занимался, он делал это по доброй воле и исключительно под свою ответственность. Гросс стоял перед послом, как школьник, получающий выговор от директора, счастлив хотя бы тем, что царапина перестала кровоточить. Он с равнодушным лицом принял военное «в 24 часа», мельком подумав лишь о том, что, если обе стороны — он и Иисус — сдержат свои обещания, мистика безумной ночи должна кончиться.

Он не предвидел другого. Этого стыда, сводящего внутренности, этой боязни чужого взгляда, которая заставила его спрятать собственные глаза за черными очками. Он потерпел поражение. Как ни оценивай случившееся, он оказался неуспешен в качестве агента влияния, а следовательно, и как торговый представитель: ведь люди, подвигнувшие его на сотрудничество с лабораторией «Дельта», были те же самые, благодаря которым он получил назначение на должность! Если бы он был самураем, ему оставалось бы только сделать харакири. Вместо этого он зачем-то отягощал собою специальный самолет...

На самом деле тяжелое внутреннее состояние Гросса было обусловлено конфликтом между двумя важными составляющими его кредо: унаследованной от предков честностью и всосанным с молоком матери американским стремлением к успеху. Попытка совместить то и другое привела к поражению на обоих фронтах. Однако если поражение в качестве торгового представителя США в России выглядело окончательным и непоправимым, то относительно честности дела обстояли не так уж фатально. Мало ли честных людей совершали неблаговидные поступки, чтобы никогда в дальнейшем их не повторять? Вряд ли когда-нибудь еще неподкупного Дэвида Гросса внешние обстоятельства вынудят к поддержке бизнеса, связанного с запрещенными лекарственными препаратами. Он просто вернется к прежним занятиям — и снова сможет безбоязненно смотреть людям в глаза. Почему бы не начать немедленно? Снять эти нелепые очки — ведь он все равно не спит. Ну же, Дэвид! Соверши усилие воли!

Стюардесса обратила внимание на то, что пассажир, с начала полета погруженный в сон, проснулся и смотрит в иллюминатор. На лице у него написано раздражение, словно он пытается заставить себя сделать что-то очень трудное, если не совсем невозможное... К примеру, с помощью волевого усилия почувствовать себя счастливым.

48

— А мы-то им верили, — убитым голосом изрек печальное заключение Валентин Муранов.

Все «спортивные старички», когда их привлекли к даче показаний по делу о распространении анаболиков, к которому была причастна лаборатория «Дельта», отозвались на это некоторым нервным потрясением, включавшим в себя несколько этапов. Первый этап — тотальное отрицание: этим честным, хотя и пострадавшим от столкновений с людям было трудно, практически невозможно поверить, что их благая деятельность могла обернуться во зло. Они утверждали, что все это уголовное дело — клевета на «Дельту», затеянная теми самыми людьми, которые заинтересованы в распространении анаболических стероидов.

— Все это происки спортивного российского руководства! — громче всех кипятился Давид Коссинский. Этот все еще красивый, широкоплечий гигант с возрастом погрузнел, а суждения его стали еще безапелляционнее, чем в молодости, когда в интервью родимым советским газетам он вставлял традиционные тогда выпады в адрес буржуазных поджигателей войны. — Спортивная мафия, а что вы хотите? Знали, что «Дельта» вставляет им палки в колеса, так не нашли ничего лучшего, как обвинить ее в полной ерунде... Да, да! Ничем, кроме ерунды, такие умозаключения я признать не могу!

Потом, по мере того, как агентам «Дельты» предъявляли все новые и новые доказательства, что возглавлявшие секретную лабораторию Стефан Шварц и Алекс Карполус вовсе не радели о чистоте побед российских спортсменов, а преследовали свои корыстные цели, настроение их менялось от боевого к подавленному.

«Но ведь мы ничего плохого не делали, — защищали свое нравственное спокойствие Шашкин, Коссинский, супруги Мурановы, — мы помогали изобличить тех, кто действительно принимал запрещенные стимуляторы. Разве это плохо?» Когда же у них не осталось сомнений в том, что они стали пешками в чужой игре, где спортсменам, которых они изобличали, отводилась роль заранее намеченных жертв, они дружно впали в депрессию. Теперь их приходилось не убеждать и обвинять, а утешать. Однако утешения плохо помогали перед лицом беспощадных фактов.

— Подумать только, — казнил себя Ярослав Шашкин, — ведь это я сразу после того, как Александр Борисович Турецкий приходил ко мне домой, позвонил Карполусу! Делился приятной новостью, что наконец-то Генпрокуратура взялась за убийц Паши и Наташи, спрашивал, не может ли это быть провокацией со стороны мафии, которая распространяет анаболики... На самом деле ведь это я им проболтался о том, что посоветовал Александру Борисовичу поговорить с Давыдовым! Значит, это я виновен в лужниковском покушении... По глупости, все по глупости. Как если бы своими руками его подстрелил...

На это возразить было нечего. И впрямь, стремительность, с какой Давыдова пытались убрать, указывает, что звонок Шашкина послужил сигналом для главарей «Фармакологии-1». И если Тихон Давыдов понемногу выздоравливает и заново учится ходить, то Глазырин и его телохранитель погибли, даже не узнав, что стало причиной их гибели...

Софья и Валентин Мурановы обвиняли себя в чрезмерной привязанности к материальным благам.

— Может быть, если бы мы как следует обдумали предложение «Дельты», — вспоминала Софья, — то заподозрили бы, что дело здесь нечисто. Но они нам замазали глаза своими деньгами! Знаете, не так-то легко сидеть на мизерной пенсии, после того как привычка пользоваться совсем иным уровнем жизненных благ вошла в плоть и кровь. К тому же у нас сын, внуки... Так что не будем врать: на предложение «Дельты» мы накинулись, как голодные евреи на манну небесную. Надо принять еще во внимание, что мы были вынуждены уйти с тренерской работы из-за проклятых анаболиков! Понятно, что хотелось отомстить...

— Но это нас не оправдывает, — припечатывал Валентин. — Жажда мести и денег до добра не доводит. Теперь мы в этом на своей шкуре удостоверились.

Относительно материальных благ супруги Мурановы даже после сокрушительного падения «Дельты» могли не беспокоиться: скандалы, связанные с анаболиками, неожиданно оживили интерес к чете бывших тренеров в компетентных кругах, и один спортивный клуб, не входящий в десятку самых перспективных, выразил желание пойти на риск, приняв Мурановых на работу. Судя по всему, руководство клуба поступило согласно поговорке «Плохой прессы не бывает», решив, что мурановская слава, пусть даже с отрицательным душком, способна привлечь сюда дополнительное число людей.

Будущее остальных агентов «Дельты» терялось во мраке неизвестности. В целом, ушедшие на покой обломки спортивного величия потеряли в этой истории даже больше, чем те молодые спортсмены, чье восхождение к пьедесталу почета было прервано на основании обнаружения в крови запрещенных веществ. Молодость гибка, она обладает обширным резервом сил, позволяющим начать все сначала. Что же остается старости? Воспоминания о безупречно прожитой жизни и незапятнанная честь. Но даже этого лишились пожилые люди, которые считали, что по указке Шварца и Карполуса совершают благое дело...

Денису Грязнову и Александру Борисовичу Турецкому было жаль этих людей, в чьей честности, соединенной с наивностью, они успели убедиться. Но помочь им они ничем не могли. В конце концов, они сыщики — и не более.

В соответствии с календарным распорядком лето сменилось осенью, но погода стояла прежняя, так что никто этого не замечал — разве что первоклашки, которые бежали в школу, подпрыгивая и потряхивая новенькими ранцами. Территория наркологической клиники в свете лучей первого осеннего, все еще жаркого солнца выглядела обворожительно, она располагала к созерцательности и творческому отдыху, точно помещалась не вблизи Зеленого проспекта, а где-нибудь в Венском лесу, даже безобразие типовых серых корпусов и тюремного забора как-то скрадывалось.

Вадим Глазков ступал по ее расчерченным дорожкам не торопясь. Во-первых, он по жизни привык никуда не спешить, а во-вторых, времени до начала работы у него еще было предостаточно: накануне он предупредил, что плохо себя чувствует, повышенное давление, туда-сюда, а потому с утра задержится на часок. На самом деле просто хотелось отоспаться. Если не слишком часто, то такие трюки, в общем, сходили с рук.

Поднявшись по короткой лестнице на второй этаж лабораторного корпуса, Вадим понял, что времени у него действительно предостаточно. И вообще, кажется, он мог сегодня не вставать с постели. Настя, Лорина и Ревекка Израилевна, короче, все его коллеги выстроились в коридоре вдоль стеночки с одним и тем же смутным выражением на озабоченных лицах. Дверь, украшенная полотном с алкоголиком в рюмке, была открыта и, судя по звукам, в лаборатории кто-то орудовал. Неаккуратно, грубо орудовал. Этот кто-то явно не заканчивал медицинского училища и не готовился работать фельдшером-лаборантом. Как-то без должного почтения он обращался со стеклянным оборудованием.

— А, новенький подошел! — крикнула, высунувшись из-за двери, слегка растрепанная голова. Голова, насколько удалось разглядеть, принадлежала мужчине, одетому в рубашку с этническим рисунком, с глубоким разрезом на волосатой груди. И никакого белого халата — крушение устоев! — Подождите, девочки и мальчики, сейчас мы вами займемся и быстренько отпустим. Ничего страшного! Расскажете нам, как вы тут работали, какие вам давали задания, какие к вам приходили люди и чем тут занимались. Лады?

Лорина, Ревекка Израилевна и Настя потупили глаза. То же самое сделал Вадим, заняв место по соседству с Лориной. Персонал обычной лаборатории в подобной ситуации трепался бы без умолку, делясь друг с другом разными версиями происшедшего и строя предположения, что дальше может произойти. Но Карполус не зря старался, подобрав особенных людей: необычность того, что вдруг случилось и чего никто не мог ожидать, сделала их совсем уж молчаливыми и замкнутыми.

— Давно они здесь... стараются? — нарушил заговор молчания Вадим и смущенно скуксился: показалось, что никто ему не ответит.

Ответила, против ожидания, Ревекка Израилевна:

— Раньше нас пришли. Получили ключи на вахте.

Дальше расспрашивать Вадим не решился. И так ясно, что нужно обладать серьезными удостоверениями — более серьезными, чем у того частного детектива, который их недавно навещал, — для того чтобы проникнуть в пределы тюремного забора и получить ключи от их отдельной лаборатории.

— Карполуса арестовали? — зловещим шепотом, как преступник из романа средней руки, спросил Вадим. Он нисколько не хотел придавать романный налет действительности с помощью этого почти неприлично зловещего шепота, но что поделаешь, так уж получилось.

Никто не ответил. Сотрудники женского пола окончательно погрузились в молчание.

«Аутисты какие-то, — в приступе непонятного раздражения подумал Вадим. — Сборище оголтелых аутистов».

А ведь было времечко, совсем как будто бы недавно, и молчаливость девчонок, как он их про себя называл, его не раздражала. Наоборот, еще радовался, что у них все не так, как в других лабораториях, где бессмысленные бабские «ля-ля» целый день, то о мужиках, то о детях, то о тряпках, то о магазинах, то о еде, и в придачу радио, почти круглосуточно орущее плохие новости и изрыгающее музыкальную белиберду, в то время как подопечные Карполуса так отлично сработались... Да ничуть не сработались! Сейчас, как никогда раньше, это видно. Не сработались, не подружились, остались такими, как были, каждый сам по себе и каждый за себя. В условиях тихой повседневной деятельности оно, может быть, и неплохо, а в острой ситуации — нет. Когда происходит нечто, чего не должно происходить, к чему никто никого не предуготовлял, хочется чувствовать дружескую поддержку. Надежное, так сказать, плечо.

«А ты? — ни с того ни с сего спросил себя Вадим. — Ты мужчина. Разве не ты должен подставить этим растерянным женщинам свое надежное плечо?»

Постановка вопроса была весьма необычной: раньше Вадим полностью исключал себя из круга тех, кто должен подставлять плечи, удовлетворяясь тем, что его жизненные принципы не предполагают этих общепринятых глупостей. Искоса, неловко, он последовательно смерил взглядами с головы до пят и Настю, и Ревекку Израилевну, и Лорину. Подставлять им плечо и оказывать помощь не хотелось. Под конец он сам на себя рассердился: чего это он на них, как дурак, уставился? Раньше, что ли, никогда не видал?

«Я тоже аутист, — сознался себе Глазков. — Причем сознательный, намеренный и непреклонный. За то и был выбран. Теперь придется искать новую работу, и вряд ли на ней потребуются люди, обладающие таким характером, как я. Может быть, наоборот, на новой работе будут больше любить общительных. Тогда придется стать общительным, активным, предприимчивым. Вот чума!»

Что работу придется искать новую — это Вадим почувствовал сразу же, как только увидел выстроившихся у стены лаборанток. Почувствовал не сердцем, не головой даже, а, как бы повежливее выразиться, частью тела, противоположной голове. Именно эта часть тела обычно расплачивается за все неурядицы, а потому обладает таинственным даром их предвещать.

Карполуса и Шварца все-таки не арестовали. У них оказались влиятельные защитники в посольствах Греции и Германии, так что этих субъектов просто выслали из России. Но показания по поводу своей деятельности дать им все-таки пришлось. Это косвенным путем вывел Вадим из вопросов, которые ему задавали. И сразу, в лаборатории, и после. В показаниях он не путался, ничего подозрительного у него не нашли, а потому всех рядовых тружеников реактива и пробирки оставили в покое.

Так свершился закат лаборатории «Дельта». Печальный? Это как посмотреть...

Нельзя сказать, что фельдшер-лаборант Вадим Глазков вышел из этой истории усовершенствованным и преображенным или что он задумал полностью изменить себя. Это — нет: под влиянием таких внешних, случайных, экстремальных обстоятельств люди не меняются. Однако в одном пункте он свою философию подкорректировал: если сидишь на берегу реки и глядишь на воду, не хватайся за проплывающий мимо предмет прежде, чем не удостоверишься, что он именно таков, каким кажется. По реке может проплывать бревно, пригодное для постройки дома, а может — крокодил, притворившийся бревном. Еще неизвестно, кто кого схватит...

49

Теплое детское дыхание, доносившееся из Димкиной кроватки, словно бы делало комнату еще уютней. До такой степени не нарушать безмолвия умеют только пригревшиеся домашние животные. И спящие дети в возрасте до года. Аня, по своему обычному материнскому беспокойству, собиралась подойти к кроватке, посмотреть, как там Димочка, поправить одеяльце, но решила не трогать сынишку. Чтобы удостовериться, что все в порядке, ей было достаточно этой насыщенной здоровым младенческим сном тишины.

В последнее время, следя за собой, Аня с удивлением отмечала, что ее душевное состояние, не так давно бывшее совершенно невыносимым, изменилось к лучшему. Ее больше не снедала тревога за себя и за сына, она больше не боялась звонков — ни телефонных, ни каких-либо других. На самом деле телефонные звонки стали неотъемлемой частью ее быта, поскольку, пока суд да дело, она все-таки нашла себе надомную работу, что вынуждало общаться с работодателями. Аня боялась, что работа не позволит ей уделять Димочке столько же внимания, как раньше, но оказалось, что она отлично справляется с новым кругом обязанностей. Наверное, приучилась наконец правильно распределять время. А может быть, просто ребенок подрос и не требует прежнего количества ритуальных танцев вокруг своей священной младенческой персоны? Он уже сделал, с материнской поддержкой, свои первые шажки (хотя по-прежнему предпочитает передвигаться на четвереньках, шустро, как зверек), а в его глазках, понемногу утрачивающих первоначальную голубизну, Аня то и дело ловит знакомое, определенное, мужское выражение, которое было свойственно Пашиным глазам, серым, точно северное небо. А вчера он сказал свое первое слово. Согласно учебнику для молодых родителей, Димочке, после периода нечленораздельного лепета, уже пора было заговорить, но он, молчаливый мужичок, все думал, думал, основательно готовился, прежде чем осчастливить ее — громко, раздельно, отчетливо:

— Ма-ма!

Что испытывает женщина, когда слышит от своего ребенка первое слово «мама»? Гордость, облегчение от того, что пройден этап бессловесности, радость от осознания, что рядом подрастает человек, который со временем станет равен своим родителям, а потом пойдет дальше них? Все это почувствовала Аня Любимова. Но вдобавок к этому еще и грусть, что Димочке, вслед за этим первым, самым важным и нужным для ребенка словом, никогда не удастся сказать второе самое важное и нужное слово: «папа». А если и удастся когда-нибудь, то слово это будет обращено не к родному его отцу...

Еще совсем недавно грусть захватила бы Аню целиком, безраздельно властвовала бы над нею целую неделю. А теперь... Все-таки Аня изменилась! Мысль о том, что у Димы никогда не будет родного отца, осталась трогательной, но мимолетной: отдавая дань покойному мужу, вдова не испытывала потребности погружаться в перманентный трагизм. Как бы то ни было, жизнь продолжается. И может быть (не сейчас, разумеется, и не в будущем году, и вряд ли через два года), когда-нибудь (никто не знает, какие сюрпризы преподнесет судьба) Аня еще встретит мужчину, который полюбит ее и ее ребенка. Будет ли она любить этого незнакомого мужчину так, как Пашу? Вряд ли: второго Паши на свете нет. Но может быть, она сумеет любить его как-нибудь по-другому, если не так же сильно. Она еще сумеет быть счастливой. И они будут счастливы, все втроем...

Одно Аня знает точно: как бы ни сложилась жизнь, вдова Любимова обязательно расскажет подросшему сыну о его покойном отце. Дмитрий будет гордиться Павлом Любимовым, который не был случайно убит неизвестно откуда взявшимся кавказцем, а отдал жизнь, защищая людей от запрещенных стимуляторов, калечащих здоровье. Он вступил в схватку с организованной преступностью — и пусть не одолел ее, но погиб как герой. Факты доказаны и удостоверены.

Ради одного этого стоило платить деньги адвокату. Ради одного этого стоило воевать со следователем, который пытался списать гибель Павла Любимова на межнациональную рознь. Аня ничуть не жалеет о потраченных деньгах и благодарна людям, которые проделали тяжелую, рискованную работу, чтобы разоблачить убийц ее покойного мужа.

50

— Не нужно, Маша, спасибо, — принялся отнекиваться Гордеев, когда приходящая медсестра, поставив самодельный торт в духовку, достала из целлофановой синей сумочки аппарат для измерения давления.

— Нет, нужно, Юрий Петрович! — Маша осталась непреклонной. — Имейте в виду, я все-таки не домохозяйка, а медработник и выполняю свои обязанности. Если снова выдадите двести двадцать на сто — так и знайте, не получите никаких вечеринок!

Гордеев подчинился, скрывая улыбку: на практике Маша проявляла себя не настолько грозной, как на словах. Кроме того, кулинария была ее слабостью, и она не меньше Гордеева ждала гостей, которые смогут оценить выпечку, приготовленную ее полными, но красивой формы белыми руками. Да, Маша — настоящее сокровище! Все в ее власти: и укол умеет сделать так, что не почувствуешь, и обед приготовить так, что пальчики оближешь. Выписывая едва выведенного из отравления психотропными средствами Гордеева, который уже переносить не мог чужих стен и неудержимо стремился домой, врачи института Склифосовского сказали: «Только учтите, вы не меньше месяца должны находиться под постоянным наблюдением. Можем порекомендовать отличную сиделку...» От оскорбительного слова «сиделка» восстала мужская гордость Юрия Петровича: «Какая еще, к черту лысому, сиделка? Я что вам, калека или немощный старичок?» Но находившиеся при нем Турецкий и Слава Грязнов дружно взревели, чтоб Юрка не выдрючивался, а сколько надо, столько и лечился... Одним словом, от сиделки отвертеться не удалось. И, откровенно говоря, сейчас Юрий Петрович этому радуется: Маша стала необходимой в доме. Он даже задумывается на тему того, что раньше был дураком: подбирал себе временных подруг по принципу внешности. А надо было по-хозяйски подобрать так, чтобы не временную, а постоянную. Чтобы добрую, и небрезгливую, и готовить чтобы умела, и поговорить было о чем: Маша, вопреки профессии и простоватому толстоносому лицу, отличалась начитанностью, а жизненного опыта у нее хватило бы на четверых. Ей-же-ей, почему бы Гордееву не сделать предложение руки и сердца какой-нибудь Маше... Да зачем же «какой-нибудь», когда вот она, самая что ни на есть натуральная Маша, перед ним? Однако здесь Гордеев с предложением запоздал: высокопрофессиональная частная сиделка успела до встречи с ним стать и женой, и матерью, и бабушкой. Увести ее от мужа? Сейчас, когда нет других дел, можно было бы попробовать, но, кажется, никаких шансов: баба — кремень! К тому же Гордеев подозревал в глубине души, что эти непривычные для него воззрения на женщину, так же как и потребность в заботе, есть следствие болезни, не более того. Вот вернется он к прежнему активному образу жизни — возвратятся временно оставленные холостяцкие привычки. Горбатого могила исправит, а таких горбатых в смысле холостячества, как адвокат Юрий Петрович Гордеев, свет не видывал!

Манжета, стискивавшая плечо, сдулась с тихим свистом. Разгладилась сосредоточенная вертикальная морщинка на Машином лбу.

— Ну как там поживает давление? Примут меня в космонавты? — спросил Гордеев, маскируя юмором тревогу.

— С космосом, Юрий Петрович, придется маленько обождать, — разрумяненно улыбнулась Маша, — но сегодняшний вечер, думаю, вынесете. Только вы, пожалуйста, от алкоголя воздержитесь. Не то после второго рождения, чего доброго, придется праздновать еще и третье. Это я вам, как медработник, ответственно говорю.

— Не волнуйся, Маша, — торжественно, как пионер на линейке, пообещал Гордеев, — никакого алкоголя. Мы же договорились. Гости клялись и божились, что никакого алкоголя не будет.

Идею отпраздновать второе рождение Юрки Гордеева, вернувшегося буквально с того света, подал Слава Грязнов, а прочие гордеевские друзья с восторгом ее подхватили: они обожали и Юрия Петровича, и внеочередные праздники. Тут же наметили дату... Правда, для полной уверенности в том, что второе рождение состоялось, не мешало бы выждать тот самый месяц, назначенный врачами для полной реабилитации пациента. Но, увы, служебная необходимость настойчиво призывала в скором времени Турецкого в Чехию, пребывание в которой грозило затянуться на неопределенный срок, а что за праздник без Сан Борисыча? Поэтому радостное событие решили поторопить, чтобы успеть до отъезда. Конечно, при условии, что с не вполне еще здоровым Гордеевым станут обращаться нежно, как с оранжерейным цветочком. Никаких волнений, никаких возлияний, никаких засиживаний до утра. Ни-ни-ни!

Когда салаты и мелко нарезанные ломтики хлеба и колбасы красиво распределились на тарелках на белой скатерти, а торт из духовки начал испускать сдобный аромат, свидетельствуя о близкой готовности, по квартире пронеслась трель звонка. Первым из гостей в комнату, где полулежал Юрий Петрович, вломился Семен Семенович Моисеев. Невзирая на возраст и давнюю, еще с войны, хромоту, советник юстиции передвигался стремительно, как старинный, но красивый корабль, несущийся по бурным волнам на всех парусах. В одной руке он сжимал полузадушенный целлофаном букет белых гвоздичек, в другой — пузатую бутылку восхитительного армянского бренди «Ани».

— Юрик, мальчик мой, — приглушенно воскликнул Семен Семенович, троекратно облобызав Гордеева, — до чего ж я рад видеть тебя в живых! А то тут эти шалопаи, Саня и Слава, наговорили мне разные страсти, будто бы тебя какие-то садисты накачали наркотиками и уложили в гроб. Только я ж так и рассчитывал, что таких юристов, как мы, за понюх табаку не умогилить. Все ерунда, выпьешь рюмку этого лекарства — в пляс пойдешь, чтоб я так жил!

Маша выросла за плечом Гордеева, словно Немезида. Моисеев отступил и выпучил совиные глаза в комически преувеличенном испуге.

— Извините, — Маша бдительно несла свою вахту, — Юрию Петровичу спиртное вредно. Я вам как медработник говорю.

— Мадам, — не растерявшийся Моисеев, согнувшись в поклоне, поцеловал Маше руку так ловко, что она не успела ее отнять, — разрешите поблагодарить вас за все, что вы сделали для нашего драгоценного Юры Гордеева. Вы — ангел, а я очень стар и умею распознавать ангелов, когда они ступают по нашей грешной земле. Вы изрекаете истины с позиции высшей справедливости, и вы таки правы. Но позвольте вам напомнить, мадам, что жить тоже вредно: от этого умирают...

Тотчас за Моисеевым явился Турецкий, вооруженный коньяком «Наполеон». За ним нарисовался Слава Грязнов, неся растянутый пакет, в котором что-то стеклянно позвякивало... Умудренная опытом Маша, сообразив, что в такой ситуации с мужчинами спорить бесполезно, сыграла отступление и удалилась на всякий случай готовить шприц.

— Так, значит, за границу, Саня? — для затравки беседы спросил Гордеев, хотя сам отлично все знал.

— Так точно, Слава, за границу, — доложил Турецкий и шлепнул по руке Грязнова, который, оказавшись за столом, немедленно потянулся к колбасе. — Генпрокурор дал указание расставить все точки над «и», уже и с Интерполом связался. Поеду в Прагу для проведения в Чехии следственных действий, конечно, совместно с прокуратурой и полицией. Ничего, накроем мы перевалочный пункт анаболиков! Плюс к тому и Титов с Красиным не отстают.

— А что от тебя надо руководителям российского спорта?

— Представляешь, убедительно просят поехать с ними в штаб-квартиру МОК. Там должно состояться важное совещание по поводу применения допинга российскими олимпийцами. Только у нас имеются доказательные материалы. Эти факты в состоянии обелить русских. И очернить нечестных сотрудников из МОКа и Всемирного антидопингового агентства...

Новый звонок в дверь, новая партия гостей. Открывать дверь пошли Турецкий с Моисеевым. За то время, пока не иссякли приветственные возгласы из коридора, Слава Грязнов при молчаливом согласии Гордеева успел соорудить себе внушительный сэндвич из белого хлеба, соленых огурчиков и двух сортов колбасы. Моисеев и Турецкий вернулись в сопровождении Дениса и примкнувшего к нему майора Зайчика. Последний шмякнул на пустое блюдо, предназначавшееся под торт, нечто большое, круглое, просвечивающее из-под двух слоев оберточной бумаги серым мясом:

— От нашего стола — вашему столу!

— Батюшки! — чуть не подавился Слава: майор Зайчик неизменно заставлял трепетать его нервы. — С какого же это стола: на котором в морге покойников разделывают?

— Ну вы даете! — искренне изумился Зайчик. — Обычная баранина с чесноком. Ну, если честно, то не совсем обычная. Меня ее один грузин готовить научил: попробуешь — пальчики оближешь! А кстати насчет морга, спасибо, что напомнил, есть один анекдот...

Тут явилась Маша, оповещая, что торт готов, и поиски дополнительного блюда избавили присутствующих от анекдота, который наверняка подорвал бы их аппетит.

Когда все оказались на своих местах — торт на фарфоровом подносе, Маша, вопреки ее застенчивым отнекиваниям, на свободном стуле рядом с майором Зайчиком, Гордеев во главе стола, все прочие при столе, кому где нравилось — первым поднял тост Моисеев, который имел не слишком-то отчетливое представление о том, что сегодня празднуется, но был тем более величествен, напорист и красноречив.

— Дорогой Юра! Сегодня мы поднимаем бокалы, празднуя твое возвращение из тех сумрачных широт, куда всем охота попасть как можно позже. А чтобы вернуться оттуда целым и невредимым — для этого, знаешь ли, надо родиться в рубашке. Мы и так догадывались, что госпожа Удача тебя любит, но теперь уж точно ликвидированы все сомнения. Знаешь, как в народе говорится: если тебя хоронят раньше времени, значит, сто лет проживешь. За тебя, Юра! Чтоб ты жил те самые сто лет!

Звон сдвинувшихся рюмок смешался с разноголосицей всевозможных благих пожеланий.

Еще несколько тостов на протяжении ближайших часов довели собравшихся до нужной кондиции: когда внутренние зажимы сняты, но до отказа тормозов еще очень и очень далеко. В таком состоянии, ради которого, позвольте выдать маленький секрет, устраиваются все настоящие застолья на свете, легко завязать беседу с человеком, которого раньше стеснялся, высказать то, что давно хотел и не решался открыть. Общество распалось на несколько групп — довольно-таки неожиданных для гипотетического зрителя, который имел бы возможность наблюдать одних и тех же людей и абсолютно трезвыми, и в подпитии. Майор Зайчик обрел благодарную слушательницу в Маше, которая искренне смеялась его анекдотам: черный юмор ничуть не шокировал опытную медсестру! Семен Семенович вдохновенно описывал обстоятельства своего фронтового ранения Славе Грязнову, который, вставляя по ходу дела «Да ну?», «Нет, надо же, в самом деле!», «Всегда знал, что вы у нас герой», не забывал при этом воздавать должное и торту, и бутербродам. Что касается Гордеева и Турецкого, их пробило на философский лад.

— Знаешь, Юра, — в порыве алкогольной откровенности признался Турецкий, — к концу этого дела я превратился из поклонника спорта в его ненавистника. Не по душе мне как-то, когда лопаются мышцы, летят к черту суставы, сердце рвется от зависти к тому, кто тебя на полкорпуса опередил. Когда, понимаешь ли, молодые красавцы и красавицы, которым жить бы и жить полной жизнью, есть, пить, мыслить, любить, становятся уродами, которым ничего этого больше не хочется, да они и не могут. И ради чего? Лишнего миллиграмма поднятого веса, лишнего миллиметра преодоленной дистанции. Стоит ли это загубленных судеб?

— Дело в том, Саша, — рассудительно проговорил Гордеев, — что важны не эти миллиграммы и миллиметры сами по себе. В человеческой природе заложена, видимо, тяга к совершенству — в том числе совершенству физическому. Шумный ажиотаж вокруг спорта связан с тем, что в глазах массового зрителя спортсмены воплощают телесный идеал, от которого сам этот массовый зритель, погрязший в мягком кресле, пиве и телепрограммах, безмерно далек.

— Я уловил твою мысль, Юра. По-моему, это еще страшнее, чем то, что я сказал. Ведь смотри, по-твоему, массовый зритель, ради выкачивания денег из которого устраиваются олимпийские игры, получается эдаким римским патрицием, который смотрит, как гибнут на арене гладиаторы. В древнеримские времена гладиаторы гибли прямо на глазах публики, сейчас — за кулисами, но результат-то один. И мы еще называем себя цивилизованным обществом? Тогда, выходит, Древняя Греция была цивилизованней нас: там спортсменов не выращивали, как бычков, там любой человек из толпы мог выйти и помериться силой с чемпионом. И средневековая Европа была цивилизованней нас: там за рыцарскими турнирами наблюдали те, кто сам готов был в следующий момент вспрыгнуть на коня и взяться за копье. А мы по сравнению с ними кто? Людоеды...

— Хватит комплексовать, Саша, — возразил Гордеев. — В конечном счете мы всего лишь сделали то, что нам было поручено. Ты с Дениской — каждый со своей стороны — в процессе добросовестной работы устранили одно из препятствий к тому, чтобы Москва стала столицей следующей олимпиады. Я нашел убийцу мужа моей подзащитной. Майор, — что-то вроде поклона в сторону Зайчика, с которым Гордеев успел лишь поверхностно познакомиться, — накрыл склад запрещенных веществ. Все мы вместе разоблачили кое-каких нечестных людей в российской власти. Исполнили свой долг. К чему тут философию разводить?

— А почему бы не пофилософствовать, когда дело сделано? Самое время, по-моему, задуматься: а что ты, по гамбургскому счету, совершил? Привели твои поступки ко благу или злу?

— Ладно-ладно, — замахал Гордеев обеими руками, — не спорю, не спорю.

Денис отмалчивался: как самый младший из компании, прилежно слушал разговоры старших и держал свое мнение при себе. В чем-то он был согласен с доводами Турецкого — и сразу же перед глазами всплывала чудовищная туша Валерии; но стоило вспомнить, как антитезу, супругов Мурановых, таких моложавых в свои преклонные годы, — и моментально напрашивалась мысль, что спорт сам по себе не так уж плох, если без анаболиков... Вот если бы оборотная сторона спортивных медалей не была иногда такой отвратительной и жестокой! Распираемый чувствами, подогреваемыми циркулирующим в крови алкоголем, Денис выскочил охладиться на балкон, под покров стынущего августовского неба, и считал на его черном бархатном подоле звездные блестки, пока не прояснилось в голове и не зарябило в глазах...

Звездная августовская ночь, дарящая свою прохладу в равной мере правым и виноватым, сонным и бодрствующим, не принесла облегчения следователю Сергею Валерьяновичу Плотникову, который вот уж час как обмял себе в бессоннице бока. Бессонница обусловливалась, как обычно, семейными неприятностями — двумя сразу. Во-первых, Варя с той дрожащей влажной девической улыбкой, которая возвращала ей привлекательность невесты в белоснежной фате, сообщила, что очередное средство предохранения снова не сработало — и, несмотря на то что Плотников подозревал, что им не избежать явления на белый свет шестого отпрыска, на его голову словно обрушилась упущенная нерадивым строителем блочная плита... Вторая неприятность не относилась к разряду предусмотренных, и Сергей Валерьянович пока не разобрался, относиться к ней как к неприятности или по-другому. Любимая старшая дочка Мариночка заявила, что в новом учебном году она хочет заняться спортом и просит записать ее в какую-нибудь секцию. Хоть в какую-нибудь! Она слишком толстая, ее из-за этого дразнят, а лучший способ поддержания веса — физические нагрузки, значит, спорт. По этому поводу развернулась бурная семейная дискуссия, местами переходящая в шторм.

— За секцию нужно платить деньги, — упирался Сергей Валерьянович, — а лишних денег у нас, сама знаешь, не водится. Они будут нужны для твоего нового братика... или сестрички...

— Есть и бесплатные секции, — настаивала Мари-а, которая, несмотря на возраст, обладала стальным характером, который закалился в постоянных столк-овениях с житейскими трудностями. — А даже если начала заставят платить, то потом увидят, какая я спо-обная, и позволят заниматься бесплатно.

— Но почему ты решила, что тебя признают спо-обной?

— Потому, что у меня есть упорство. А все спорт-мены в интервью говорят, что в спорте это самое лавное.

Упорства Марине действительно было не занимать: идно хотя бы из того, что Сергей Валерьянович, со воим опытом следователя, так и не сумел ее переспо-ить. Скрепя сердце он дал ей обещание записать ее в акую-нибудь секцию, поближе к дому, чем сейчас был чень недоволен. Если старшая дочь, вместо того что-ы возиться с братишками и сестренками, будет уде-ять все свободное время спорту, нагрузка на Плотни-ова возрастет. Плюс ожидаемый шестой ребенок...

Но, с другой стороны, может быть, все не так уж рачно? Мариночка в самом деле упорная девочка и меет терпеливо переносить трудности: как же иначе, едь она его дочь! А вдруг это упорство поможет ей не олько превратиться из толстушки в стройную краса-ицу, но и выведет ее на чемпионские рубежи? А вдруг его скромном доме подрастает будущая олимпийс-ая надежда, которая прославит своего старого отца? Iем черт не шутит?

Ведь это, что ни говори, радует! Отличная все-таки тука — спорт...

Литературно-художественное издание

Фридрих Евсеевич Незнанский

ФИНИШ ДЛЯ ЧЕМПИОНОВ

Ответственный редактор *С. Рубис*
Редактор *М. Келарева*
Компьютерная верстка *О. Бочкова*
Корректор *Р. Бардина*
Художественный редактор *Д. Сазонов*

В оформлении переплета использованы фотоматериалы
ГТК «Телеканал РОССИЯ»

ООО «Агентство «КРПА Олимп»
115191, Москва, а/я 98. www.rus-olimp
E-mail: olimpus@dol.ru

ООО «Издательство «Эксмо»
127299, Москва, ул. Клары Цеткин, д. 18/5. Тел.: 411-68-86, 956-39-21.
Home page: **www.eksmo.ru** E-mail: **info@ eksmo.ru**

Оптовая торговля книгами «Эксмо» и товарами «Эксмо-канц»:
ООО «ТД «Эксмо». 142700, Московская обл., Ленинский р-н, г. Видное,
Белокаменное ш., д. 1, многоканальный тел. 411-50-74.
E-mail: **reception@eksmo-sale.ru**

Полный ассортимент книг издательства «Эксмо» для оптовых покупателей:
В Санкт-Петербурге: ООО СЗКО, пр-т Обуховской Обороны, д. 84Е.
Тел. отдела реализации (812) 265-44-80/81/82.

В Нижнем Новгороде: ООО ТД «Эксмо НН», ул. Маршала Воронова, д. 3.
Тел. (8312) 72-36-70.

В Казани: ООО «НКП Казань», ул. Фрезерная, д. 5. Тел. (8435) 70-40-45/46.

В Самаре: ООО «РДЦ-Самара», пр-т Кирова, д. 75/1, литера «Е». Тел. (846) 269-66-70.

В Екатеринбурге: ООО «РДЦ-Екатеринбург», ул. Прибалтийская, д. 24а.
Тел. (343) 378-49-45.

В Киеве: ООО ДЦ «Эксмо-Украина», ул. Луговая, д. 9. Тел./факс: (044) 537-35-52.

Во Львове: Торговое Представительство ООО ДЦ «Эксмо-Украина»,
ул. Бузкова, д. 2. Тел./факс: (032) 245-00-19.

Мелкооптовая торговля книгами «Эксмо» и товарами «Эксмо-канц»:
117192, Москва, Мичуринский пр-т, д. 12/1. Тел./факс: (495) 411-50-76.
127254, Москва, ул. Добролюбова, д. 2. Тел.: (495) 745-89-15, 780-58-34.

Полный ассортимент продукции издательства «Эксмо»:
В Москве в сети магазинов «Новый книжный»:
Центральный магазин — Москва, Сухаревская пл., 12 . Тел.: 937-85-81, 780-58-81.

В Санкт-Петербурге в сети магазинов «Буквоед»:
«Магазин на Невском», д. 13. Тел. (812) 310-22-44.

Подписано в печать 14.03.2006.
Формат 84×108 ^{1}/₃₂. Печать офсетная. Бумага тип. Усл. печ. л. 16,8.
Тираж 7000 экз. Заказ № 3454.

Отпечатано с готовых диапозитивов
в полиграфической фирме «КРАСНЫЙ ПРОЛЕТАРИЙ»
127473, Москва, Краснопролетарская, 16

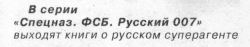